le bricolage
avec louis thivierge

Éditeurs:
LES ÉDITIONS LA PRESSE, LTÉE
7, rue Saint-Jacques
Montréal H2Y 1K9

Maquette de la couverture:
JEAN PROVENCHER

Maquette générale:
LUCILE LAROSE

Dépôt légal:
BIBLIOTHÈQUE NATIONALE DU QUÉBEC
4e trimestre 1975
ISBN 0-7777-0164-2

le
bricolage
avec louis thivierge

- ■ les outils de base
- ■ les techniques de travail
- ■ les toits et gouttières
- ■ le béton et la brique
- ■ les réparations en général

elo la presse

Sources des photographies et illustrations

La majorité des photographies sont de l'auteur ainsi
que la plupart des illustrations, lesquelles ont été
réalisées par le service de conception graphique
de La Presse, d'après les dessins de base de l'auteur.

Certaines illustrations et photographies ont été
fournies par les sociétés et organismes suivants:

Conseil national de recherches du Canada
Société centrale d'hypothèques et de logement
Tremco
Domtar
Hand Tools Institute
Koppers Inc.
Institut canadien du bois de construction
Black and Decker

ainsi que par l'Association Ciment Portland que
l'auteur tient à remercier plus particulièrement.

*À ma femme, dont la constante collaboration
m'a été si précieuse, et à mes enfants,
Michel et Louise*

Table des matières

3 Les toits

4 Béton et briques

5 Réparations et travaux divers

Tables de conversion

FRACTIONS DE POUCES EN SYSTÈME MÉTRIQUE

		Milli-mètres		Centi-mètres				Milli-mètres		Centi-mètres
$1/16''$	=	1.59	=	0.159		$9/16''$	=	14.29	=	1.429
$1/8''$	=	3.16	=	0.316		$5/8''$	=	15.88	=	1.588
$3/16''$	=	4.76	=	0.476		$11/16''$	=	17.46	=	1.746
$1/4''$	=	6.35	=	0.635		$3/4''$	=	19.05	=	1.905
$5/16''$	=	7.94	=	0.794		$13/16''$	=	20.64	=	2.064
$3/8''$	=	9.53	=	0.953		$7/8''$	=	22.23	=	2.223
$7/16''$	=	11.11	=	1.111		$15/16''$	=	23.81	=	2.381
$1/2''$	=	12.7	=	1.27						

MESURES DE LONGUEUR

Pouces	Centimètres	Pieds	Mètres
1	2.54	1	0.30
2	5.08	2	0.61
3	7.62	3	0.91
4	10.16	4	1.22
5	12.70	5	1.52
6	15.24	6	1.83
7	17.78	7	2.13
8	20.32	8	2.44
9	22.86	9	2.74
10	25.40	10	3.05
11	27.94	11	3.35
12	30.48	12	3.66

MESURES DE POIDS

Onces	Grammes	Livres	Kilo-grammes	Tonnes cana-diennes	Tonnes métriques*
1	28.35	1	0.45	1	0.91
2	56.70	2	0.91	2	1.81
3	85.05	3	1.36	3	2.72
4	113.40	4	1.81	4	3.63
5	141.75	5	2.27	5	4.54
6	170.10	6	2.72	6	5.44
7	198.45	7	3.18	7	6.35
8	226.80	8	3.63	8	7.26
9	255.15	9	4.08	9	8.16
10	283.50	10	4.54	10	9.07
11	311.84	11	4.99	11	9.98
12	340.19	12	5.44	12	10.89
13	368.54				
14	396.89				
15	425.24				
16	453.59				

*Une tonne métrique vaut 1 000 kilogrammes.

MESURES DE SURFACE

Pouces carrés	Centi-mètres carrés	Pieds carrés	Mètres carrés	Verges carrées	Mètres carrés
1	6.45	1	0.09	1	0.84
2	12.90	2	0.19	2	1.67
3	19.35	3	0.28	3	2.51
4	25.81	4	0.37	4	3.34
5	32.26	5	0.46	5	4.18
6	38.71	6	0.56	6	5.02
7	45.16	7	0.65	7	5.85
8	51.61	8	0.74	8	6.69
9	58.06	9	0.84	9	7.52
10	64.52	10	0.93	10	8.36
11	70.97	11	1.02	11	9.20
12	77.42	12	1.11	12	10.03

MESURES DE VOLUME

Pieds cubes	Mètres cubes	Verges cubes	Mètres cubes
1	0.03	1	0.76
2	0.06	2	1.53
3	0.08	3	2.29
4	0.11	4	3.06
5	0.14	5	3.82
6	0.17	6	4.59
7	0.20	7	5.35
8	0.23	8	6.12
9	0.25	9	6.88
10	0.28	10	7.65
11	0.31	11	8.41
12	0.34	12	9.18

DEGRÉS DE TEMPÉRATURE

Degrés Fahrenheit	Degrés centigrades ou Celsius
−40	−40
−35	−31
−30	−22
−25	−13
−20	− 4
−15	5
−10	14
− 5	23
0	32
5	41
10	50
15	59
20	68
25	77
30	86
35	95
40	104
45	113
50	122

1

LES OUTILS

Les outils: placement essentiel

Alors que la vie coûte tellement cher qu'il est devenu impossible pour plusieurs de gaspiller, les outils s'identifient plus que jamais aux véritables nécessités de la vie, au même titre que la nourriture et le logement.

Les outils sont essentiels à l'entretien du logis et aussi à l'entreprise de travaux qui occupent les loisirs de façon on ne peut plus constructive.

Dans une maison ou un chalet, si petits soient-ils, il y a toujours quelque chose qui flanche. Comme la plupart des familles ne peuvent se permettre de faire appel à des ouvriers de métier chaque fois qu'il y a une réparation à faire, un bon jeu d'outils peut rendre de grands services tout en économisant sur la main-d'œuvre.

Autrefois, les outils servant au travail du bois et du métal ne se retrouvaient qu'entre les mains masculines. Mais les temps ont changé et de plus en plus de femmes s'affirment aujourd'hui dans le domaine de l'égoïne et du marteau. Elles se substituent aux hommes absents, trop absorbés par leur carrière, malades ou trop maladroits. J'en connais qui sont des « hommes dépareillés » en matière de bricolage. Mais sans rien perdre toutefois de leur féminité.

Les outils, les machineries et leurs accessoires sont plus coûteux que jamais — comme le reste d'ailleurs — mais ils ont l'avantage de n'avoir pas besoin d'être remplacés à tout bout de champ, du moins quand ils sont de bonne qualité.

Achetés à bon escient, les outils constituent un excellent placement. Mais que faut-il acheter? Tout dépend des besoins, des goûts, des projets et aussi des possibilités de chacun.

La trousse de base
Pour effectuer les travaux les plus courants, une trousse de base doit inclure les outils suivants: égoïne, marteau, jeu de tournevis à lames plates, carrées et en étoile, niveau, équerre, perceuse manuelle, mèches et forets, ciseaux à bois, râpe, limes, pied-de-roi ou galon d'acier adaptés aux mesures métriques, presses (serres), couteau, pince-étau et enfin, du papier à poncer et un assortiment de vis, de clous et de boulons. On peut ajouter à cette liste un rabot et des pinces.

Il vaut mieux du premier coup acheter des outils de base de bonne qualité. Le travail s'effectuera plus rapidement et on s'évitera pour plus tard la dépense additionnelle qu'entraîne le remplacement des outils de piètre qualité.

Si l'on n'a que des moyens limités, on peut réduire la liste à sa plus simple expression (égoïne, marteau, tournevis, pied-de-roi, vis et clous) mais il faudra dans un avenir plus ou moins rapproché la compléter, sinon beaucoup de travaux seront absolument impossibles à effectuer.

Les outils pour lesquels, en particulier, il ne faut pas lésiner sur le prix sont l'égoïne, le marteau et les ciseaux à bois.

Une scie égoïne de bonne qualité, comptant de 8 à 10 dents au pouce, durera très longtemps si on en prend soin. C'est un outil indispensable, même pour les bricoleurs chevronnés, dotés des machineries les plus modernes.

Un bon marteau de 16 onces, à manche de bois ou d'acier, bien équilibré, donnera un meilleur service qu'un marteau de piètre qualité, au métal malléable. Il faut que la tête du marteau soit suffisamment résistante pour ne pas se rayer ou se déformer en enfonçant les clous.

Les ciseaux à bois suggérés pour la trousse de base doivent être également de bonne qualité afin de pouvoir tailler le bois au lieu de le déchiqueter. Deux ciseaux, l'un de $1/4$ de pouce et l'autre de $3/4$ de pouce (environ 5 mm et 2 cm) suffiront pour la majeure partie des tâches à effectuer.

Lorsqu'on ne prévoit pas utiliser souvent une grande équerre de métal, on peut la remplacer par la très pratique équerre-combinaison

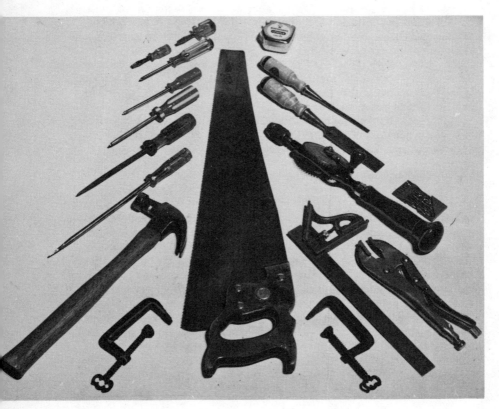

qui permet de tracer à 90 et à 45 degrés. De plus, elle comporte un petit niveau qui, sans détrôner le grand niveau conventionnel, peut tout de même rendre d'utiles services.

La trousse de base, qui peut satisfaire celui qui ne travaille que pour occuper ses loisirs, n'est pas assez étoffée pour le propriétaire d'une maison ou d'un chalet.

Ainsi, en plus de la trousse de base, le propriétaire trouvera bien pratique d'avoir à sa disposition: clés diverses pour tuyaux et boulons, scie à métal, pistolet à calfeutrage, couteau à mastic, chalumeau ou fer à souder, coupe-verre pour ne pas parler des très prosaïques nécessaires à déboucher toilettes et éviers.

Le premier outil électrique

Par ailleurs, si l'on a les moyens, on peut remplacer avantageusement la perceuse manuelle par la perceuse électrique et, dans ce cas, aussi bien acquérir une perceuse à vitesse variable et réversible. Celle-ci est extrêmement pratique pour la pose et l'enlèvement des vis.

La perceuse est souvent le premier outil électrique que se procurent les bricoleurs. Et c'est avec raison. En plus de son travail habituel, la perceuse peut servir à polir, à décaper, etc. Il arrive même qu'on l'accouple à une scie circulaire, une scie sauteuse ou une ponceuse ou qu'on essaie de la transformer en toupie, mais ça ne donne pas généralement des résultats formidables à moins que la perceuse ne soit de très bonne qualité et n'ait été vraiment conçue par son manufacturier pour s'adapter à ces multiples usages.

Si l'on a besoin d'un ponceuse, d'une sableuse ou d'une toupie, on aura toujours plus de satisfaction à acheter séparément ces outils fort pratiques au lieu de recourir à des hybrides boiteux qui ne font le travail qu'à moitié.

Les appareils coûteux

Pour ceux qui ont tous les outils de base et qui veulent se livrer à des travaux de précision, il existe toute une gamme de machineries électriques dont le prix reflète en général la qualité.

Toutefois, avant de se lancer dans l'achat d'appareils coûteux, il faut évaluer l'utilisation qui en sera faite. Si le bricoleur ne devait y recourir que très rarement, il serait peut-être alors plus profitable de louer ces appareils, lorsque ce sera nécessaire, plutôt que d'immobiliser une forte somme d'argent pour des objets qui risquent d'être plus encombrants qu'utiles.

Même si les machineries sont fort commodes, il faut, de toute évidence, avoir l'espace et le local voulus pour les utiliser. Dans les maisons de banlieue avec sous-sol, il n'y a pas de problème mais il en est autrement dans les logements de ville où les voisins qui pestent déjà contre le stéréo, la radio ou la TV, risquent de ne pas goûter du tout la symphonie de la scie circulaire.

Dans le cas d'un bricoleur qui voudrait commencer à s'aménager un atelier, la machine-outil la plus importante, à mon avis, est la scie d'établi ou encore la scie radiale. Évidemment, ces machineries coûtent cher. Il y a toujours moyen de s'en tirer à meilleur compte en achetant tout simplement un palier avec arbre d'entraînement, une lame de scie et un moteur usagé mais en bon état. Le bricoleur construira lui-même la table.

La scie ne sera pas aussi efficace que les appareils manufacturés mais elle devrait quand même donner des résultats satisfaisants, surtout si le bricoleur est minutieux et débrouillard.

On pourrait obtenir des résultats encore meilleurs en achetant une scie électrique portative de bonne qualité (environ la moitié du prix d'une scie d'établi) que le bricoleur pourra fixer sous une table conçue spécialement pour cet outil ou encore sous un plateau qu'il fabriquera lui-même.

Lorsqu'on achète des outils et des machineries, la même question surgit toujours. Quel prix faut-il payer? Pour certains outils électriques portatifs, les prix peuvent parfois s'échelonner de $10 à $100 et plus.

Pour les outils comme pour tous les autres produits, la qualité, en règle générale, est fonction du prix. On ne regrette jamais (sauf si on ne fait pas ses versements à temps!) d'avoir acheté un outil de bonne qualité. Et mieux vaut en acheter un seul bon que deux médiocres qu'il faudra remplacer tôt ou tard.

Cela ne veut pas dire que l'on doive, de toute nécessité, choisir les outils électriques au sommet de l'échelle, conçus pour des travaux industriels mais on ferait bien d'acheter, si possible, dans la catégorie que les marchands appellent « pour petits entrepreneurs ». Cette catégorie se situe au-dessus de la catégorie désignée « pour usage domestique seulement ». Les outils de cette catégorie ne sont pas à rejeter pour autant — tout dépend de l'usage que l'on en fera — mais il vaudrait mieux éviter ceux qui sont au bas de l'échelle des prix. Ils risquent de ne pas résister longtemps.

De toute façon, avant de faire un achat quelconque, surtout si l'on ne connaît rien aux outils et aux machineries, il serait préférable d'interroger parents, amis et connaissances qui ont de bonnes notions de bricolage. Ils seront en mesure de vous renseigner sur les qualités et les défauts de leur outillage et vous pourrez ainsi faire un choix judicieux.

En plus des outils de base et des machineries, il y a tout un éventail de petits outils et d'accessoires fort utiles au bricoleur: agrafeuse, lunettes de sécurité, gants, tablier, aspirateur, classeurs, etc.

Et, pour l'harmonie du foyer, le bricoleur marié trouvera peut-être pratique d'installer un système d'intercom entre son atelier et la cuisine. Sa femme pourra communiquer avec lui sans avoir à s'égosiller pour lui signaler que c'est l'heure du repas, qu'il a oublié de faire le versement mensuel de la maison, que le petit dernier est revenu de l'école avec un œil au beurre noir, que le chien a arrosé les cèdres du voisin et qu'elle a enfoncé la porte du garage en voulant garer la voiture!

L'utilisation correcte des outils

De bons outils bien utilisés et bien entretenus ne peuvent donner que d'excellents résultats.

La scie à main ou égoïne, indispensable dans toute maison, est l'outil qui cause certainement le plus de frustration aux bricoleurs. Toutefois, le recours à des guides tels que les boîtes à onglets et les règles extensibles en rend l'usage plus facile.

Avant de scier, il faut marquer avec un crayon à pointe fine le dessus et l'un des côtés de la pièce à découper. Ne jamais scier en plein sur le trait mais toujours en dehors, sur le rebord, de façon qu'une fois le sciage terminé, on puisse encore voir la ligne.

Travaillez à votre aise, sur une surface solide dont la hauteur vous convient. Maintenez si possible la pièce de bois avec des griffes d'établi ou des brides.

En l'absence d'un guide, appuyez la scie sur le côté du pouce gauche pour faire l'encoche initiale dans le bois. Actionnez la scie vers le haut, du talon jusqu'au milieu de la lame.

Ne pesez pas trop. Après quelques coups courts, une fois la lame bien engagée, éloignez la main gauche de 6 à 8 pouces de la scie. Sciez en souplesse, sans forcer pour ne pas coincer la lame. Pour la

 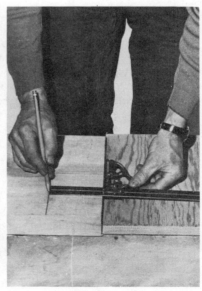

Un guide pratique.   *Une marque à l'équerre.*

taille dans le sens du grain du bois, la lame est tenue assez haut, à 60 degrés. Pour scier en travers, la lame est rabattue à 45 degrés ou moins.

Si le bois a tendance à étrangler la lame, insérez et déplacez au besoin des petits coins de bois dans le trait déjà scié. À la fin du découpage, actionnez la scie plus lentement tout en retenant avec la main gauche la partie sur le point de se détacher afin d'empêcher son poids de causer une fracture.

Évitez clous et rouille. Gardez la scie bien aiguisée. Enlevez la rouille avec une fine laine d'acier et un linge imbibé d'huile légère.

Pitié pour les ciseaux

Les ciseaux à bois sont des instruments précieux. Évitez les clous. Utilisez griffes et brides pour maintenir les pièces.

Ne mettez jamais la main en avant du ciseau et ne tapez jamais sur les ciseaux avec un marteau. Utilisez uniquement des maillets de bois, de caoutchouc ou de plastique.

Pour creuser, délimitez avec la lame la cavité que vous voulez faire. Encochez par le travers à intervalles assez rapprochés. Cela formera des copeaux qui sauteront facilement. Pour le travail de finition, la main gauche oriente la lame et contrôle la poussée exercée par la main droite sur le manche.

Accessoires utiles

La perceuse ou drille à main convient aux petits travaux du bois, du métal et du plastique et peut même, avec les forets appropriés, creuser briques et ciment pour y fixer de petits ancrages.

Moyennant une goutte d'huile par çi par là et en recourant à un guide constitué d'un bloc de bois formant angle, la drille tournera rond et fera un travail convenable.

Un petit truc pour percer plusieurs trous à la même profondeur: glissez un manchon de bois ou autre matériau sur le foret pour le bloquer au niveau choisi.

Un accessoire pratique: la fraise. Ce cône métallique dentelé élargit l'ouverture du trou foré et permet d'abaisser les vis à tête plate à l'égalité ou au-dessous de la surface de la pièce sur laquelle vous travaillez.

Équerre versatile

L'équerre à combinaison, en plus de rapporter les angles à 45 et 90 degrés, sert de règle graduée et remplace le trusquin pour tracer de façon précise les lignes de coupe de l'assemblage. La performance du petit niveau inséré dans le rapporteur d'angle peut être améliorée en le retenant ou en l'attachant à une règle de contre-plaqué de 3/4 de pouce, d'une longueur d'au moins deux pieds sur une largeur de trois à quatre pouces.

Tige carrée

Le bricoleur moderne a besoin de tournevis comportant trois types de tiges: plate, étoilée et carrée. La tige plate est celle qui est utilisée le plus couramment, mais à tort. La tige carrée est de beaucoup préférable. Lorsqu'elle est engagée dans la cavité centrale de la tête de la vis, elle ne glisse pas comme la tige plate et ne s'émousse pas comme la tige étoilée.

Pour prolonger la vie de vos tournevis, traitez-les comme... des tournevis et non comme des ciseaux à bois, leviers, débouche-tout, etc.

Quand vous avez une multitude de vis à poser ou à enlever, un vilebrequin muni de la tige requise est bien utile. C'est moins fatigant. Enfin, les vis calent mieux si elles sont enduites d'huile ou de savon.

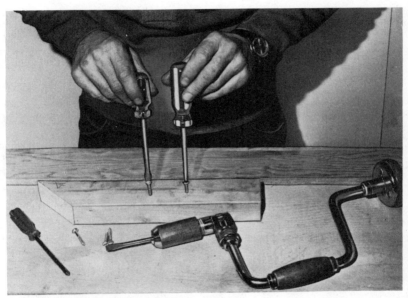

Tige carrée, étoilée ou plate, choisissez bien.

Sur une règle, le petit niveau voit grand.

21

Précieux assistant

Depuis qu'elle existe, la pince-étau (vise-grip) a su se faire apprécier des bricoleurs. C'est un assistant qui, avec la ténacité du bouledogue, referme les mâchoires sur ce que vous lui présentez et ne les desserrera pas avant votre intervention.

Frappez fort... mais juste

Le marteau, outil de construction et de démolition, est souvent mal utilisé. Beaucoup de débutants ont tendance à tenir le manche trop près de la tête de l'instrument et essaient d'enfoncer les clous en frappant à la cadence d'une mitrailleuse. Ce qui en résulte: des clous croches et des coups tout autour de la cible, parfois sur le pouce égaré dans la zone de tir.

Pour taper d'aplomb, le marteau doit être tenu fermement, le petit doigt à environ un pouce de l'extrémité du manche. Ainsi, l'outil, bien équilibré, se manipule avec plus de précision. Au lieu de compter uniquement sur la force du poignet, on se sert du poids de la tête de l'instrument pour effectuer les divers travaux de « frappe » auxquels le marteau se prête.

Un petit conseil pour ceux qui en arrachent: les clous longs s'enlèvent facilement si vous prenez soin de glisser un coin ou un bloc de bois sous la tête du marteau.

En plus des services connus qu'il peut rendre, le marteau peut parfois exercer une influence calmante sur les bricoleurs bouillants. Quand ça va mal, quelques bons coups de marteau assénés avec autorité sur des clous de six pouces enfoncés dans des pièces de rebut vous défoulent son homme... quand il ne laisse pas les doigts dans les parages!

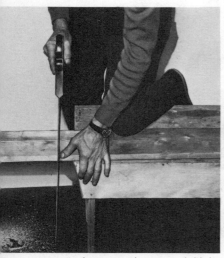 

Le coup de pouce initial.   *Attention au petit doigt!*

À chaque âge ses outils!

Les parents peuvent laisser à leurs enfants un héritage qui, s'il ne s'exprime pas en dollars, n'en est pas moins d'une très grande valeur: leur montrer comment bien travailler en observant les règles de la prudence et de la sécurité.

Il ne s'agit pas de vouloir faire à tout prix de ses enfants des bricoleurs comme il s'agit encore moins de les transformer en main-d'œuvre bénévole, tout juste bons à transporter des bouts de planche pour la réalisation de projets d'adultes.

Ce qu'il faut, c'est les initier petit à petit, leur donner les outils qui conviennent à leur âge, discerner leurs goûts, encourager leurs projets réalisables et y collaborer avec patience par le geste et par des conseils discrets, lorsque c'est possible, afin de ne pas leur « casser les oreilles » et leur rendre odieuses les séances de bricolage.

Ce père attentif explique à son fils le fonctionnement de la perceuse électrique afin d'être bien certain qu'il saura l'utiliser sans danger.

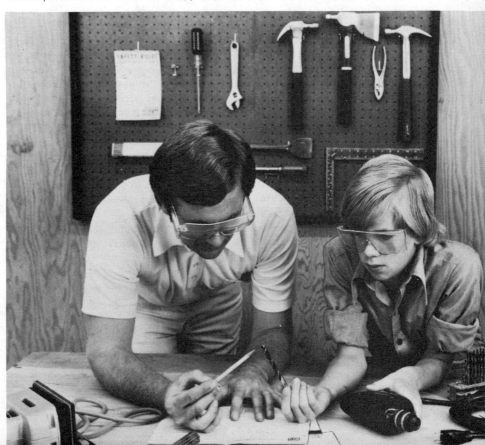

Les enfants, tout dépend de leur âge, peuvent, bien sûr, participer aux projets d'adultes. Un échange de bons procédés, quoi! Mais qu'il s'agisse de n'importe quel projet, il importe de surveiller ses sautes d'humeur. Les jeunes sont sensibles aux reproches (qu'ils ne méritent pas toujours, après tout ce sont des apprentis!) comme ils sont sensibles également aux récriminations des adultes contre les difficultés que l'ouvrage peut présenter.

On doit non seulement leur donner l'exemple du travail bien accompli mais aussi du travail effectué dans la bonne humeur. Enfin, presque tout le temps! Si les parents grondent sans cesse, les jeunes établiront vite l'équation que travail égale difficultés innombrables et ils prendront le travail en horreur.

Il faut éviter de « forcer le talent » des enfants pour pouvoir les afficher orgueilleusement comme des prodiges. Ça ne donne pas de bons résultats. Par ailleurs, il ne faut pas tomber dans l'excès contraire et traiter les enfants comme des incapables. Ils s'organiseront pour vous donner raison et détesteront jusqu'à la mention du mot travail.

À chaque âge ses « outils ». En bas âge, l'enfant s'amusera à enfoncer des chevilles de bois dans un petit plateau. C'est un jouet. Ça fait du bruit et ça contente. Si l'enfant a des dispositions pour le bricolage, il réclamera plus tard quelque chose de plus consistant. À ce moment, on peut lui montrer comment se servir de mini-outils et d'un mini-établi. On lui assigne un coin où il pourra à loisir farcir de clous son établi et des rebuts de bois, épargnant ainsi murs et meubles.

Avant l'adolescence, les outils poids plume n'auront plus d'intérêt et les jeunes voudront avoir de vrais outils. Ou les adultes leur en achètent ou ils prêtent les leurs. Il faut redoubler de prudence et montrer aux jeunes comment utiliser des outils extrêmement dangereux tels que couteaux et ciseaux à bois dont ils ne se sont pas servis jusque-là.

Il faut s'attendre à quelques dégâts. La perfection ne vient pas du premier coup. Il y a toujours un clou malencontreux qui endommage égoïne et ciseaux. Patience!

Après les outils manuels, ce sera le tour des machineries et outils électriques. Il convient de juger à quel moment l'adolescent est suffisamment mûr pour faire l'apprentissage de ces appareils, tenus jusque-là hors de sa portée, et qui peuvent infliger des blessures terribles aux jeunes comme aux vieux imprudents.

Avant même de mettre les machineries en marche en sa présence, il faut prendre le temps de lui en expliquer le fonctionnement, de lui montrer comment procéder à diverses vérifications, comment démonter lames de scie, forets et mèches, etc.

On doit également lui signaler les dangers qui peuvent découler des machineries elles-mêmes ou encore d'une installation électrique défectueuse ou d'un éclairage insuffisant. Il faut aussi lui démontrer l'importance de porter au besoin des lunettes de sécurité, de ne pas travailler avec des vêtements flottants près des poulies et courroies, de bien entretenir les outils et enfin, de garder l'atelier en ordre.

Ce n'est qu'après cette série de recommandations (les rendre aussi intéressantes que possible!) que l'on peut passer aux démonstrations et l'initier graduellement au travail.

Il est impossible de prévoir toutes les situations et l'adolescent devra faire lui-même une partie de son apprentissage. Cependant, si on lui a fourni tous les renseignements de base, si on lui a inculqué la prudence et si on l'a aidé dans la réalisation de ses projets, il saura s'en tirer et surpassera, peut-être bientôt, son ou ses bienveillants professeurs qui, eux, n'ont peut-être pas eu la chance d'avoir des parents non seulement bricoleurs mais aussi compréhensifs.

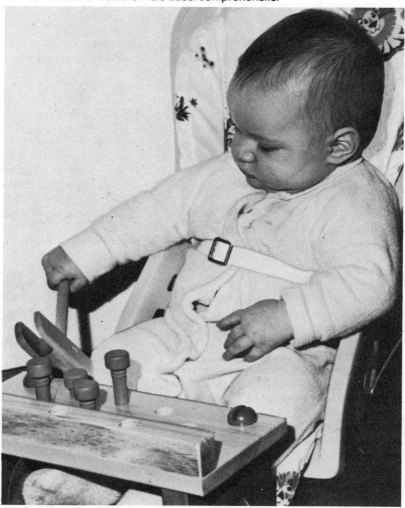

Un futur bricoleur? On verra. En attendant, attiré par les couleurs et le bruit, il s'amuse très sérieusement à taper sur des chevilles de bois.

Le bon outil... et de la prudence!

La massue de l'âge de pierre, qui servait à tuer les animaux et parfois aussi à « attendrir » les ennemis coriaces, a subi bien des transformations depuis.

Au fur et à mesure des âges, la massue a donné naissance à tout un attirail de marteaux, haches et masses qui servent, aux plus habiles, à effectuer des travaux utiles, et aux maladroits, à se taper sur les doigts ou les orteils.

Tous les foyers ou presque ont au moins un marteau, généralement de menuiserie. Avec l'égoïne, il constitue le minimum absolument essentiel pour l'exécution de menus travaux.

Ce pauvre marteau en voit de toutes les couleurs. On s'en sert le plus souvent comme si c'était un genre de passe-partout. On lui en demande parfois trop et c'est alors qu'il se produit des accidents.

En dehors du marteau de base, le bricoleur a tout intérêt à acquérir, selon la nature des travaux qu'il entreprend, un certain nombre de marteaux de formes et poids divers, ainsi que, au besoin, des haches et des masses qui lui permettront d'accomplir avec facilité et sécurité certaines tâches pour lesquelles le marteau ordinaire n'est pas particulièrement doué.

Ainsi, le bricoleur qui veut rembourrer et capitonner plusieurs chaises et fauteuils trouvera fort utile le marteau de broquetage, un outil léger qui l'aidera à loger pointes fines et broquettes sans se cogner à tout coup sur les ongles comme ce serait le cas avec un marteau de menuisier.

Par contre, pour ciseler le bois ou pour du travail sur des surfaces délicates qui pourraient être abîmées par un outil d'acier, on se sert selon les cas de maillets de caoutchouc, de bois, de cuir ou de plastique. Et ainsi de suite. Il y a un marteau ou un outil cousin du marteau pour à peu près toutes les tâches. Une photo ci-contre montre quelques échantillons de la famille des marteaux, fort nombreuse puisque, d'après les spécialistes, elle est composée d'une quinzaine de catégories.

Il est sûr que le bricoleur n'aura jamais à se servir d'un tel arsenal mais il est toujours prudent, avant de se lancer dans un travail un tant soit peu élaboré, qui n'est pas de la compétence du marteau ordinaire, de se renseigner auprès du marchand d'outils qui est bien placé pour conseiller l'instrument le mieux adapté à la tâche.

Le Hand Tools Institute, qui fait autorité en matière de sécurité dans le maniement des outils manuels, a dressé toute une liste de « ne pas », inspirée du bon sens et dont il est bon d'être informé.

Ainsi, le HTI recommande de ne jamais utiliser un marteau (même chose pour une hache ou une masse) dont la tête est avariée. Il faut mettre le marteau défectueux à la poubelle. Si le manche est branlant, on le consolide ou on le jette. Et s'il est fêlé, il n'y a pas de réparation qui tienne, il faut remplacer le manche.

On ne doit jamais utiliser le côté ou la joue du marteau pour frapper un objet. Le marteau peut ricocher et blesser celui qui le manipule ou une personne tout près.

Le marteau ordinaire ne convient pas pour enfoncer des clous dans la maçonnerie. On doit se servir d'une petite masse de fer ou d'un marteau à panne ronde, plus gros que celui utilisé pour le travail de la tôle.

En plus de faire un bon choix du marteau pour le travail à exécuter, il faut également recourir aux ciseaux qui conviennent. Ainsi, on évitera de travailler la pierre ou la maçonnerie avec des ciseaux à froid. Ils doivent être réservés au métal. Pour tailler la brique, il existe un large ciseau spécial qui permet de faire rapidement un boulot bien propre.

La prudence exige également que celui qui manie marteau ou hache jette un coup d'œil autour de lui afin d'éviter de blesser quelqu'un de l'entourage, notamment les enfants qui ont souvent la manie de courir après les coups.

Pour tous les travaux où il y a le moindre risque que des éclats de bois, de métal, etc., entraînent des blessures à la tête et aux yeux, les spécialistes recommandent le port d'un casque protecteur et de lunettes de sécurité. C'est peut-être encombrant, mais c'est certainement moins ennuyeux que d'être borgne!

Pas de casque, pas de lunettes, le pied sur la bûche, une hache en guise de coin, et un enfant qui rôde tout près, il n'y a pas moyen de s'y prendre plus mal!

La bonne façon de s'y prendre: la tête est protégée par casque et lunettes. La masse, bien retenue, s'abattra bien d'aplomb sur le coin.

Voici comment planter un clou dans la maçonnerie sans se blesser. L'ouvrier porte casque et lunettes en plus d'utiliser le marteau approprié au travail.

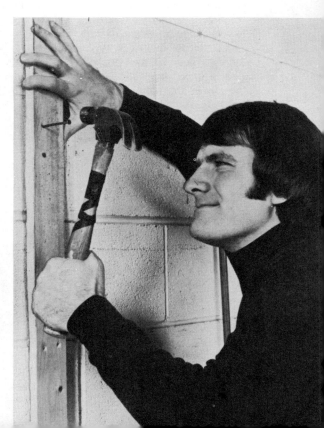

Un marteau ordinaire au manche fêlé, les doigts dangereusement près de la cible, la tête privée de protection, ce bricoleur risque un accident grave.

Premiers soins pour petits outils électriques

Lorsqu'un petit outil ou appareil ménager électrique, perceuse, scie, etc., vous lâche subitement, en plein travail, ne formulez pas trop vite un diagnostic de décès ou de maladie grave.

Avant de le mettre à la poubelle ou de le confier à un spécialiste, on peut assez facilement s'assurer si le moteur ne souffre pas tout simplement d'une maladie bénigne mais bien fréquente chez ces outils: l'usure des balais, désignés fréquemment sous les noms de « brosses » ou de « carbones ».

Les balais, de petits blocs de graphite, sont emboîtés dans des étuis à l'arrière du moteur des petits outils et appareils ménagers. Des ressorts à l'intérieur des boîtiers poussent les balais sur le collecteur, un cylindre de lames de cuivre légèrement espacées les unes des autres, où leur frottement permet la liaison électrique. À plus ou moins brève échéance, les balais s'usent et doivent être remplacés.

Pour en savoir davantage, il faut ouvrir le patient. Ce sera sans danger et sans douleur pour... le chirurgien amateur s'il prend d'abord la précaution de débrancher l'outil pendant l'intervention et, ensuite, s'il remonte l'appareil en remettant soigneusement tout à sa place, sans rien forcer ou brusquer.

Celui qui en est à sa première expérience dans ce domaine ferait bien de pourvoir sa trousse de premiers soins (tournevis, graisse, pinceau mince pour nettoyage) d'une feuille de papier et d'un crayon pour prendre bonne note de l'emplacement de chacune des pièces qu'il démontera. L'amateur ferait bien également de s'abstenir de « placoter » dans le dédale de fils électriques. À chacun son métier et il n'y aura pas d'électrocuté!

1 — Le patient ouvert (ici, c'est une scie sauteuse), on dévisse une pièce de métal qui maintient les balais en contact avec le cylindre du collecteur.

2 — On sort avec précaution les boîtiers contenant les balais. Attention aux ressorts qui ne cherchent que l'occasion de se perdre dans la nature!

3 — Les balais sont usés mais encore utilisables. Toutefois, les boîtiers sont cassés. Tant qu'à y être, vaut mieux tout remplacer.

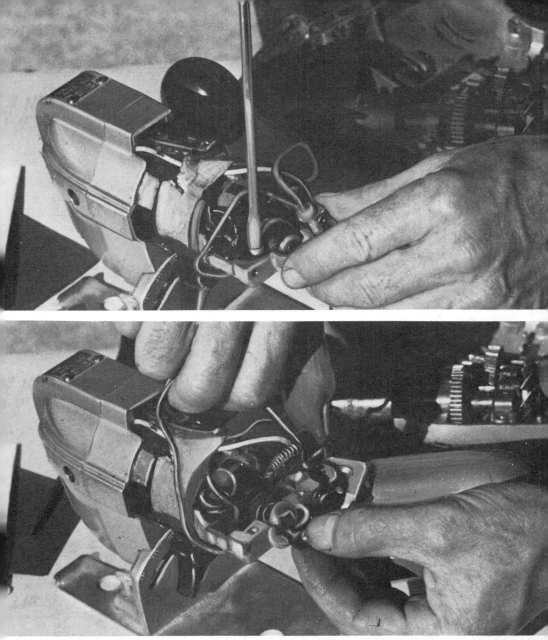

4 — Si l'on est amateur, éviter de poncer le collecteur et se contenter d'enlever, avec une pointe fine, les débris de graphite entre les plaques.

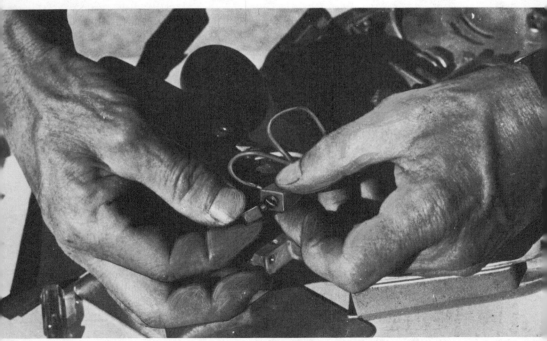

5 — Après le nettoyage, insérer de nouveaux balais dans les boîtiers neufs. Attention aux ressorts! Visser la plaque de soutien et refermer l'outil.

32

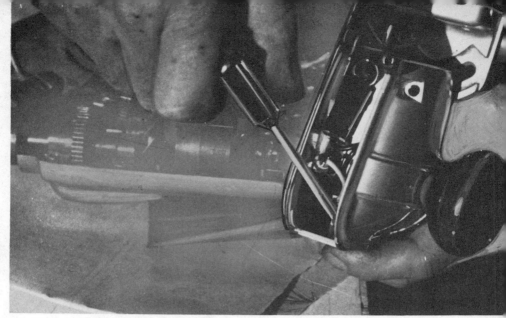

6 — Pour ouvrir le compartiment logeant les engrenages, il a fallu ici découvrir d'abord une vis cachée sous la plaque du fabricant!

7 — Les engrenages étant presque à sec, une graisse de bonne qualité éliminera toute friction. Gare aux excès, sinon ce sera l'indigestion!

8 — Réassembler avec minutie. Ici, une roue à came doit être engagée dans un étui commandant la tige de support de la lame.

9 — Mal pris, on peut se fabriquer des balais de fortune avec le coeur de graphite des piles sèches ordinaires.

La location d'outils

Même le bricoleur le mieux outillé n'a jamais en sa possession tous les appareils dont il est susceptible de se servir au cours de ses travaux.

Parce que certains de ces instruments, parfois encombrants, sont très coûteux ou ne servent que de temps à autre, il est plus économique et plus pratique de les louer plutôt que de les acheter ou... de s'en passer.

Certaines sociétés se spécialisent dans la location d'outillage pour entrepreneurs et pour bricoleurs. Elles offrent un vaste choix allant de machineries à moteur diesel jusqu'aux petits outils électriques. Tous ces instruments et machineries, il va de soi, sont de qualité industrielle (heavy duty) et ne vous lâcheront pas en cours de route, si vous savez prendre les précautions qui s'imposent.

Par ailleurs, quelques magasins et petites entreprises font également de la location, mais sur une échelle moins grande et limitée parfois à des activités saisonnières comme la préparation du sol en prévision de l'installation d'une pelouse ou de l'aménagement d'un jardin potager.

Semaine de quatre jours et mois de trois semaines
En dehors de quelques instruments de jardinage qui peuvent être loués à l'heure, avec parfois un minimum de trois heures ou plus, la location se fait au jour, à la semaine, à la fin de semaine, au mois et aussi pour des périodes plus longues mais généralement à des prix spéciaux, après entente.

La location pour une journée donne droit à 24 heures avec ou sans heure de grâce, tout dépendant des conditions établies. La semaine de location est d'une durée de sept jours, mais le prix revient généralement à quatre jours. La fin de semaine, qui peut commencer, selon les maisons et les outils loués, soit le vendredi après-midi, soit le samedi matin, dure jusqu'au lundi, vers 9 heures a.m. Le client paie la valeur d'une journée ou d'une journée et demie, selon le bail. Enfin, la location au mois équivaut au prix exigé pour trois semaines d'utilisation.

Le prix de location de certains équipements coûteux peut paraître élevé et même onéreux lorsqu'on est seul à l'assumer. Mais en cherchant parmi les voisins, les amis, il est parfois possible de dénicher quelqu'un qui a les mêmes besoins. Alors que chacun de son côté ne pourrait se permettre de louer, on divise dépenses et temps d'utilisation à deux ou à trois, et tout le monde est heureux.

Les bricoleurs qui n'ont jamais eu l'occasion de visiter un comptoir de location d'outils auraient intérêt à le faire ou du moins à consulter leurs catalogues ou brochures. Il se peut alors que certains travaux qu'ils pensaient impossibles à exécuter, seuls ou avec leurs amis, leur paraissent moins compliqués et qu'ils se décident à faire le saut.

Mais, là comme ailleurs, la prudence s'impose. Ainsi, le bricoleur qui n'a aucune notion de la soudure ferait peut-être mieux de suivre quelques cours avant de louer une machine coûteuse avec laquelle il ne sera pas en mesure de faire un travail satisfaisant. D'autres outils sont de maniement plus facile: quelques minutes de pratique en plus des renseignements que fournissent les maisons de location, peuvent suffire, même à un amateur.

Pour que la location soit vraiment économique, il convient de bien planifier le travail que l'on se propose de faire. Que vous ayez besoin d'une brocheuse pour l'installation de carreaux au plafond de votre sous-sol, ou d'une bétonnière pour couler un trottoir en béton, exécutez d'abord tous les travaux préliminaires. Ayez à la portée de la main tous les matériaux et accessoires dont vous pourriez avoir besoin. Ainsi, vous ne paierez pas des frais inutiles de location et vous ne perdrez pas de précieuses heures à courir à gauche et à droite.

Avant de partir à l'aveuglette pour louer quoi que ce soit, un coup de téléphone au comptoir de location peut vous éviter une démarche inutile. Vous saurez si l'outil qui vous est nécessaire est disponible et vous pourrez vous informer des prix et autres conditions. Mais ne comptez pas cependant que l'on vous réserve l'outil sur un simple coup de fil, à moins que le personnel de la maison de location ne vous connaisse. Il faut faire acte de présence.

Si vous prévoyez avoir besoin de tel ou tel instrument pendant la prochaine fin de semaine, il serait bon de ne pas attendre à la dernière minute, alors qu'il y aura ruée, et de vous présenter quelques jours

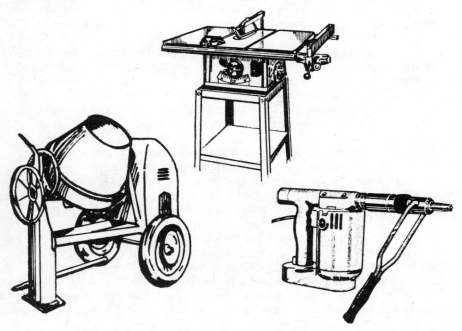

d'avance. Le versement d'un dépôt devrait normalement pouvoir vous réserver ce qu'il vous faut au moment voulu, pourvu que l'outil ou la machinerie soit disponible.

Identification et dépôt
Les maisons de location prennent certaines précautions compréhensibles vis-à-vis de l'inconnu qui vient louer pour quelques heures ou quelques jours une machinerie de fort prix. Le client doit s'identifier de façon satisfaisante, poser pour une photo, montrer son permis de conduire et fournir le numéro des plaques d'immatriculation de la voiture qui servira au transport de l'outil ou des instruments, signer un bail par lequel il s'engage à retourner dans la même condition ce qu'il a emprunté, enfin, fournir un versement de garantie.

Lorsqu'il loue des outils ou tout autre objet, le locataire doit assumer la responsabilité des dommages ou de la perte. Il est possible parfois pour le bricoleur de se prémunir contre l'incendie et le vol des instruments loués — et les embêtements qui peuvent en résulter — en payant une prime équivalant à cinq pour cent du montant de la location.

Le bricoleur prudent demandera au personnel de la maison de location de lui fournir les renseignements nécessaires sur les instruments qu'il désire. Il peut ainsi récolter d'utiles conseils. De plus, il demandera qu'on lui donne une démonstration afin de s'assurer que tout est en bon état de marche. Si, plus tard, en cours de travail, il se produisait un bris par suite d'une défectuosité qui ne s'est pas manifestée immédiatement, il ferait alors mieux d'avertir le plus tôt possible la maison de location qui ne fera aucune difficulté pour remplacer l'outil ou la machinerie.

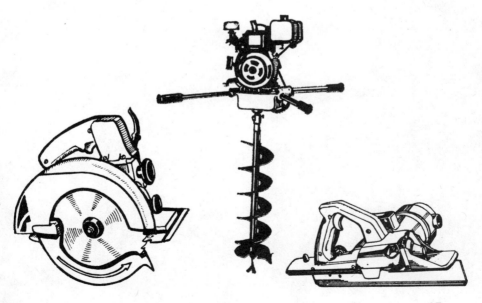

Les maisons de location ont en stock divers produits et accessoires qui peuvent être utilisés avec les outils et équipements qu'elles offrent à leurs clients. Il appartient à ces derniers de juger s'ils ont besoin de ces produits ou s'ils leur paraissent acceptables. Les maisons responsables n'exercent pas de pressions indues sur leurs locataires pour les forcer à acheter ces produits : cires, huiles, papier sablé, etc.

À ce propos, le bricoleur prévoyant qui ne voudrait pas se faire prendre « sans munitions », un beau dimanche après-midi, alors que tous les magasins sont fermés, prendra la précaution d'acheter à l'avance tous les produits et accessoires dont il pourrait avoir besoin. En règle générale, les maisons de location reprennent les surplus.

Quelques maisons de location se limitent à la livraison et à la reprise des lourdes machineries impossibles à transporter dans une voiture ou une remorque ; d'autres offrent, moyennant un supplément, de transporter à domicile n'importe quel instrument et de les reprendre à la fin du bail ou lorsqu'elles sont prévenues que le locataire n'en a plus besoin.

Après avoir bien travaillé et fait un bon boulot, il ne faut pas se laisser aller à la négligence et remiser les outils loués dans le fond du sous-sol ou dans le coffre de la voiture en se promettant d'un jour à l'autre de les remettre le lendemain. La note risquerait alors d'être élevée. Les maisons de location examinent régulièrement les contrats en cours et se chargent d'attirer l'attention des distraits et des négligents, mais il vaut mieux compter sur soi-même et prévenir plutôt que de payer des frais inutiles.

2

MÉTHODES
DE
TRAVAIL

Deux chevalets pratiques

Les chevalets sont presque indispensables à l'entretien d'une maison. Ils vous aideront à accomplir aisément une multitude de travaux, tant à l'intérieur qu'à l'extérieur.

Selon vos besoins et l'espace dont vous disposez, vous pouvez opter soit pour des chevalets rigides, soit pour des tréteaux repliables ou démontables.

N'ayant pas oublié les difficultés qu'un débutant éprouve à couper des angles composés avec de simples outils à main, j'ai construit deux chevalets de réalisation facile, assez solides bien qu'ils soient dépourvus des fameux angles qui, mal réussis, font que les chevalets ont plus souvent qu'autrement une patte en l'air.

Les bricoleurs qui ont plus d'expérience et plus d'outils, et qui veulent éprouver leur adresse, peuvent toujours s'inspirer des modèles proposés, l'un rigide, l'autre démontable, pour multiplier à cœur joie angles et mortaises et ajouter à la solidité.

Pour les deux modèles, j'ai utilisé du « petit 2 par 4 » en épinette, c'est-à-dire du bois aux dimensions nominales de deux pouces sur quatre mais qui, une fois blanchi, ne fait plus que $1^1/_2$ pouce sur $3^1/_2$. Comme les « 2 par 4 » sur le marché mesurent fréquemment $1^5/_8$ pouce sur $3^5/_8$, il faudra en tenir compte pour la coupe des pièces de contre-plaqué et l'échine mortaisée du chevalet démontable.

Les pattes ont été coupées à angle droit, aux longueurs mentionnées sur les dessins, et réunies sans y effectuer d'autre travail. L'assemblage des pattes sera relativement facile en faisant, au préalable, un dessin pleine grandeur sur du papier ou du carton. Tirez une ligne de centre qui vous permettra d'espacer également le bas des pattes des deux modèles et de tenir compte, dans le cas du chevalet démontable, de la pièce du sommet qui est intercalée entre le haut des pattes.

Compte tenu des pointes formées par l'inclinaison des pattes, les modèles mesureront, une fois terminés, $24^1/_2$ pouces de hauteur.

Pour chaque chevalet, il faut une planche d'épinette de 12 pieds de 2 pouces sur 4 pouces pour les quatre pattes et une échine d'environ quatre pieds de longueur. Essayez d'avoir du bois pas trop tordu et aux nœuds assez petits. Toutes les pièces de renfort sont aussi en épinette, sauf les deux pyramides tronquées du chevalet démontable qui sont en contre-plaqué de $^3/_4$ de pouce. Le chevalet rigide prend 20 vis de 2 pouces, grosseur 9 ou 10, et quelques clous de quatre pouces. Le chevalet démontable requiert une dizaine de vis de plus, ainsi que deux boulons de métal ou chevilles de bois de sept pouces de longueur.

Le chevalet démontable demande certaines précautions. Les mortaises de trois quarts de pouce de largeur de l'échine doivent être tail-

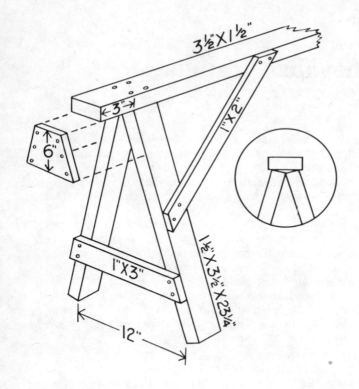

3½"X1½"

3"

6"

1"X2"

1½"X3½"X23¼"

1"X3"

12"

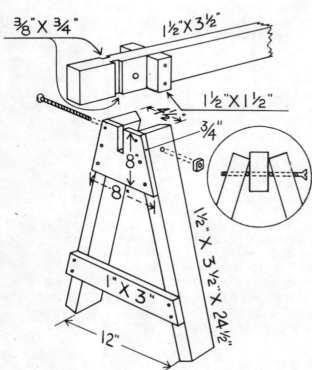

⅜" X ¾"

1½"X3½"

1½"X1½"

4½"

¾"

8"

8"

1½" X 3½"X 24½"

1"X3"

12"

La fabrication du chevalet rigide (en haut) ne devrait présenter aucune difficulté, même pour les bricoleurs qui en sont à leurs premiers essais. La coupe des angles a été omise comme elle l'a été dans le cas du chevalet démontable. La construction de ce dernier requiert cependant un peu plus d'attention, notamment en ce qui concerne les pièces de contre-plaqué dont la partie centrale au sommet, découpée sur une largeur de ³/₄ de pouce, s'insère dans la partie mortaisée de la pièce dorsale.

lées et alignées de façon précise, sinon les pièces de contre-plaqué qui forment tenons refuseront de s'emboîter ou auront trop de jeu.

Ne coupez pas trop vite les côtés des morceaux de contre-plaqué. Taillez la partie centrale au sommet, qui admettra l'échine mortaisée. Puis, faites un essayage avec les pattes et la pièce dorsale avant de marquer, de scier et de fixer de façon définitive.

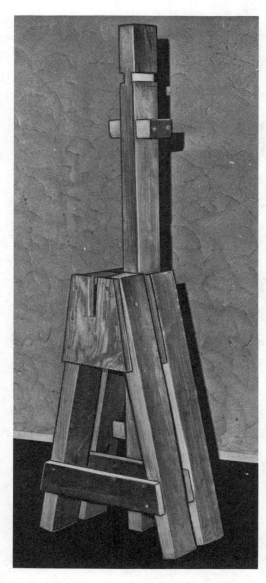

Désassemblé, le chevalet démontable ne prend que très peu d'espace.

Pour déterminer de façon précise la coupe des pattes d'un chevalet, mettez l'échine de niveau en plaçant, au besoin, de petites pièces de bois sous les pattes. Marquez avec un crayon appuyé sur un bloc.

Un établi provisoire vite assemblé pour travaux d'intérieur et d'extérieur.

À bon bricoleur, bon établi

Pour travailler plus à l'aise et tirer plein avantage de vos outils, dotez-vous d'un établi solide qui vous permettra de préparer, dans des conditions propices, les pièces (planches, panneaux, etc.,) requises pour vos divers projets de réparation et de construction.

Cet établi, logez-le si possible dans un coin à vous, où vous grouperez vos outils. Ça deviendra vite votre sanctuaire. Les mauvais jours, ça vous aidera peut-être à surmonter les petites et grandes difficultés de la vie, « en changeant le mal de place ». Si vous êtes marié, votre claustration sera peut-être bénéfique à votre femme qui pourrait préférer vous voir enfermé à huis clos dans votre « nid à poussière » plutôt que de vous voir renifler autour des chaudrons.

Si vous êtes un peu à l'étroit dans votre demeure, le petit établi que je vous propose fera probablement l'affaire. Pour en faciliter la fabrication, j'ai fait abstraction des tenons et mortaises et m'en suis tenu à des coupes droites, c'est-à-dire à 90 degrés.

Construisez solide

C'est un établi de base auquel vous pourrez ajouter plus tard, au besoin, des demi-tablettes, des portes, des tiroirs, etc. Haut de 33 pouces et long de 48 pouces, il n'a que 20 pouces de profondeur. C'est un minimum. Si vous avez l'espace voulu, vous pouvez donner jusqu'à 28 pouces de profondeur. Vous n'en serez que mieux pour travailler. Il vous faudra alors modifier en conséquence les dimensions du plan et poser une traverse centrale au sommet de la structure pour renforcer la pièce formant la table et la rendre moins rebondissante.

La charpente de l'établi est constituée de planches de 2 × 4 (en réalité $1^1/_2$ pouce sur $3^1/_2$ pouces); les côtés, le dessus et la tablette sont en contre-plaqué de sapin de Colombie de $^3/_4$ de pouce; l'arrière, en contre-plaqué ou masonite de $^1/_4$ de pouce. Le tout est retenu par des vis de 2 pouces, grosseur 9 ou 10, des boulons de $^3/_8$ de pouce sur 4 pouces de longueur, des chevilles de bois de même diamètre et enfin des clous gommés de $1^1/_2$ pouce.

Il est toujours possible, c'est sûr, de fabriquer l'établi avec des planches et du contre-plaqué moins gros. Mais il vaut mieux construire solide tout de suite afin de pouvoir ensuite consacrer vos loisirs à faire des travaux pratiques et agréables plutôt qu'à réparer l'établi.

Montage des côtés

Première opération: les côtés. Découpez à angles bien droits deux panneaux de contre-plaqué de $^3/_4$ de pouce, de 16 pouces de largeur sur $27^1/_4$ pouces de longueur. Taillez ensuite dans du 2 × 4 d'épinette ou de pin (c'est plus cher) quatre pattes d'une longueur de 32¼ pouces et quatre pièces latérales de 12³⁄₄ pouces.

Fixez, à l'aide de petits clous et de brides, les pattes et les pièces latérales sur les panneaux de contre-plaqué. Lorsque tout sera bien en place, posez des vis à environ tous les six pouces. N'oubliez pas que les pattes arrière sont en retrait de ¼ de pouce. Cet espace est prévu pour le panneau qui fermera l'arrière de l'établi.

Pattes, barres latérales et panneaux peuvent être collés aux points d'assemblage comme on peut, pour assurer une plus grande rigidité, relier les pattes et les pièces latérales par de longues vis ou des chevilles de bois posées à angles convergents. L'important, c'est que toutes les pièces des côtés aient été sciées bien droit, soient de longueur précise et que l'assemblage soit fait avec minutie.

La coupe des traverses

Deuxième opération: la pièce arrière et les traverses de 2 × 4 qui relieront les côtés et soutiendront la tablette et le plateau. Le panneau fermant l'établi à l'arrière mesure 27¼ pouces sur 40³⁄₈ pouces, de façon à laisser un jeu de ¹⁄₁₆ de pouce de chaque côté.

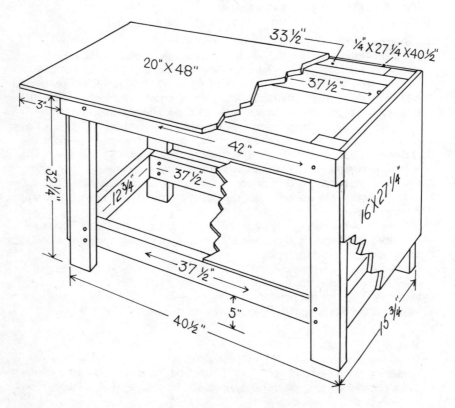

La planche qui joint le haut des pattes avant et qui chevauche sur les côtés de contre-plaqué est coupée à 42 pouces de longueur. Il faut ensuite tailler trois autres 2 × 4 à 37½ pouces; il s'agit des traverses du bas à l'avant; du bas et du haut à l'arrière. Enfin, il reste à scier dans le sens de la longueur un 2 × 4 de 33½ pouces. Les deux morceaux, vissés sur les traverses arrière entre les pattes, serviront de soufflage où sera fixé, à l'aide de clous gommés, le panneau de contre-plaqué ou de masonite de ¼ de pouce.

Troisième opération: le plateau qui constitue le dessus de l'établi; et la tablette. Le dessus est sans complication. Il mesure 20 pouces sur 48 pouces. La tablette est taillée à 14¼ pouces sur 40½. Encochez-la immédiatement pour l'intercaler entre les pattes arrière. Si vous découpez de façon précise, vous n'aurez pas à retoucher à la tablette lors de l'assemblage.

À l'équerre et de niveau

Quatrième opération: l'assemblage. Les traverses sont retenues provisoirement par des brides. Si vous avez des serre-joints, tant mieux, ce sera plus facile. Pour suppléer au manque de brides et de serre-

joints, utilisez des clous mais sans les enfoncer complètement de façon à pouvoir les enlever pour déplacer les pièces selon les données que vous fourniront l'équerre et le niveau.

La tablette du bas de l'établi doit être insérée dès le début de l'assemblage sinon vous ne réussirez pas, plus tard, à la glisser en place d'un seul morceau. Attendez cependant pour la fixer que la charpente soit complètement montée.

Le panneau arrière peut vous être d'un grand secours pendant l'assemblage. S'il a été coupé aux bonnes dimensions et à angles droits, vous pourrez, à l'aide de quelques clous, l'installer provisoirement pour stabiliser l'arrière pendant que vous boulonnerez les pièces avant. Les têtes de boulons, appuyées sur des rondelles, demeurent en surface à l'avant de l'établi. À l'arrière, elles sont enfoncées à affleurement du bois pour ne pas nuire à la pose du panneau. Des rondelles fendues (lock washers) éviteront le desserrage des écrous.

La charpente boulonnée et le panneau arrière cloué aux pattes et aux pièces de soufflage, il ne reste plus qu'à visser la tablette du bas, le plateau et une planche à l'arrière du plateau. Cette planche a pour fonction d'empêcher les petits objets ou outils de tomber à l'arrière de l'établi. Si la planche est suffisamment haute, on peut y fixer une longue boîte étroite à compartiments pour y ranger ce menus articles. On peut aussi y visser une planche trouée, projetant vers l'avant. Elle servira de râtelier pour le rangement des tournevis et ciseaux à bois.

Une feuille de masonite de $1/8$ à $1/4$ de pouce peut être collée sur le dessus de l'établi. La surface glacée sera facile à nettoyer et surtout il n'y aura pas d'échardes à redouter, au moins de ce côté-là.

Ceux qui ne peuvent faire des coupes de longueur précise à un angle de 90 degrés et qui éprouvent des difficultés à assembler sans serre-joints trouveront dans un autre chapitre des renseignements sur ces sujets.

Liste des matériaux

Contre-plaqué de $3/4$ de pouce.
     1 — 20 × 48 pouces.
     2 — 16 × $27^1/4$ pouces.
     1 — $14^1/4$ × $40^3/8$ pouces.

Contre-plaqué de $1/4$ de pouce.
     1 — $27^1/4$ × $40^1/2$ pouces.

Épinette 2 × 4
     4 — $32^1/4$ pouces.
     4 — $12^3/4$ pouces.
     1 — 42 pouces.
     3 — $37^1/2$ pouces.
     1 — $33^1/2$ pouces.
     12 boulons $3/8$ de 4 pouces.
     5-6 douzaines de vis 2 pouces nos 9 ou 10, clous gommés 2 pouces.

Mini-établi versatile

Le banc-coffret illustré ci-après est tout indiqué pour les bricoleurs dont les travaux intermittents ne nécessitent qu'un nombre limité d'outils.

Il peut être particulièrement utile à ceux qui demeurent dans des logements exigus et qui n'ont pas d'atelier, pas de vieille table, ni de place pour un établi ou des chevalets.

Le banc-coffret peut devenir pour eux un mini-établi dans lequel ils rangeront leurs outils et qu'ils pourront facilement transporter sur la galerie et même dans le fond de la cour, s'ils n'ont pas vraiment d'autres endroits où travailler. De construction solide, le mini-établi devrait pouvoir résister assez longtemps aux coups durs. À cause de sa faible hauteur, il pourrait même servir aux premiers essais de bricolage de vos enfants. Vos outils en souffriront peut-être mais l'expérience, la vôtre comme celle des autres, c'est quelque chose qui se paie.

Conçu à partir d'un simple banc tout usage, le banc-coffret, sensiblement de la même hauteur qu'une chaise droite, est très pratique pour le sciage des pièces de bois que l'on peut maintenir fermement à l'aide du genou et, au besoin, de brides.

Tous les instruments de base, sauf l'égoïne, trouveront place dans le coffre. Pour éviter des pertes de temps, les petits outils tels que les tournevis, les pinces, etc. peuvent être suspendus à des râteliers (voir photo). Quant aux grandes scies, s'il n'y en a pas plus de deux, elles peuvent être disposées en diagonale sur les côtés du banc, le bout de la lame engagé dans un étui de bois, à la base du coffre, et la poignée retenue au sommet du coffre par un loquet de bois.

Simplifiez le travail

Le bricoleur qui n'aurait besoin que de deux bancs simples, sans le coffre qui en constitue la base, peut facilement réduire l'encombrement en modifiant la longueur et la largeur de l'un des bancs afin de les emboîter à la façon d'une table gigogne.

Les principales parties du banc-coffret sont en contre-plaqué de sapin de Colombie de $3/4$ de pouce; les autres en contre-plaqué de $1/2$ pouce. On peut toujours utiliser du bois moins épais pour le fond et le couvercle du coffret.

Incidemment, le couvercle ne glissera pas de part et d'autre du banc si l'on fixe au-dessous deux baguettes qui le retiendront entre les côtés du coffret.

Les pièces latérales du haut du banc sont à affleurement du plateau. Ça simplifie le découpage. Le dessus et les cotés étant de même largeur, on peut les tailler tout d'une venue. Ça simplifie également l'assemblage.

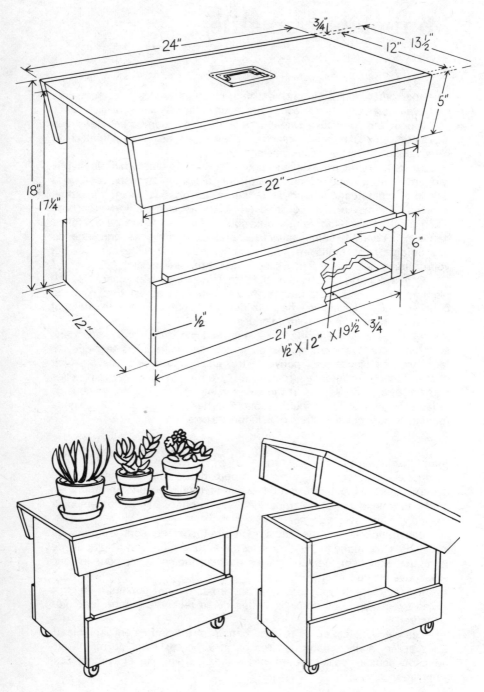

24"

3/4"

12" 13½"

5"

18"

17¼"

22"

6"

12"

½"

21"

½"X12"X19½"

3/4"

Transformations possibles

Le banc-coffret original a été collé et vissé, mais vous vous tirerez bien d'affaire en utilisant tout simplement des clous gommés de 2 pouces à 2½ pouces et de la colle.

Si le banc-coffret, qui est en somme un petit meuble de base, est réservé à d'autres fins que les durs travaux, il vous faudra alors faire chevaucher le plateau sur les pièces latérales et le laisser excéder d'au moins ¾ de pouce à un pouce pour qu'il ait meilleure apparence.

Comme vous le suggèrent les dessins, le banc peut subir, à votre gré, toutes sortes de transformations. Muni ou non de roues, le petit meuble peut devenir une table à plateau fixe ou à charnières, donnant dans ce cas accès à une boîte de rangement qui est construite au sommet. Le banc peut aussi se muer en mini-bar ou même en boîte à jouets, si les côtés sont fermés. Et il y a bien d'autres possibilités. Laissez trotter votre imagination.

Liste des matériaux

Contre-plaqué ¾ de pouce.   Contre-plaqué ½ pouce.

    1 — 12 × 24 pouces.   1 — 12 × 19½ pouces.
    2 — 12 × 17¾ pouces.   2 — 6 × 21 pouces.
    2 — 5 × 24 pouces.   1 — 13 × 19½ pouces.

5½ pieds baguette carrée de ¾ de pouce.
2½ douzaines de vis 2 pouces.

Un guide pour scier droit

Il n'est pas donné à tous de posséder ces merveilleuses machines-outils qui, pourvu qu'elles soient alimentées en mesures précises, donnent en moins de deux des coupes impeccables.

Pour des raisons d'argent, d'espace ou de conditions de logement, bon nombre de bricoleurs n'ont qu'une scie de base, l'égoïne à tronçonner. Pour beaucoup de ceux-là, le découpage du bois même à angles droits, les plus fréquemment utilisés, représente chaque fois une aventure nouvelle qui ne se termine jamais de la même façon, surtout pas de la bonne façon!

Les photos ci-après indiquent comment se servir de guides (des retailles de 2 × 2 ou plus feront l'affaire) qui vous permettront de réussir des coupes parfaites et des assemblages dont les joints ne bâilleront pas.

En premier lieu, vérifiez si votre équerre est vraiment d'équerre. L'usure et les accidents de parcours font parfois que les petites équerres trichent sur l'angle de 90 degrés.

La vérification se fait au moyen d'une pièce de bois droite, par exemple le côté usiné d'un morceau de contre-plaqué. Posez l'équerre et faites un trait de crayon. Renversez ensuite l'équerre. Si le côté de la règle de métal ne tombe pas pile sur le trait *(photo no 1)*, alors n'allez pas plus loin. Achetez-vous une autre équerre. Une bonne!

Si l'équerre passe l'épreuve avec succès, servez-vous-en pour vérifier si les côtés des guides où la lame s'appuiera sont vraiment à 90 degrés.

L'étape suivante consiste à marquer la pièce à découper. Assurez-vous que ses bords sont droits, surtout si la pièce est destinée à un assemblage exigeant de la précision.

Au moyen de brides, fixez ensuite le premier guide de sorte que

l'égoïne coupe juste le long du trait de crayon et non sur le trait. Vérifiez l'angle du guide *(photo no 2)* avec l'équerre.

On peut se contenter de ce seul guide pour couper la pièce de bois en actionnant la scie *(photo no 3)* à un angle d'environ 45 degrés, ou mieux encore à l'horizontale, c'est-à-dire les dents en contact avec la pièce sur toute sa largeur. En recourant à cette dernière méthode, les dents, qui font saillie, ne grugeront que la base du guide qui pourra alors être utilisé de nouveau. De toute façon, la lame doit être maintenue en contact avec le guide.

Mais deux guides sont plus sûrs qu'un seul. On ne fixe le deuxième qu'après avoir fait pénétrer les dents de la lame, en sciant à l'horizontale, juste sous la surface de la pièce à découper.

Une fois la lame bien campée entre ses guides *(photo no 4)*, vous n'avez plus qu'à terminer le trait. Le résultat *(photo no 5)* sera parfait.

Quand c'est possible, la pièce à découper doit être maintenue fermement avec des brides à la table de travail. Prenez soin de mettre du côté de la main libre *(photo no 6)* le morceau qui sera détaché. Au dernier stade, vous pourrez empêcher le morceau de se séparer avant le temps et d'arracher des éclats, sans avoir *(photo no 7)* à jouer les mains croisées. Laissez ça aux pianistes et évitez les difficultés inutiles.

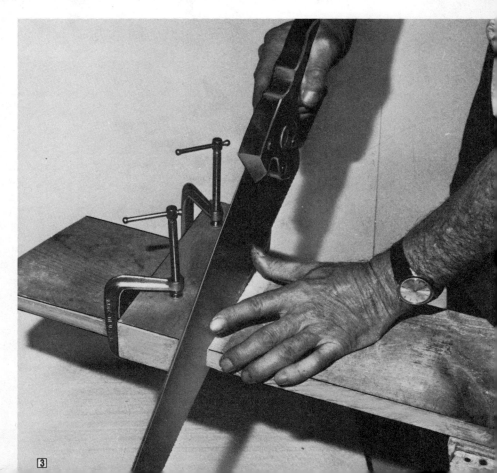

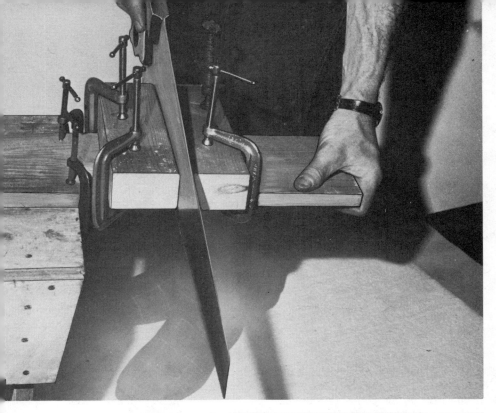
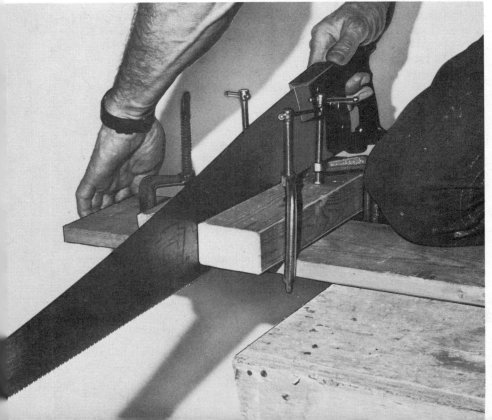

Planche de coupe précise

Élaborant le procédé de deux guides, les photos et le plan ci-après montrent d'autres applications, toujours avec utilisation de l'égoïne.

Le dessin et la photo no 1 représentent une plaque de coupe à angles droits qui évitera aux bricoleurs l'obligation de sortir équerre et guides chaque fois qu'ils auront à scier un bout de planche à des dimensions précises.

La plaque peut être retenue par quelques vis à votre établi ou à toute autre surface de travail solide. Elle pourra être particulièrement utile pour la fabrication de tablettes et de petits meubles puisqu'elle peut admettre des pièces de bois mesurant 12 pouces de largeur sur un pouce de hauteur.

Les dimensions du plan peuvent toujours être modifiées, mais il ne serait peut-être pas bon de vouloir trop élargir le plateau. Le découpage de pièces de 12 pouces, surtout lorsqu'il y a des nœuds, représente parfois un travail assez ardu.

La plaque se compose d'un plateau de contre-plaqué de $3/4$ de pouce sur lequel sont vissées deux bandes de $2^3/4$ pouces de largeur formées chacune de morceaux de contre-plaqué de $3/4$ de pouce et de $1/4$ de pouce. Les guides sont fixés sur ces bandes.

Les deux bandes débordent d'un pouce le plateau. La bande avant chevauche toutefois une pièce de $1^1/2$ pouce qui fournit un appui supplémentaire à l'avant de l'établi.

La face intérieure des guides — des 2×3, de préférence en pin — est recouverte d'une pièce de masonite retenue par une dizaine de vis de $1/2$ pouce no 4, dont la tête plate est légèrement enfoncée sous la surface.

Le masonite peut être facilement remplacé mais, pour éviter les dégâts, la lame de l'égoïne doit en tout temps être maintenue à l'horizontale, les dents au-dessous des morceaux de masonite.

Il est important que la face intérieure des 2×3 soit bien droite et tombe à 90 degrés. Sinon, il faudra y faire donner un coup de dégauchisseuse.

Le premier guide est installé à droite de la plaque, en laissant un espace d'un pouce (voir plan) qui permettra, lorsque ce sera possible, d'utiliser des guides pour retenir fermement au plateau la planche que l'on scie.

Ne vissez définitivement le guide qu'après avoir vérifié soigneusement s'il est bien à 90 degrés par rapport à la face intérieure de la bande avant.

Si tout est parfait, appuyez la lame de l'égoïne sur la plaque de masonite et, en sciant à l'horizontale, faites descendre les dents juste sous la surface des deux bandes. Installez alors le deuxième guide, soit avec

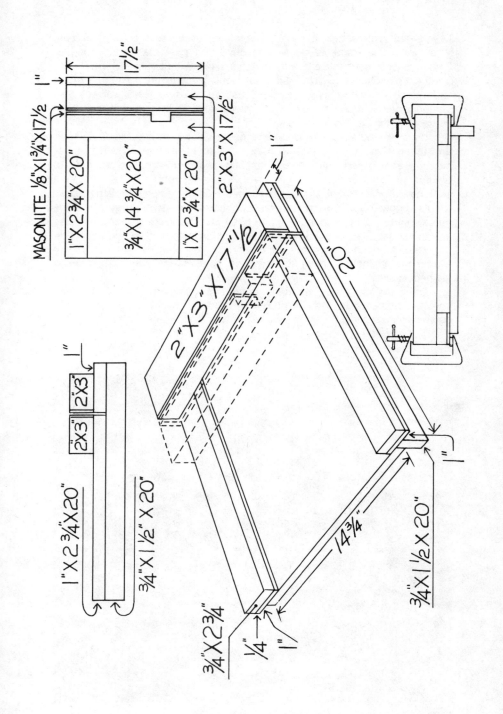

MASONITE ⅛"X1¾"X17½

17½"

1"

2"X3"X17½"

1"X2¾"X 20"

¾"X14 ¾"X20"

1"X 2¾" X 20"

2"X3"X17"½

20"

1"

1"

2"X3"

2"X3"

2"X3"

1"X2 ¾"X20"

¾"X1 ½" X 20"

14¾"

¾"X1 ½X 20"

¾"X2¾

¼"

1"

57

des brides (voir photo et plan) ou avec des vis. Dans ce dernier cas, il faut découper dans le guide une ouverture (voir plan) suffisamment longue et large pour voir le trait marqué sur la pièce à découper.

Les planches que l'on veut scier sont glissées de gauche à droite le long de la bande avant au-dessous des guides. Elles doivent être immobilisées par des brides et des blocs de bois pour éviter tout mouvement pendant la coupe.

La photo no 2 montre comment couper dans le sens de la largeur, en station debout, un panneau mince en contre-plaqué ou autre matériau. La scie glisse entre deux planches-guides maintenues en haut et en bas par des brides qui retiennent en même temps, à l'arrière, une planche de bois commun qui sera sciée en même temps que le panneau.

La photo no 3 montre un grand panneau qui est scié dans le sens de la longueur. Le panneau est déposé sur deux planches soutenues par des bancs ou des chevalets. Deux planches-guides, fixées sur le panneau, empêchent l'égoïne de dévier. Si le trait a tendance à se refermer sur la lame, des petits coins de bois redonneront à la lame le jeu nécessaire.

Dans les deux cas, panneau debout ou panneau couché, le beau côté du panneau doit être tourné vers vous et les dents de l'égoïne ne doivent mordre que pendant le mouvement d'avant vers l'arrière.

1

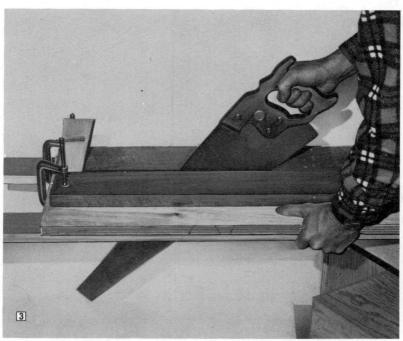

59

La boîte à onglets,
un accessoire très utile

La boîte à onglets est un accessoire bien utile aux bricoleurs.

Le choix des boîtes est vaste. Le marché en offre tout un assortiment dont les prix varient de $2 à $150. La précision et la longévité de la boîte sont en fonction du prix. Les plus communes donnent les angles les plus fréquemment utilisés — 45 et 90 degrés — et ne peuvent servir à tailler des pièces de plus de deux pouces d'épaisseur sur quatre pouces de largeur. Les plus coûteuses laissent plus de jeu et peuvent se régler à n'importe quel angle entre 45 et 90 degrés.

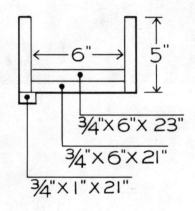

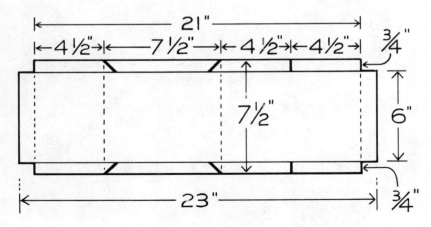

Le bricoleur occasionnel qui ne prévoit utiliser une boîte à onglets que pour scier de petites moulures et n'a à son programme aucun travail de haute précision, tel que la coupe de cadres, peut fort bien se contenter d'une boîte de bas prix. Il peut aussi s'inspirer du plan suggéré ici pour se construire une boîte qui lui permettra de tailler des pièces de plus grandes dimensions.

Habituellement, on doit utiliser une scie à dosseret (photo no 4) avec les boîtes à onglets. Les bricoleurs qui ne veulent pas dépenser de $7 à $25 pour cet outil peuvent toujours se tirer d'affaire avec l'égoïne à tronçonner.

Comme la boîte à onglets est un accessoire de précision, sa construction demande des précautions tout d'abord pour la taille des pièces qui la composeront, ensuite pour l'assemblage et, enfin, pour la coupe des traits à 90 et à 45 degrés qui serviront par la suite de guides à la lame de la scie.

La boîte que l'on voit sur le plan et la photo no 2 a été construite de contre-plaqué de ³/₄ de pouce et a été prévue pour utilisation de l'égoïne à tronçonner. La boîte peut sembler plus fragile que celles en bois dur et à profil bas que vous trouverez dans le commerce, mais elle saura vous rendre service pendant longtemps si vous ne la maltraitez pas trop. Rien ne vous empêche de doubler les côtés en entier ou en partie pour donner plus de solidité à la boîte.

Cette super-boîte, fabriquée de 2 × 6, de pin et de contre-plaqué de ³/₄ de pouce, est peut-être un monstre, mais elle est bien pratique pour tailler des pièces épaisses telles que les 4 × 4 de cèdre. Afin d'empêcher les 2 × 6 de se rompre sous un choc, les côtés ont été renforcés par des chevilles de bois de ¹/₂ pouce qui les traversent presque de part en part.

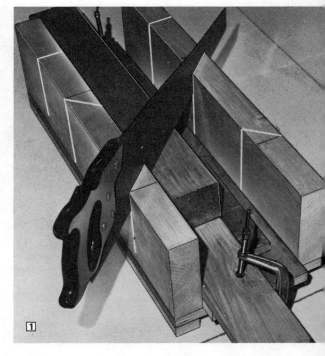

61

Capable d'admettre facilement des pièces de bois de 2″ × 6″, la boîte est pourvue d'un « faux plancher » qui fait projection d'un pouce à chaque extrémité. Le « faux plancher » protège le fond auquel il est retenu par quelques vis. On peut y clouer des blocs de bois et fixer à ses extrémités des brides ou presses pour maintenir solidement la pièce que l'on découpe. Lorsqu'il deviendra trop « massacré » par les traits de scie et les trous laissés par les clous, on le remplacera tout simplement.

Les divers éléments de la boîte doivent être taillés et assemblés avec précision. Il ne faut pas que les côtés, vissés à la plaque de fond, s'inclinent vers l'intérieur ou l'extérieur.

Utiliser l'équerre et marquer avec un crayon à pointe très fine ou même avec une lame de couteau le dessus de même que les flancs des pièces latérales où seront entaillés les traits de 90 et de 45 degrés.

Les angles de 45 degrés s'obtiennent en sciant à l'extrémité des pointes d'un carré parfait dont les côtés ont exactement la même mesure que la largeur totale de la boîte.

Pour faire des entailles bien précises, recourir à la méthode des guides (photo no 3), expliquée dans les chapitres précédents. Les guides sont retenus au moyen de presses qui s'agrippent à deux baguettes clouées ou vissées temporairement au sommet de la boîte, de préférence à l'intérieur, pour ne pas cacher les traits de crayon ou de lame à l'extérieur.

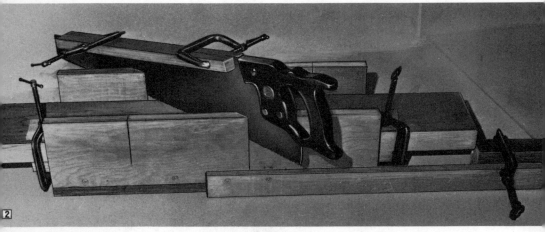

2

Une planche d'épinette de 2 × 5, maintenue par des presses au « faux plancher », est prête à subir l'épreuve de la coupe à 45 degrés.
À l'avant, un guide, composé d'une baguette fixée à la boîte et d'un bloc de bois, permet de scier autant de pièces de même longueur que l'on veut. Si votre égoïne a tendance à faire la « tête croche », notamment lorsque vous commencez à l'engager dans la pièce à découper, installez au sommet de la lame un dosseret temporaire formé de deux baguettes bien droites et rigides retenues par des presses.

À ce stade, il ne faut rien brusquer. Sciez lentement en vérifiant si la lame de l'égoïne côtoie parfaitement la marque. Comme il est plus facile de scier près du talon plutôt que du bout de la lame, changez la boîte de côté à quelques reprises durant l'opération d'entaillage. Plus votre travail sera soigné, meilleurs seront les résultats.

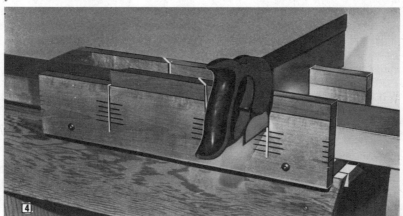

Deux baguettes fixées temporairement à l'intérieur de la boîte à onglets, au sommet, (photo du haut) permettront aux presses de tenir fermement les guides qui vous aideront à scier de façon précise les entailles à 45 et à 90 degrés. Une boîte à onglets (photo du bas), au profil plutôt bas, a été surélevée au moyen de baguettes préalablement taillées aux angles requis. Les baguettes, vissées, fournissent une plus grande surface d'appui à la lame sur laquelle elles peuvent être resserrées pour compenser l'usure. Les petits traits horizontaux de chaque côté des entailles, tracés aux quarts de pouce à l'intérieur comme à l'extérieur, servent de repères lorsqu'on coupe des tenons.

Méthodes d'assemblage pour meubles

MONTAGE PRÉCIS SUR GABARIT

Si vous avez maîtrisé l'art de faire des coupes précises, à l'aide de l'égoïne ou d'un outillage électrique moins rudimentaire, il ne faut pas maintenant rater votre coup à l'étape de l'assemblage.

Le plus souvent, le bricoleur, après avoir marqué aux points d'assemblage les diverses pièces de l'objet qu'il fabrique, fait un montage à la grande équerre, plus sûre que la petite équerre-combinaison.

C'est bien, mais c'est parfois ardu. Votre travail sera beaucoup plus facile et le succès deviendra presque automatique si vous recourez à la méthode du gabarit que je vous propose ici.

Le gabarit n'est rien d'autre qu'un morceau de contre-plaqué de sapin de Colombie de $^3/_4$ de pouce, qui fournit une solide base de montage.

Il faut que la surface de la plaque soit absolument plane. Le contre-plaqué ne se déforme pas latéralement mais il peut gauchir sous l'effet de l'humidité ou d'un poids, s'il est mal entreposé.

On annule la torsion en vissant le gabarit sur un cadre formé de plusieurs planches en contre-plaqué de $^3/_4$ de pouce taillées à quatre pouces de largeur. Vissez dans le sens du quatre pouces pour tirer profit de la résistance latérale des planches.

Même si vous songez à construire des meubles assez imposants, il n'est pas nécessaire que le gabarit soit de proportions démesurées. Depuis des années, j'utilise un morceau de contre-plaqué de deux pieds sur quatre. C'est le quart d'un panneau de 4 × 8. Je m'en suis servi avec succès pour divers assemblages: bahuts, bibliothèques, commodes, fauteuils, portes et fenêtres.

Il est sûr que certains jours, la tâche aurait été plus aisée si la plaque de montage avait mesuré quatre pieds sur quatre ou davantage. Mais il y a des limites à l'encombrement.

L'essentiel, c'est que le gabarit vous permette de monter les parties importantes de l'objet ou du meuble que vous fabriquez, qu'il soit sans armature spéciale comme dans le cas illustré dans la photo no 4, ou qu'il consiste d'un bâti en planches ou madriers.

Gare aux erreurs!

Pour faire la démonstration du savoir-faire du gabarit, les photos de cet article et celles de l'article suivant font voir l'assemblage du banc-coffret dont le plan a fait l'objet d'un autre chapitre précédemment.

Le montage de ce petit meuble est très simple. C'est à 90 degrés

Première étape: fabriquer un « T » précis sur le coin usiné d'un panneau.

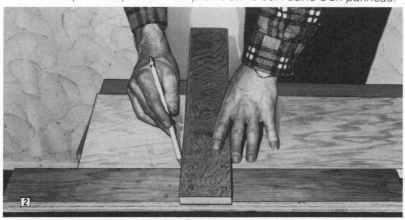

Deuxième étape: marquer minutieusement les pièces aux points d'assemblage.

partout. Le dessus et les pièces formant les pattes sont de même largeur. Si le dessus avait été plus large que les pattes, il aurait fallu tout simplement « souffler » le gabarit en conséquence sous les pattes et utiliser des blocs plus hauts pour délimiter leur emplacement et les retenir fermement.

Sur un gabarit, tenons, mortaises et angles divers ne posent aucun problème insurmontable. Inscrivez les bonnes dimensions et le gabarit vous permettra de reproduire fidèlement, autant de fois que vous le voudrez, ce que vous voulez faire. Mais ne commettez pas d'erreur car le gabarit, en bon serviteur aveugle, vous la collera sous le nez, non moins fidèlement.

Grande équerre pratique

Le gabarit peut servir en premier lieu à assembler un « T » de contre-plaqué de 3/4 de pouce. Les deux pièces du « T », larges de quatre pouces, doivent être absolument droites et lisses parce que le « T » est ni plus ni moins qu'une grande équerre.

Un « T » convenable mesure au moins deux pieds sur trois, mais vous le trouverez encore plus pratique s'il mesure quatre pieds et plus de longueur parce qu'alors vous pourrez marquer, d'un seul coup, sans vous tromper, un panneau de 4 × 8 dans le sens de la largeur.

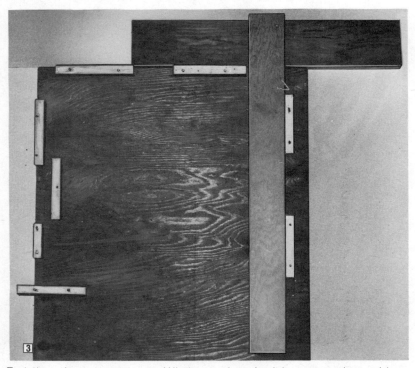

Troisième étape: reporter et délimiter sur le gabarit le contour du meuble.

Le « T » est assemblé sur le coin usiné du morceau de contre-plaqué. Si vous voulez avoir un bon gabarit, assurez-vous, à l'achat, qu'il provient d'un coin de panneau. Les coins coupés à l'usine donnent exactement 90 degrés.

Les deux pièces du « T » enduites, au point de jonction, de colle blanche pour le bois, sont reliées par quelques clous qui les empêcheront de bouger pendant que vous les unirez fermement avec au moins quatre vis (photo 1).

Maintenant que vous avez une grande équerre bien précise, marquez les pièces (photo 2) aux points d'assemblage. Prenez tout votre temps.

Au moyen du « T », reportez sur le gabarit (photo 3) le profil des pièces à assembler. Tout en maintenant le « T » en place, fixez avec des clous, dont vous laisserez dépasser légèrement la tête, des planchettes de bois autour du dessin formé par les lignes extérieures et intérieures des pièces. Vérifiez deux fois plutôt qu'une. C'est ici que commence le succès... ou l'échec.

Intercalez les pièces (photo 4) entre les planchettes. Reliez les pièces au moyen de clous ou de vis à proximité du gabarit, là où elles ne peuvent pas bouger.

Quatrième étape: insérer les pièces à assembler entre les petits blocs.

L'ASSEMBLAGE RENDU FACILE

Les dernières étapes de la fabrication du petit banc-coffret, dont l'assemblage a été amorcé, dans l'article précédent, au moyen d'un gabarit, ne devraient présenter aucune difficulté particulière si aucune erreur n'a été commise au cours de la première phase du montage.

Cette fois, les photos montrent les principales opérations qui marquent le dénouement.

À la quatrième étape (précédemment), les trois panneaux constituant l'ossature du meuble avaient été insérés entre de petits blocs de bois cloués au gabarit et on avait commencé à relier les panneaux avec des vis, à l'arrière, près du moule. Une vis de chaque côté est suffisante. N'allez pas tenter de visser complètement, dès cette étape, le panneau du dessus aux panneaux formant les pattes. Vous risqueriez de tout gâcher.

Les deux vis en place, clouez provisoirement une pièce de bois (photo 1) au bas des panneaux, près du gabarit. Cette pièce empêchera les panneaux de bouger lorsque vous passerez à l'étape suivante.

Si vous ne l'avez pas fait auparavant, profitez de la quatrième étape pour fixer des moulures carrées de $3/4$ de pouce qui serviront à soutenir le fond du coffret.

À la cinquième étape (photo 2) les panneaux sont retournés sur le moule et la partie qui était à l'avant a été intercalée à son tour entre les planchettes ou blocs. Vous pouvez maintenant finir de visser le dessus aux deux autres panneaux. Installez les pièces du haut et du bas sur le côté qui vous fait face.

Une deuxième planche a été clouée au bas des panneaux, près du gabarit, en prévision de la sixième étape (photo 4), alors que le meuble sera extrait définitivement du gabarit.

C'est l'étape finale. Vous n'avez plus qu'à compléter le montage des pièces latérales et à fixer le fond du coffret. Les planches clouées au bas des panneaux sont enlevées en dernier.

Si vous utilisez le petit meuble pour remiser vos outils, installez à l'une ou aux deux extrémités un râtelier pour les tournevis et les pinces. Vous n'aurez pas à retourner le coffret sens dessus dessous pour les retrouver parmi les autres outils.

Pour rendre le meuble plus solide, toutes les pièces peuvent être collées aux points d'assemblage. Utilisez de la colle blanche. Pour éviter de souiller le gabarit, glissez une feuille de papier entre le moule et les joints encollés.

Selon l'usage que vous ferez du meuble et la finition que vous lui donnerez, utilisez des vis à tête ronde ou à tête plate, ou encore un mélange des deux: des vis à tête plate sur le dessus; à tête ronde sur les côtés. Les vis à tête plate peuvent être posées à affleurement de la surface (c'est ce qui a été fait dans le cas du banc illustré ici) ou encore enfoncées sous la surface.

Si vous utilisez des clous, il vous faut recourir à des serre-joints pour assurer un collage parfait. Les clous ne « tirent » pas comme les vis,

1. Une planche clouée au bas des panneaux, à l'arrière, complète la quatrième étape.

2. Cinquième étape: le meuble a été retourné sur le gabarit. Une deuxième planche a été fixée au bas. Le dessus puis les pièces latérales sont alors vissées définitivement.

3. Une planchette, vissée et collée, aide à renforcer les coins supérieurs des meubles.

4. Sixième étape: le meuble a été extrait du moule et la pièce latérale du haut a déjà été installée. Il ne reste qu'à mettre en place les derniers éléments.

5. C'est terminé. Il n'y a pas eu de complications. Le gabarit a tout simplifié.

et même s'ils sont enfoncés selon les règles, c'est-à-dire en biais (l'un incliné vers la gauche, l'autre, vers la droite), ils ne peuvent pas assurer un joint aussi serré que les vis.

Pour caler plus facilement les vis, enduisez-les d'un peu de savon, mais jamais d'huile. Ce liquide s'étend trop facilement dans le bois et peut remonter en surface où il risquera alors de gâter la finition de votre meuble.

Avec le temps, lorsque vous aurez fabriqué deux ou trois meubles différents, la surface du gabarit sera passablement marquée de traits de crayon. Il suffira d'un coup de papier sablé pour lui donner une cure de rajeunissement.

Pour que le gabarit vous serve longtemps, évitez, même s'il est renforcé par un cadre, de le remiser dans un endroit humide ou encore de l'enfouir sous un amas d'objets. Si vous en prenez le moindrement soin, le gabarit vous servira fidèlement pendant des années et des années. L'expérience et l'imagination aidant, vous découvrirez que le gabarit vous facilitera l'assemblage d'articles et de meubles aux formes les plus diverses.

LES ACCESSOIRES DE MONTAGE

En dehors de la méthode du gabarit, expliquée dans les articles précédents, il y a bien d'autres façons d'assembler un meuble. Cette fois, je vous propose quelques autres trucs. Bien qu'ils coûtent trois fois rien, ils vous permettront de faire un travail convenable.

La photo 1 fait voir tous les accessoires que l'on peut substituer à un gabarit ou que l'on peut utiliser en même temps. On retrouve, sur la photo, le « T » de bois qui est toujours très pratique dans l'assemblage, peu importe le procédé que l'on adopte.

La fabrication du « T » a été expliquée ailleurs. À défaut d'une pièce assez grande de contre-plaqué pour disposer le « T » à angle droit, on peut se servir du coin d'une table, d'un bahut, etc. Utilisez des presses (serres) et des planchettes pour retenir en bordure du meuble une des extrémités des pattes du « T ».

Dans le haut de la même photo, on aperçoit des pièces de bois trouées. Il s'agit de morceaux de contre-plaqué de $3/4$ de pouce, d'environ 6 pouces sur 8 à 10 pouces. Ces petites pièces (voir photos 3 et 5) peuvent remplacer le gabarit, à la condition que vous soyez bien minutieux.

Il faut qu'au moins un coin des plaques miniatures soit taillé de façon très précise. Ici, les coins sont à 90 degrés, c'est-à-dire à angles droits, les plus fréquemment utilisés dans les divers meubles. Pour un montage à angles différents, on n'a qu'à scier les plaques en conséquence.

La coupe à angles droits a été abondamment expliquée précédemment. Si vous doutez encore de vos capacités, demandez à votre marchand de bois ou à un menuisier de tailler les plaques pour vous.

Percez deux ou trois trous de 1 pouce à 1 1/2 pouce de diamètre à pas moins d'un pouce du bord, afin de ne pas trop affaiblir les plaques et pouvoir vous en servir longtemps.

Pour faire un bon montage, il faut un minimum de deux plaques perforées et de quatre presses. L'idéal serait d'avoir quatre plaques et huit presses, mais ce n'est pas tout à fait nécessaire, comme vous le verrez plus loin.

1

Comme les petites plaques fournissent un soutien moins rigide que le gabarit, procédez à de nombreuses vérifications en cours de montage et, au besoin, clouez provisoirement quelques planchettes aux pièces qui sont assemblées afin de les empêcher de bouger.

Si, pour quelque raison que ce soit, vous ne pouvez vous fabriquer les petites plaques, il faudrait vraiment que vous soyez tout à fait démunis pour ne pas être capables de trouver au moins deux petits blocs carrés comme ceux que l'on voit juste au-dessous de la barre supérieure du « T ».

Il s'agit de blocs de $1\frac{1}{4}$ pouce. L'utilisation de ces blocs requiert toujours cependant le recours à des presses (photo 2).

Et si vous n'avez pas de presses du tout rien n'est encore perdu pourvu que vous ayez quelques pièces de bois de rebut, une couple de planchettes taillées à 90 degrés et quelques bardeaux.

À l'aide des pièces de rebut, fabriquez des serre-joints improvisés (photo 4), laissant entre les « bras » un jeu d'environ $\frac{3}{4}$ de pouce par rapport aux morceaux qu'ils retiendront. On reprend le jeu et on assujettit fermement les plaques à la planchette de montage en glissant l'une sur l'autre les parties effilées de deux bardeaux sous l'un des « bras » des serre-joints.

Si jamais vous fabriquez des meubles de fortes dimensions, vous trouverez fort pratique et économique de recourir à de tels serre-joints.

Plaques perforées, blocs ou serre-joints peuvent être combinés entre eux, selon les besoins, ou même être employés (photo 3) en même temps que le gabarit.

4

5

Méthodes et guides pour scier de profondeur uniforme

AVEC LA SCIE À ONGLETS

Dans l'arsenal des joints utilisés en ébénisterie et en menuiserie, les joints à mi-bois sont parmi les plus faciles à exécuter. Ils peuvent servir à une foule d'assemblages pour réparations ou constructions à l'intérieur comme à l'extérieur de la maison.

On peut réussir parfaitement ces joints à l'aide d'outils manuels tels que la scie à dos renforcé. On peut aussi se servir de l'égoïne, mais il vaudra mieux alors recourir à des dispositifs dont il sera question dans un prochain article.

Les joints à mi-bois, aux nombreuses variations (on trouvera ici les coupes les plus courantes) servent généralement à réunir à affleurement des pièces qui, sciées à mi-épaisseur ou à mi-largeur, comportent à la fois mortaise et tenon. La mortaise est l'entaille pratiquée dans une pièce, où se loge l'extrémité travaillée (le tenon) d'une autre pièce. Pour certains assemblages, la coupe n'est faite que dans une pièce. Exemple, sur la photo 5, où une planche taillée à ses extrémités sert d'entretoise.

Les coupes à mi-bois se prêtent à de multiples applications. Ainsi, le joint d'angle (ouvert, en photo 1, et assemblé en photo 2) peut servir à des ossatures de portes et de meubles. Le joint en croix (photos 3 et 4), mariage solide de deux pièces se croisant au même niveau, est pratique pour l'installation de planches formant encadrement sur des panneaux de murs ou de meubles.

On peut recourir au joint en trave carrée (photo 5) pour des tablettes d'étagères ou de garde-robes. Enfin, le long joint de la photo no 6, exécuté dans la face plutôt que dans le chant, est utile pour allonger la portée d'une pièce et convient fort bien à la réparation de l'extrémité pourrie d'une traverse de clôture.

Ce ne sont là que quelques exemples d'utilisation de ces joints dont les éléments sont retenus, soit par boulons, soit par vis ou clous du côté caché, avec colle appropriée. Vous trouverez beaucoup d'autres applications, l'imagination et la nécessité aidant.

Pour faire une coupe précise, on marque soigneusement sur trois côtés, avec équerre et crayon, ou mieux avec pointe de couteau, la longueur (photo 7) de l'entaille qui admettra le tenon de l'autre pièce posée à angle droit. Laisser environ $1/16$ de pouce de plus que la largeur du tenon. Ce surplus sera raboté et poncé après assemblage.

On marque ensuite l'épaisseur du tenon (photo 8) à l'aide d'une équerre-combinaison dont la règle de fer est ajustée de façon que le trait soit bien centré.

La pièce retenue dans un étau, on taille du côté mortaise en tenant la scie inclinée vers soi (photo 9). La lame, guidée par le pouce ou l'index, est engagée dans le bois et descend ainsi en diagonale jusqu'à ce qu'elle atteigne la ligne de l'épaulement, sur la partie avant, et la pointe opposée, dans le haut. La lame est ensuite rabattue (photo 10) jusqu'à ce que la coupe soit complétée. Puis, on taille la partie à détacher, soit comme ici (photo 11), soit, et c'est préférable, dans une boîte à onglets.

Au besoin, on nettoie au ciseau à bois le coin de l'entaille (photo 12) et on frotte les joues des tenons trop épais sur un papier abrasif (photo 13). Ne pas abuser du ponçage. La colle fait mieux adhérer les finis rugueux que les finis lisses.

Pour réussir les joints en croix, il faut tailler juste mais pas trop serré, pour éviter le retroussement des planches. L'assemblage sera plus facile si l'on chanfreine les arêtes aux points d'emboîtement.

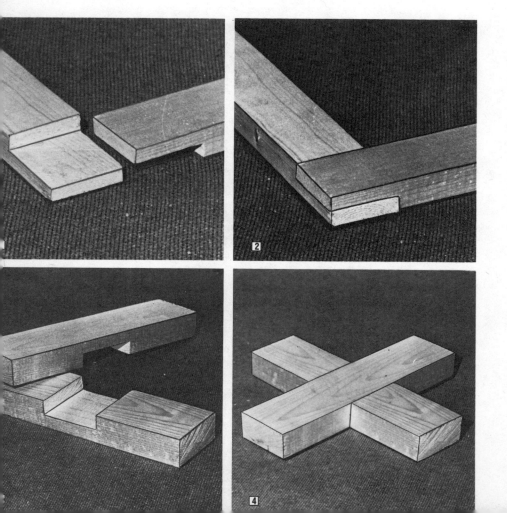

5

6

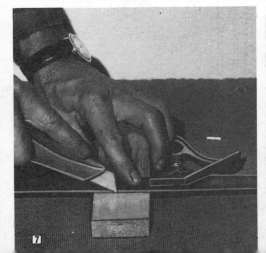

7

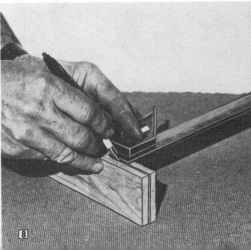

8

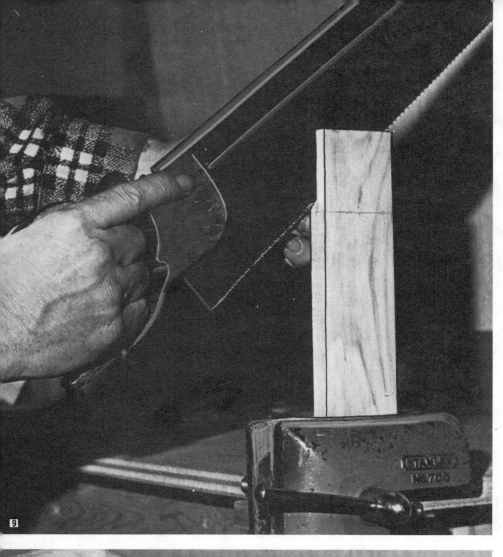

9

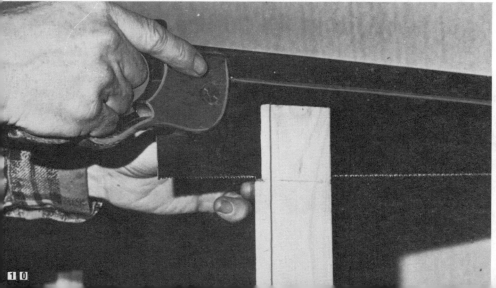

10

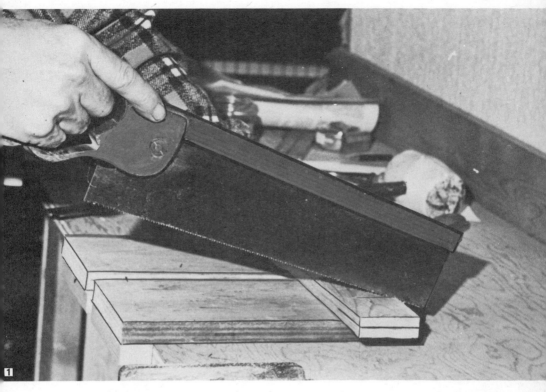

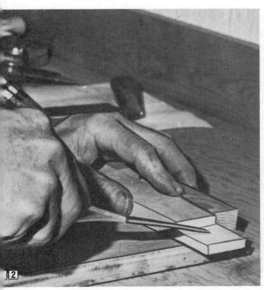

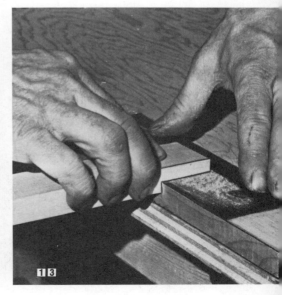

AVEC DES GUIDES DE PROFONDEUR

Une bonne égoïne à tronçonner, comptant au moins une dizaine de dents au pouce, peut, si l'on sait s'en servir, effectuer des joints aussi précis que ceux que l'on fait habituellement avec la scie à onglets.

La scie à onglets ou d'encadreur, aux dents fines et serrées et au dos corseté d'une bande de métal, est l'outil manuel utilisé traditionnellement, soit seul, soit avec une boîte à onglets, pour pratiquer dans du bois de dimensions restreintes diverses coupes d'assemblage. Mais comme cette scie est assez coûteuse lorsqu'elle est de bonne qualité (les plus communes ne valent guère mieux que de la vulgaire tôle dentelée), il arrive plus souvent qu'autrement qu'elle ne fasse pas partie du nécessaire de base du bricoleur débutant ou du propriétaire qui veut bien s'occuper du gros de l'entretien de sa maison ou de son chalet, mais avec le minimum d'outils.

J'ai déjà exposé une première méthode, conventionnelle, dans laquelle on recourt à la scie à onglets pour refendre une planche et découper un tenon. Cette méthode exige tout de même une certaine dextérité. Pour tailler convenablement le tenon, la lame de la scie doit côtoyer scrupuleusement les traits de démarcation sur la face et les chants de la planche. Un petit écart (surtout si l'on a tendance à forcer la scie) et le tenon ne sera pas de bonne dimension. Si l'on n'a pas la main trop sûre, l'union des tenons et mortaises pourrait présenter des difficultés exaspérantes.

À l'intention de ceux dont le bagage d'outils est fort limité, qui n'ont pas de scie à onglets non plus que de boîte à onglets mais qui ont au moins une bonne égoïne, je propose une deuxième méthode fort simple que j'ai éprouvée et qui donne de bons résultats. Ceux qui possèdent des scies à onglets peuvent, bien entendu, tirer profit de cette méthode qui, avec un minimum d'adresse, assure un succès quasi automatique.

Plus loin, je vous décrirai au moins trois autres méthodes susceptibles de donner satisfaction.

La technique de la deuxième méthode n'est pas compliquée du tout: des rebuts de contre-plaqué servent de guides de profondeur. Le contre-plaqué est fort pratique puisqu'il existe en épaisseurs bien déterminées

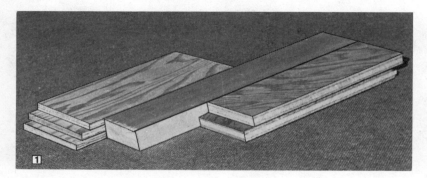

variant de $^1/_8$ de pouce à $^3/_4$ de pouce. Il devrait être possible de se procurer à bon compte des retailles de diverses épaisseurs. Les guides dureront plus ou moins longtemps selon l'ardeur et l'attention que vous mettrez au travail.

L'épaisseur des guides est en fonction de ce que l'on veut faire. Ainsi, si l'on veut tailler dans du bois de $^3/_4$ de pouce d'épaisseur un tenon à mi-bois, on recourt à des guides de $^3/_8$ de pouce; pour du bois de $1^1/_2$ pouce, on utilisera des guides de $^3/_4$ de pouce. Et ainsi de suite.

Avec les guides, comme dans la coupe traditionnelle, il est important que la planche que l'on veut tailler ne soit pas tordue ou bombée, sinon le joint ne sera pas parfait.

Avant d'entreprendre le découpage à l'aide de guides, on s'assure si leur épaisseur convient au travail envisagé. Sur la photo no 1, une planche de $^3/_4$ de pouce est côtoyée par deux guides de $^3/_8$ de pouce et trois guides de $^1/_4$ de pouce. Guides et planche sont exactement de même niveau de sorte que l'on peut, au choix, tailler un tenon de $^3/_8$ de pouce, de $^1/_2$ pouce, ou de $^1/_4$ de pouce sur une face ou en plein centre.

La longueur de la coupe à pratiquer est marquée, à l'angle requis, d'un profond trait de couteau. La planche est ensuite enserrée entre ses guides cloués sur l'établi ou autre surface droite, et on marque les chants de la pièce (photo 2) au crayon. On aura auparavant marqué de même façon l'extrémité de la planche.

Avec un ciseau bien affûté, on creuse un biseau (photo 3) le long du trait fait au couteau. On dégage ainsi une épaule qui fournira un appui à la lame de scie et lui permettra d'amorcer (photo 4) une coupe exacte. Ici, il faut descendre la lame bien droit et surtout ne pas l'incliner du côté de la chute (la partie à détacher) sinon l'assemblage ne donnera pas un joint bien fermé.

On fait dans la chute des traits très rapprochés (photo 5) et on arrête l'action de la lame lorsque les dents arrivent à affleurement des guides. Le bec d'un aspirateur maintenu à proximité avalera le bran de scie au fur et à mesure, permettant ainsi de bien voir où l'on va. Si ce n'est pas possible, alors on souffle et on souffle. C'est un bon exercice. On peut accélérer le travail en effectuant rapidement une série de coupes qui s'arrêtent au-dessus des guides. Puis on rend les traits à destination, un par un.

Plus les guides seront larges, mieux ils rempliront leur rôle de crans d'arrêt et meilleures seront les chances de succès.

Une fois les traits creusés (photo 6), on fait sauter au ciseau le bois tailladé mais sans dépasser le fond des traits. Sur les chants et le bout de la pièce, le nivelage fera disparaître la marque faite au crayon.

Pour le travail au ciseau, on peut bloquer la planche entre ses guides ou encore la mettre dans un étau ou se servir d'un autre point solide d'appui.

Ainsi, avec un minimum de précautions et d'outils, on arrive, grâce aux guides, à faire des entailles de hauteur uniforme (photo 7) et à obtenir des assemblages précis.

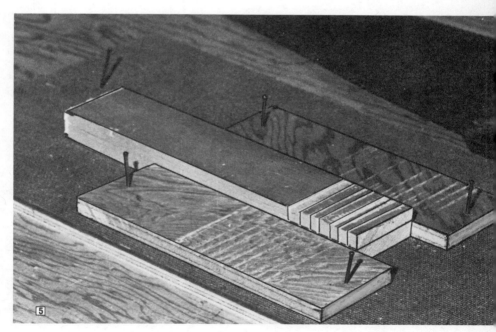

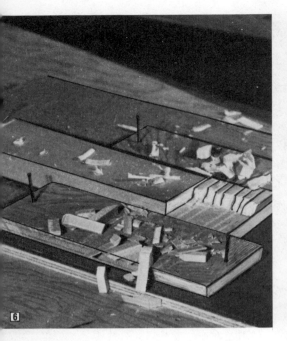

AVEC RÈGLES ET BOÎTE À ONGLETS

Deux autres méthodes utilisant (comme celle expliquée précédemment) des guides pour limiter la profondeur de coupe de l'égoïne, permettent d'obtenir des résultats excellents dans la taille des tenons et de certaines mortaises. En prenant des précautions au départ, le travail devient une opération presque mécanique.

Dans ces deux méthodes — la troisième et la quatrième — la lame de l'égoïne est emprisonnée entre deux règles, des planches bien droites et suffisamment larges qui, tout en lui donnant une plus grande rigidité, arrêtent sa course au niveau voulu.

La troisième méthode ne requiert pas de boîte à onglets et, à la fin de la coupe, la base des règles de profondeur s'appuie sur la pièce à découper. Dans la quatrième, les règles s'arrêtent sur le dessus de la boîte à onglets.

Dans les deux cas, on n'utilise les guides, des planchettes de contre-plaqué, que pour fixer à la hauteur requise les règles sur la lame de l'égoïne. Selon ce que l'on veut faire, on recourt à des guides dont l'épaisseur doit correspondre exactement au tiers ou à la moitié de l'épaisseur de la pièce à découper.

Les guides, à l'encontre de ce qui se produit dans la deuxième méthode, n'ont pas à subir les outrages de la scie et peuvent ainsi servir indéfiniment.

Ici, pour fins d'illustration, j'ai utilisé des guides de $^3/_8$ de pouce afin d'effectuer une taille à mi-bois dans une planche de $^3/_4$ de pouce.

Par ailleurs, dans une planche d'épaisseur semblable on peut, avec des guides de $^1/_4$ de pouce, tailler un tenon centré (photo 6), prélude au plus connu des assemblages à tenons et mortaises.

Pour découper un tenon selon la troisième méthode, on maintient l'égoïne (photo 1) entre deux guides (un seul ici est visible) et on dépose une règle de chaque côté de la lame. Avant d'assujettir les règles avec des presses, il faut s'assurer que la lame ne bouge pas et que les deux règles reposent bien sur les guides. C'est une étape importante. Si la

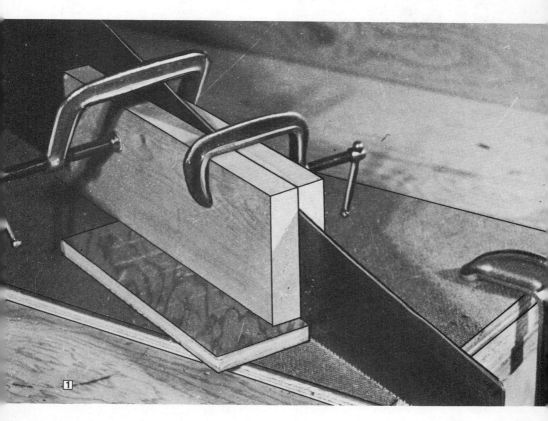

85

lame dérange et si les règles relèvent à l'avant ou à l'arrière, alors il sera impossible d'obtenir une coupe précise.

Ensuite, on dégage (comme la chose a été expliquée précédemment) une « épaule » dans la planche que l'on veut découper. On fera de même pour la quatrième méthode.

Puis on pratique plusieurs coupes rapprochées (photo 2). Si les règles ont été bien fixées, elles arrêteront l'action des dents juste à la bonne profondeur. Pour s'assurer que tout est parfait, on tourne la scie sur le dos (photo 3) et on fait glisser à la main la pièce sur la semelle des règles.

Pour la quatrième méthode un ou deux guides sont déposés dans une boîte à onglets (photo 4) de façon à en couvrir le fond. La lame est introduite dans les fentes de la boîte et est descendue jusqu'aux guides qui représentent dans ce cas la partie du bois qui doit être laissée intacte. On enserre les règles sur la lame en prenant les précautions voulues. On n'a ensuite qu'à enlever les guides et à se mettre à l'œuvre (photo 5).

Le travail, pour les deux méthodes, se termine par le dégagement des copeaux avec un ciseau à bois, en prenant comme points de repère le fond des traits de scie. Incidemment, plus les traits de scie seront rapprochés, plus le travail au ciseau sera simplifié.

UN « TRUC » POUR REFENDRE JUSTE

Après avoir passé en revue, dans les pages précédentes, quatre méthodes de fabrication de tenons selon des coupes à la verticale ou à l'horizontale, je vous propose, en guise de conclusion une « patente », un truc qui pourrait vous rendre les plus grands services si jamais, pour la construction d'un meuble ou autre objet, vous aviez à tailler un grand nombre de tenons semblables dans des pièces de bois d'égale épaisseur.

Le dispositif que j'ai imaginé, destiné à réduire au minimum les erreurs en cours de sciage, est un guide qui, prenant la lame de l'égoïne en sandwich, la force à refendre de façon impeccable l'extrémité d'une planche où l'on veut pratiquer un tenon.

Si le guide est bien construit, on pourra répéter la coupe autant de fois qu'on le désirera et toujours avec autant d'exactitude.

Mais pour réussir, il faut faire preuve d'une certaine patience, parce que l'assemblage de ce guide ne s'accommode pas d'à-peu-près. Par ailleurs, s'il est fabriqué avec minutie, vous serez en mesure de tailler des tenons comparables à ceux que l'on peut obtenir avec une scie circulaire.

Avant de se lancer dans la construction du guide, il faut s'assurer que l'égoïne qui sera utilisée est exempte de rouille et autres saletés qui pourraient créer des frictions indésirables en cours de service. L'égoïne doit être fraîchement affûtée, afin de ne pas être, à brève échéance, dans l'obligation de modifier le guide.

Comme on peut le constater sur les photos de ce chapitre, le guide est loin d'être coûteux. Il se compose de planchettes de contre-plaqué espacées par des séparateurs de carton, de papier ou de tôle. Le tout est retenu au sommet par deux boulons de $^1/_4$ de pouce de diamètre, munis de rondelles et d'écrous papillons.

Le guide qui sert ici de démonstrateur a été conçu pour tailler un tenon de $^3/_8$ de pouce dans une pièce de $^3/_4$ de pouce d'épaisseur. Les côtés du guide (voir dessin — attention, il n'est pas à l'échelle!) sont constitués de deux planchettes de $^3/_4$ de pouce (A et I) mesurant 4 pouces sur 15 pouces. Deux autres planchettes, l'une de $^3/_8$ de pouce (G) et l'autre de $^5/_{16}$ de pouce d'épaisseur (C), mesurant 4 pouces sur 7 pouces, sont retenues aux côtés (photo 1) par quatre petites vis enfoncées sur la surface du bois.

Les séparateurs, représentés par des lignes grasses sur le dessin (B, D et H) et correspondant aux cartons de la photo 1, ont pour fonction: à D, d'assurer à la lame (E) un jeu tout juste suffisant pour être actionnée entre les planchettes centrales; à H, de compenser pour la saillie (F) formée par les dents; enfin à B, d'atteindre la largeur exacte de $^3/_4$ de pouce, soit celle de la pièce de bois (J) soumise à l'épreuve.

Les mesures données ici sont loin d'être critiques. On peut les modifier selon les besoins: épaisseur du bois à scier et épaisseur des tenons.

Surtout, n'allez pas prendre trop au sérieux les chiffres mentionnés dans le dessin: les lames d'égoïne n'ont pas toutes une épaisseur et un « chemin » semblables. De plus, le dessin, simple amusette et prétexte à jongler avec les millièmes de pouce et surtout avec les millimètres avec lesquels il faut maintenant se familiariser, ne prévoit aucun espace où puisse se débattre la lame. Si vous tentez de réaliser le guide d'après ces chiffres, la lame risquera de coincer « à mort ». De plus, si l'on utilise des séparateurs de carton, il est impossible de tenir un compte rigide de leurs épaisseurs. Le carton se compresse.

Pour réussir le guide, pas besoin de passer par les affres des millièmes de pouce ou de fractions de millimètre. On peut recourir tout simplement au vieux système du « piffomètre », c'est-à-dire qu'on réunit autour de soi une variété de cartons de diverses épaisseurs et on en fait l'essai jusqu'à ce que l'égoïne coupe exactement là où on le désire. Ce peut être plus ou moins long, selon la chance. Rien ne vous empêche, bien sûr, de recourir à un calibreur, du genre de ceux utilisés pour mettre au point les moteurs à essence.

Sur le dessin et les photos, en constatera que les deux planchettes centrales sont entaillées à leur base afin d'empêcher les dents de l'égoïne d'abîmer le guide. En introduisant l'égoïne, on prend soin (photo 2) de garder la lame basse. À l'avant du guide, une petite planche vissée du côté gauche sert à bloquer la pièce à découper, sans nuire toutefois

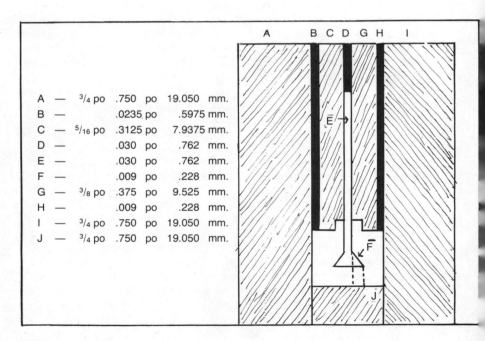

A —	3/4 po	.750 po	19.050 mm.
B —		.0235 po	.5975 mm.
C —	5/16 po	.3125 po	7.9375 mm.
D —		.030 po	.762 mm.
E —		.030 po	.762 mm.
F —		.009 po	.228 mm.
G —	3/8 po	.375 po	9.525 mm.
H —		.009 po	.228 mm.
I —	3/4 po	.750 po	19.050 mm.
J —	3/4 po	.750 po	19.050 mm.

à la coupe. La taille de l'épaule du tenon se fait en dernier lieu, en sortant la pièce du guide.

Lorsqu'on met le guide et la pièce à découper dans l'étau, on évitera de refermer celui-ci sur le chemin que suivra la lame pour éviter de la pincer et de la faire dévier du droit chemin. Pour égaliser la pression de l'étau (photo 3, vue du guide à l'arrière), on glisse dans le guide un petit bloc de la même épaisseur que la planche soumise au sciage. Le haut du bloc est installé juste à la profondeur que doit atteindre la scie. Cet avertisseur évite ainsi que l'on attrape le torticolis en fin de coupe!

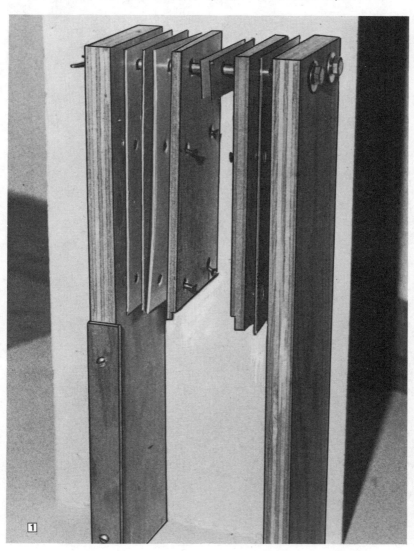

L'assemblage des coins

Les coins assemblés à bouts carrés, les plus faciles à réaliser, permettent de fabriquer rapidement des cadres de toutes dimensions pouvant servir de portes de remises, de moustiquaires, d'enseignes, de tableaux d'affichage, de bâti de meubles, etc.

L'assemblage de ces coins peut se faire d'une foule de façons. Les méthodes les plus simples et les plus expéditives sont susceptibles de donner d'excellents résultats pourvu que l'on prenne certaines précautions.

Pour obtenir un joint qui saura résister tant soit peu aux tiraillements et aux chocs, il faut que les pièces que l'on réunit s'ajustent parfaitement afin de ne laisser aucun jeu qui pourrait entraîner le relâchement des attaches. Ne pas oublier d'utiliser l'équerre!

Pendant l'assemblage, il est essentiel que les pièces formant le joint soient parfaitement immobilisées et maintenues fermement en contact soit en les pressant à la main sur un appui, soit en utilisant un étau conventionnel, des presses, ou encore un étau improvisé avec des blocs de bois et des coins.

Les assemblages classiques au moyen de clous, de vis ou de chevilles sont ceux auxquels on pense, en règle générale, le plus spontanément, mais il convient de ne pas oublier que les attaches ondulées, les simples agrafes et surtout les attaches « Skotch » peuvent fort bien convenir, tout dépendant de l'usage auquel le cadre est destiné.

Les clous permettent un montage rapide, mais comme ils ont tendance à se retirer facilement du fil du bois debout, il faut mettre au moins deux clous par joint. On les enfonce en sens contraire afin de

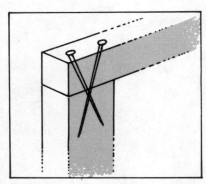

Enfoncés de biais, les clous, aidés par la colle, font bonne besogne.

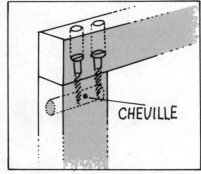

Ancrées dans une cheville, les vis ne lâcheront pas prise.

« barrer » les pièces. Une bonne colle, epoxy ou resorcinol pour l'extérieur, et résine ou colle blanche pour l'intérieur, aidera à consolider les joints.

Si les pièces formant les coins sont larges mais peu épaisses, il est impossible d'y ficher des clous suffisamment longs pour donner un bon assemblage.

On recourt alors à des vis dont on fait pénétrer la tête assez loin à l'intérieur de la première pièce. Mais les vis, comme les clous, tiennent mal dans le bois debout. On pare à cet inconvénient en logeant une cheville près du bout de la deuxième pièce, dans le sens de la largeur du bois. Les vis pourront alors s'ancrer fermement.

Pour empêcher les pièces de pivoter, on met deux vis dans chaque coin. On procède de la même façon pour les chevilles dont l'installation la plus sommaire consiste à les enfoncer depuis l'extérieur de la première pièce jusqu'à l'intérieur de la deuxième. Les chevilles sont ensuite coupées à affleurement. Utilisez de la colle pour les joints réunis au moyen de chevilles ou de vis, à moins que dans ce dernier cas, les vis ne servent qu'à un assemblage temporaire.

Les attaches ondulées, aux dents bien aiguisées, que l'on peut se procurer en diverses dimensions, permettent des assemblages rapides. Ces attaches, surtout lorsqu'on n'y est pas habitué, ont la fâcheuse manie de profiter de la moindre défaillance du bois pour y provoquer des fendillements. On les enfonce en travers du joint. Les atta-

Percer avec soin les trous où s'enfonceront vis et chevilles.

ches ondulées doivent être réservées à la fabrication de boîtes d'emballage ou tout au moins d'objets ou de coins dont l'apparence finale n'a que peu d'importance.

Par ailleurs, pour fabriquer des cadres qui ne seront pas soumis à des torsions ou à des chocs, on constatera que les agrafes utilisées couramment pour la pose de carreaux de plafond et de nattes d'isolant peuvent faire un travail extrêmement rapide. L'agrafe de $^9/_{16}$ (un peu plus de 1.25 centimètre) est d'usage le plus courant pour ce travail. On enfonce les agrafes à intervalles plus ou moins rapprochés, selon les besoins, des deux côtés des pièces.

Enfin, il y a les attaches « Skotch ». Elles permettent de faire un travail impeccable, mais malheureusement elles semblent être encore inconnues d'un grand nombre de bricoleurs. Ceux qui en feront l'essai les trouveront extrêmement pratiques et s'en voudront de ne pas avoir fait plus tôt connaissance avec ces « fourmis » aux huit solides pattes d'acier qui non seulement ne lâchent pas prise mais retiennent les pièces étroitement serrées.

Pour plus de solidité, on dispose une attache de chaque côté du joint.

Les attaches, que l'on peut se procurer en plusieurs formats, à l'épreuve de la rouille, coûtent plus cher que les clous, mais on constatera que pour faire vite et bien, elles semblent imbattables. De plus, loin de déparer, les attaches « Skotch », si elles sont disposées de façon

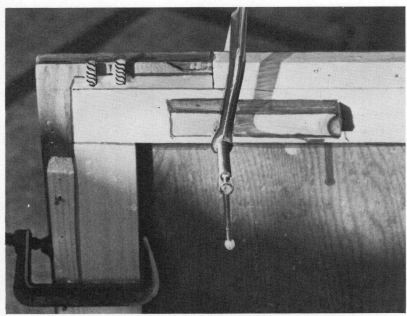

Les chevilles permettent d'effectuer un assemblage très solide.

régulière, peuvent même constituer un petit ornement, à la façon de n'importe quelle ferrure.

Pour les « Skotch » comme pour les autres attaches, il faut que les pièces à réunir soient déposées sur une surface bien droite et qu'elles soient maintenues fermement en contact pendant que les attaches sont enfoncées.

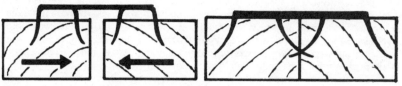

En s'enfonçant, les pattes des attaches « Skotch » s'incrustent dans le bois et resserrent les pièces.

Les « Skotch » lient les pièces d'un attachement indéfectible.

Les attaches ondulées sont plutôt réservées aux boîtes d'emballage.

Pour unir ou réparer les coins

Les façons d'assembler les coins taillés à bouts carrés sont multiples. Le chapitre précédent en signalait quelques-unes. En voici d'autres dont certaines sont des variantes des premières tandis que quelques-unes, assez rudimentaires, sont plutôt indiquées pour les réparations de dépannage ou les montages provisoires. Enfin, les dernières s'éloignent quelque peu de la coupe plate pour faire une incursion dans la circonscription des mortaises et tenons tout en demeurant cependant dans le domaine des coupes à 90 degrés.

Quel que soit le mode d'attache, à moins qu'il ne s'agisse d'un assemblage démontable, les joints doivent être collés.

À l'aide de bouts de tôle et de fer plat de 1/8 ce pouce (environ 3 millimètres) d'épaisseur, le bricoleur peut fabriquer lui-même des équerres (sauf peut-être l'équerre plate) et des goussets métalliques, fort pratiques pour rattacher les joints en instance de divorce.

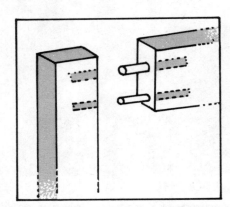

Le joint à chevilles et mortaises dissimulées, dont l'efficacité a été prouvée par le temps, est utilisé couramment pour l'assemblage d'une foule d'objets, notamment des meubles. Ce joint est non seulement solide mais il est également propre.

Dans cet assemblage, la mortaise et le tenon ne sont apparents que d'un côté. Ce joint, exécuté à la scie et au ciseau, est parfois renforcé par des vis ou des chevilles introduites depuis l'extérieur du joint. Ce joint est d'utilisation courante.

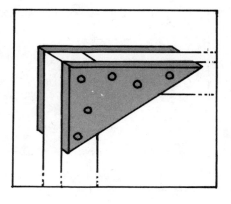

Les goussets de contre-plaqué, retenus par des vis ou des clous, forment des coins très rigides, difficiles à désarticuler. Cette méthode convient fort bien à la fabrication de fenêtres provisoires et de bâtis peu coûteux pour portes de hangars, cabanes de jardin, etc. Les goussets, taillés en triangles suffisamment longs pour assurer une bonne prise sur les pièces, sont posés par-dessus (comme ici) ou, si le bois est assez épais, on peut le mortaiser pour que les goussets soient à affleurement. Un seul gousset peut suffire pour certains assemblages.

Une équerre de fer coudée, posée sur les pièces du joint ou incrustée pour être de même niveau, donne un assemblage satisfaisant pour des coins non soumis à des torsions. L'équerre est utile pour les réparations que l'on doit effectuer rapidement. Au lieu d'équerres au fer relativement épais, on peut recourir à du feuillard perforé dont on se sert pour retenir les longs tuyaux. Équerre et feuillard sont indiqués pour des montages provisoires.

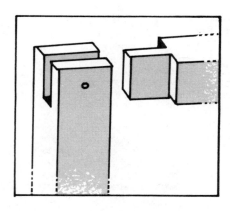

Ce joint à mortaise ouverte et à tenon apparent est d'usage fréquent et est relativement facile à réaliser. Le tenon doit équivaloir au tiers de l'épaisseur de la pièce qui est mortaisée. On taille la mortaise avant le tenon qui est de travail plus facile. Mortaise et tenon sont découpés à la scie et au ciseau. Le coin peut être « barré » par une cheville ou un clou traversant complètement ou presque complètement les joues de la mortaise.

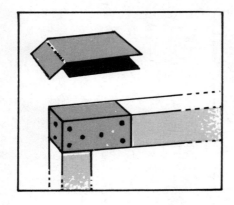

Ce gousset de tôle, à cheval sur le coin auquel il est cloué ou vissé, permet d'obtenir à peu de frais un assemblage d'une très grande rigidité. Pour réussir un montage parfait, les pièces doivent être retenues fermement pendant la pose des clous ou des vis. Comme le gousset est fermé sur trois côtés (la patte consolide l'ensemble) il peut, s'il est taillé proprement, posé de façon impeccable et peinturé, servir de motif de décoration. Tout dépend de la façon dont on travaille, de ce que l'on fabrique et de l'effet que l'on recherche.

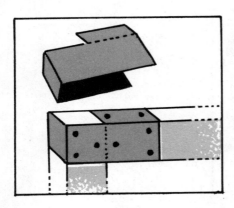

Cet « étui » de tôle enserre le coin et ne lâchera pas prise s'il est convenablement installé. La patte peut être taillée de façon à recouvrir les deux pièces formant coin, mais comme les attaches risquent de ne pas tenir très bien dans l'extrémité de celle qui se présente, bois debout, la tôle est découpée au point de jonction des deux pièces. Selon les besoins, on peut aussi omettre complètement la patte.

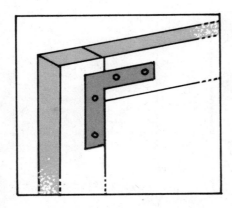

L'équerre plate, vissée ou boulonnée, sert le plus fréquemment aux assemblages grossiers et aux réparations. Il arrive que l'on ne soit pas toujours capable de loger l'équerre au centre des pièces, à cause des dimensions des pièces ou de l'équerre dont les trous sont situés, en règle générale, plutôt près du coin, comme ici. Alors, au lieu de risquer d'avoir trois vis dans une pièce et une seule dans la deuxième, on fait comme ici et on dispose l'équerre de façon à équilibrer les attaches.

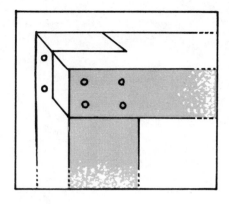

Le joint à mi-bois, dans des pièces d'épaisseur semblable, nécessite la coupe d'une mortaise dans chacune d'elles. Ce joint est facile à exécuter et permet un assemblage solide: les attaches, enfoncées en sens contraire, résistent au désaccouplement des pièces.

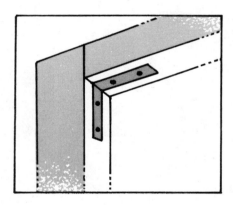

Logée du côté intérieur d'un coin, l'équerre coudée ne fournit pas à elle seule un assemblage vraiment efficace, à moins que d'autres pièces ne viennent renforcer le coin ou qu'elle ne soit utilisée concurremment avec d'autres attaches. L'équerre est cependant pratique pour les travaux de réparation, alors qu'elle supplée à la défaillance des autres attaches et empêche les coins de se déboîter. L'équerre peut être remplacée avec avantage par un triangle de bois retenu par deux vis aux pièces constituant le coin.

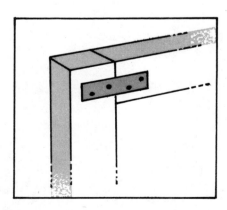

Les plaques de fer plat, disponibles en diverses dimensions, donnent un joint de rigidité moyenne mais qui peut être satisfaisant dans bien des cas. Selon les besoins, utiliser une plaque de chaque côté du joint. Visser ou boulonner. On peut facilement fabriquer soi-même des plaques dans du fer plat de 1/8 de pouce (environ 3 millimètres). Les plaques sont utiles pour les réparations urgentes ou les assemblages provisoires.

3

LES TOITS

Pour avoir un bon toit

Beaucoup de propriétaires n'auraient probablement pas à subir les déboires et les réparations parfois coûteuses qu'occasionnent les infiltrations d'eau en bordure des toits en bardeaux d'asphalte, s'ils avaient su, lors de la construction de leur maison, qu'un supplément très modique aurait suffi à les mettre à l'abri de ce genre d'ennuis.

En effet, les fabricants de matériaux de toiture estiment, qu'au stade de la construction, il n'en coûterait que quelques dollars de plus pour protéger de façon efficace les avant-toits d'une maison moyenne qui, si elle est bien isolée et bien ventilée, n'aura alors rien à craindre du côté des redoutables digues de glace.

Le code national sur la construction résidentielle exige qu'une membrane constituée d'une couverture en rouleau de 45 ou 50 livres (par 100 pi ca.) soit posée sur tous les toits en pente (avant l'installation des bardeaux), depuis le rebord du versant jusqu'à un point correspondant à un minimum de 12 pouces en arrière des murs extérieurs. Même si la corniche est très étroite, la membrane ne doit, en aucun cas, mesurer moins de trois pieds de largeur.

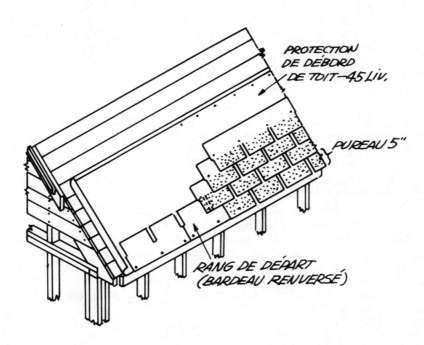

PROTECTION DE DÉBORD DE TOIT—45 LIV.

PUREAU 5"

RANG DE DÉPART (BARDEAU RENVERSÉ)

Les fabricants sont d'opinion que ce n'est pas suffisant et ils conseillent de prolonger la membrane protectrice jusqu'à 60 pouces en arrière des murs.

Sans être aussi précis, des inspecteurs de la Société centrale d'hypothèques et de logement (SCHL), interrogés à ce sujet, reconnaissent volontiers que les propriétaires ont tout avantage à aller au-delà des normes fixées par la loi. Ils font observer que les exigences du code canadien sur la construction, qu'il s'agisse du tout ou de n'importe quelle autre partie de la maison, sont des exigences minimales. On peut les « transgresser » dans un seul sens: celui de l'amélioration!

Le client a le choix: payer un peu plus cher pour avoir un toit qui tiendra le coup (sans le prendre!) ou encore se contenter du minimum requis par la loi, en espérant bien fort que ce sera suffisant.

Ça ne veut pas dire que l'on aura nécessairement des difficultés si l'on ne prend pas la précaution suggérée par les fabricants. C'est comme les assurances. On peut courir sa chance, mais il en est des toits comme des fondations: lorsqu'on fait collection de minimums, on risque à un moment donné de constater qu'on a fait moisson d'un maximum de problèmes!

Si vous envisagez d'acheter bientôt une maison moyenne, il y a de grandes chances pour que votre future habitation ait un toit à versants inclinés de 4 pouces au pied, recouvert de bardeaux d'asphalte. C'est le genre de toit qui se construit le plus couramment. Le toit 4/12 est économique tout en donnant des pentes suffisantes pour rejeter l'eau de pluie, à la condition de le pourvoir d'une protection suffisante.

Le bardeau d'asphalte, par ailleurs, fait pour ainsi dire la pluie et le beau temps dans le domaine des toitures de maison depuis de nombreuses années.

Les toits de bardeaux d'asphalte peuvent durer de 15 à 25 ans, tout dépendant d'une foule de facteurs tels que les conditions atmosphériques, l'exposition au soleil, etc.

Un nouveau toit ne comporte aucune garantie spéciale. Comme le reste de la maison il est soumis à une garantie légale de 5 ans contre tout vice majeur de construction. Les couvreurs ne fournissent pas de garantie écrite non plus que les fabricants, mais lorsqu'il s'agit de maisons responsables, ces dernières se reconnaissent l'obligation morale de donner satisfaction à leurs clients car elles tiennent à garder leur nom intact vis-à-vis du public.

Les bardeaux d'asphalte normalement utilisés pour les toits de 4¹/₂ doivent être de première qualité. Ils se présentent en bandes (à trois pattes) de 36 pouces de longueur sur 12 pouces de largeur et sont d'un poids nominal de 210 livres. Ce poids réfère à la pesanteur totale de bardeaux et autres matériaux entrant dans le revêtement d'un « carré », c'est-à-dire d'une superficie de 100 pieds carrés. Les bandes de bardeaux se chevauchent, laissant à découvert la partie inférieure sur une hauteur de cinq pouces. La partie exposée est appelée « pureau ».

Voici, dans les grandes lignes, comment on habille un toit à pente de

4/12. Ça peut toujours servir, en cas de réparation, à comprendre le langage du couvreur... et sa note de frais!

Une bonne toiture exige une base solide. Les chevrons, selon leur espacement, sont généralement recouverts de contre-plaqué épais de $1/2$ pouce ou de planches de bois de $3/4$ de pouce, dont la largeur idéale est de 8 pouces ou moins, afin d'éviter les risques de torsion et d'arrachement que feraient courir des planches trop larges. Les nœuds et parties fortement résineuses sont isolés sous une pièce de métal.

Bien que la loi ne le requiert pas, les bons couvreurs étendent sur tout le toit une assise de feutre non perforée, saturée d'asphalte, d'une pesanteur de 15 livres. Cette pratique est recommandée par l'Asphalt Roofing Manufacturers Association (siège social à New York), dont les études sont ni plus ni moins la Bible des fabricants de bardeaux d'asphalte.

L'ARMA invoque trois raisons pour justifier le recours à l'assise de 15 livres: 1 — elle fournit une surface sèche aux bardeaux pour en prévenir la distortion; 2 — dans la partie supérieure du toit, elle s'opposera à l'entrée de l'eau si jamais le vent devait arracher des bardeaux; 3 — enfin, l'assise empêche la résine du bois d'engendrer des réactions chimiques nocives aux bardeaux.

Larmiers pratiques

L'ARMA suggère également qu'un larmier ou solin métallique soit installé par-dessus l'assise sur les côtés du toit et sous l'assise, directement sur le bois, au bas des versants. Certains couvreurs mettent le solin toujours par-dessus l'assise et affirment que cela ne nuit en rien à la performance du toit.

Les larmiers ou solins ont pour but d'empêcher l'eau d'atteindre le bois du toit. Ils ne sont pas exigés par le code sur la construction et bien qu'ils ne soient pas nécessaires dans tous les cas, ils fournissent une protection additionnelle. Les larmiers au bas des versants sont toutefois absolument indispensables si l'on prévoit installer des gouttières. À supposer que vous ne vouliez pas de gouttières pour l'heure actuelle, il est possible que vous changiez d'idée plus tard. L'installation coûtera alors peut-être plus cher.

Il faut prendre de grandes précautions pour assurer une étanchéité parfaite, au moyen de solins métalliques et autres ainsi qu'avec des mastics de calfeutrage, au niveau des divers obstacles sur le toit, tels que cheminées, évents et noues (intersection de deux toits, d'un mur ou de lucarnes avec le toit). Un bon couvreur s'acquittera parfaitement de cette tâche qui pourrait présenter quelques difficultés aux non-initiés.

Pas à cheval sur le mur!

L'assise et les larmiers en place, on passe ensuite à la principale membrane de protection du toit. Comme il a été mentionné précédemment, cette membrane, habituellement une couverture en rouleau de 45 à

50 livres, doit, selon les conseils des fabricants, se rendre depuis le bord du toit jusqu'à une ligne correspondant à une distance de 60 pouces en arrière du mur au-dessous.

La membrane ne mesurant que 36 pouces de largeur, il faudra peut-être un ou deux chevauchements, requérant autant de joints qui sont scellés avec un ciment conçu spécialement à cette fin.

Il ne faut jamais faire un joint au-dessus du mur sous le toit. Il vaut mieux couper la membrane et faire le joint (voir dessin) en avant du mur, de sorte que s'il se produisait une infiltration à ce niveau, l'eau s'égoutterait dans la corniche plutôt qu'à l'intérieur de la maison.

Avant d'entreprendre la pose des bandes de bardeaux, on installe à l'avant-toit une lisière de départ qui peut être soit un matériau à toiture à surface minérale (85 livres), soit des bardeaux renversés, dont les pattes sont dirigées vers le haut. La lisière de départ ne doit pas mesurer moins de 12 pouces de largeur et elle doit dépasser l'avant-toit (larmier ou bois, selon l'installation) d'environ un demi-pouce.

Alignement des bardeaux

Puis, on procède à l'installation normale des bardeaux. Le bas du premier rang suit le bord de la lisière de départ. Les rangs suivants sont alignés au moyen d'une corde, en tenant compte de la dimension des pureaux (5 pouces), afin qu'il y ait un minimum de deux épaisseurs de bardeaux sur toute la surface du toit.

Les bandes de bardeaux sont retenues dans le haut par quatre clous et au bas par des lisières auto-adhésives. Les lisières fonctionnent

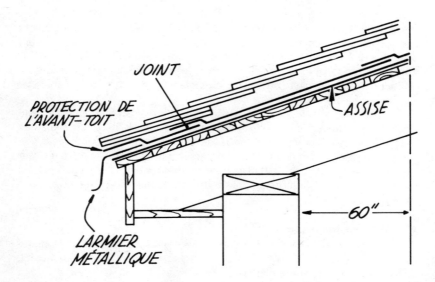

bien lorsqu'il fait chaud, mais par temps froid ou s'il y a beaucoup de poussière dans l'air, on met au-dessous de chaque patte une motte de mastic à séchage rapide de la grandeur d'un 25 cents. Le mastic servra de lien en attendant que la chaleur permette aux lisières de jouer leur rôle.

Tous ces détails ne feront pas de vous un maître-couvreur, mais vous permettront peut-être de poser des questions avant plutôt qu'après.

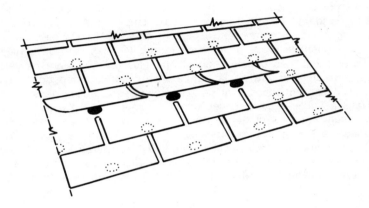

Il faut savoir que dans le domaine du recouvrement des toitures en bardeaux d'asphalte, il y a une concurrence féroce. Il faut y regarder à deux fois plutôt qu'une avant d'accepter des prix d'aubaine. Lorsque les écarts de prix des soumissionnaires sont considérables, il faut savoir quels matériaux seront utilisés et comment le travail sera exécuté avant de succomber à la solution la plus facile: le prix le moins élevé. Par contre, le prix le plus élevé ne veut pas nécessairement dire que la toiture sera meilleure. Il n'est pas mauvais de connaître les antécédents des soumissionnaires qui, en règle générale, vous en donnent tout simplement pour votre argent.

Il y avait autrefois une coutume observée par les marchands qui, sans rien demander de plus, ajoutaient une treizième orange à la douzaine que vous achetiez. C'est ce qu'on appelait « treize à la douzaine ». Mais ce temps-là ne reviendra plus et la tradition est irrémédiablement perdue. Alors, aussi bien en prendre son parti. Mais il n'y a rien cependant qui vous empêche de vérifier si vous avez bien votre douzaine!

Le toit qui coule à chaque fonte des neiges

Les propriétaires, ennuyés au cours de l'hiver par les infiltrations d'eau causées par des digues de glace en bordure du toit de leur habitation, auront, pendant la belle saison, tout le temps voulu pour procéder aux vérifications qui s'imposent et apporter les corrections nécessaires.

Les digues de glace peuvent se former sur des toits de configurations diverses. Les dégâts peuvent être plus ou moins graves selon l'épaisseur et l'étendue de la nappe d'eau emprisonnée derrière la glace. Les conséquences sont parfois assez désastreuses dans le cas des toits à faible pente dont les bords ne sont pas protégés sur une largeur suffisante. La présence de gouttières bloquées par des débris et de la glace n'arrange pas les choses.

Les digues de glace se constituent par température au-dessous du point de congélation alors que le soleil ainsi que la chaleur filtrant à travers l'isolation du plafond sous le toit réchauffent suffisamment

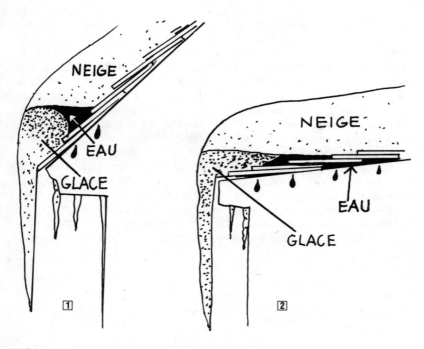

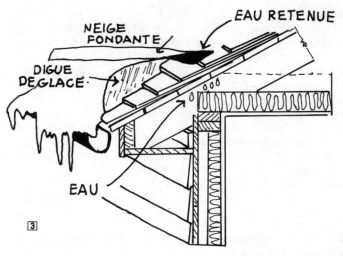

NEIGE FONDANTE

EAU RETENUE

DIGUE DE GLACE

EAU

3

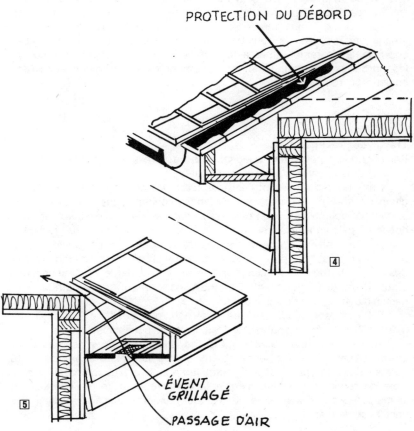

PROTECTION DU DÉBORD

4

ÉVENT GRILLAGÉ

PASSAGE D'AIR

5

la masse principale du toit pour faire fondre la neige. L'eau glisse bien sur la partie réchauffée, mais gèle lorsqu'elle atteint l'avant-toit où la chaleur de la maison ne joue plus. La formation des digues est accélérée par les gouttières obstruées. Petit à petit, la barrière de glace monte. L'eau s'accumule alors derrière ce barrage, se glisse sous les bardeaux et profite de la moindre défaillance de la toiture pour s'infiltrer.

L'eau n'ira peut-être pas plus loin que les corniches (dessin 1) et les murs extérieurs dans le cas des versants escarpés, mais si la pente n'est pas très accentuée (2 et 3), l'eau ira faire des ravages jusqu'à l'intérieur de la maison. Au passage, l'eau tombant sur le matelas d'isolation du plafond en amoindrira l'efficacité.

En vue d'éviter la fonte intempestive de la neige sur le toit, il faut prendre diverses dispositions pour que le toit demeure le plus froid possible, c'est-à-dire l'empêcher d'atteindre une température supérieure à celle de l'air ambiant.

La neige fond à cause du soleil et surtout de la déperdition de chaleur de la maison. Du côté du soleil, il n'y a pas grand-chose que l'on puisse faire. Des scientistes du Conseil national de recherches du Canada estiment que, même en remplaçant des bardeaux de couleur foncée par d'autres de couleur claire, il ne s'ensuivra pas une baisse appréciable de température à la surface du toit, la neige qui recouvre les bardeaux annulant l'effet normalement plus « rafraîchissant » des couleurs claires.

Travail de prévention

Par contre, on peut dans beaucoup de cas prévenir la formation de digues en améliorant l'isolation et la ventilation.

Dans les maisons dont l'entretoit n'est pas chauffé, une forte déperdition de chaleur à travers les plafonds provient d'une insuffisance de la couche isolante qui n'est pas assez épaisse ou encore qui a été disposée inégalement, laissant parfois des trous par où l'air chaud remonte.

Les plafonds des maisons à chauffage conventionnel doivent comporter (en plus d'un pare-vapeur, du côté chaud, immédiatement au-dessus du parement du plafond) une couche isolante de trois pouces d'épaisseur ou l'équivalent. Les maisons à chauffage électrique ont besoin d'une couche de six pouces.

S'il y a carence du côté de l'isolation, on peut faire le travail soi-même si l'entretoit est accessible. Il faut éviter de boucher les évents.

Même avec une couche suffisante d'isolants, on n'est pas pour autant à l'abri de tous les problèmes. Les chercheurs ont constaté qu'avec les matériaux utilisés actuellement, il est absolument impossible de retenir la chaleur, jusqu'à la dernière parcelle, à l'intérieur de la maison. Pour disperser la chaleur qui parvient dans l'entretoit, il faut ventiler ce dernier.

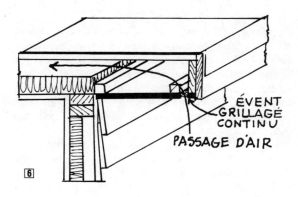

ÉVENT
GRILLAGÉ
CONTINU

PASSAGE D'AIR

6

7

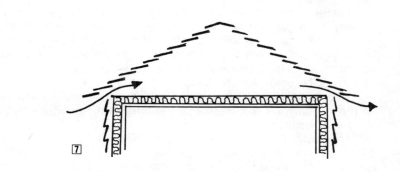

TROU
D'ÉVENT

8

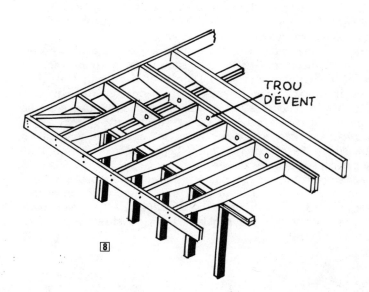

113

Bien ventiler

La ventilation se fait au moyen d'évents à lames dans la partie supérieure des pignons et d'évents grillagés dans la sous-face des corniches (dessins 5 et 6). Les évents grillagés peuvent être intermittents dans les toits en pente mais ils doivent être continus dans les toits plats afin que l'air puisse circuler au-dessus de la couche isolante, dans chaque espace compris entre les solives. En ce qui concerne les toits plats, des trous d'évent sont forés (dessin 8) dans toutes les pièces de bois qui pourraient faire obstacle au passage de l'air.

Dans les maisons à chauffage conventionnel, la superficie totale des évents doit être au minimum d'un pied carré par 300 pieds carrés de plafond chauffé. Pour les maisons à chauffage électrique, il faut un pied par 150 pieds, le double et, de plus, les évents doivent être situés à deux niveaux: sous les corniches et dans les parties supérieures des pointes.

Même en observant les normes requises, il peut arriver que la ventilation ne soit pas efficace à cause de la présence de hauts édifices voisins ou autres obstacles. On peut alors recourir à des ventilateurs électriques pour prévenir toute stagnation et activer la circulation de l'air afin qu'il puisse s'écouler facilement (dessin 7) d'un bout à l'autre de l'entretoit et chasser la chaleur.

Une bonne ventilation et une bonne isolation sont pratiques non seulement en hiver mais également en été. Elles contribuent à garder la maison plus fraîche.

En plus d'une isolation et d'une ventilation efficaces, il faut que les bords du toit soient protégés par une membrane étanche (dessin 4) qui, selon les exigences de la Société centrale d'hypothèques et de logement, doit se prolonger jusqu'à un minimum de 12 pouces derrière la face intérieure des murs. Pour ce que ça peut coûter de plus, on ferait peut-être bien, surtout dans les toits à pente faible, d'assurer une protection dépassant largement ce minimum.

Dans le cas d'une maison déjà construite et dont le débord de toit n'est pas suffisamment protégé, il serait sans doute onéreux d'enlever une partie du revêtement (surtout s'il est encore en bon état) pour installer une membrane étanche plus large. Il en coûterait peut-être alors moins cher de recourir à des câbles chauffants qui assureront un bon drainage de l'eau sur les rebords et dans les gouttières.

Commandés de l'intérieur de la maison, les câbles ne sont mis en service que durant les périodes critiques. Leur consommation en électricité n'est pas censée être très élevée.

Les câbles chauffants ne sont pas une panacée et ne peuvent à eux seuls assumer le rôle que doivent jouer une bonne isolation et une bonne ventilation. Si on l'oubliait, la condensation de la vapeur dans l'entretoit pourrait susciter des problèmes qui ne seraient pas plus agréables que les infiltrations.

Les dangers de la condensation

La condensation est un problème qu'aucun propriétaire ne saurait négliger. S'il arrive qu'elle cause parfois des dommages fort considérables à la maison avant qu'on se soit aperçu de sa présence insidieuse, on peut, par contre, dans bien des cas, la tenir en échec et limiter les dégâts.

La condensation dépend d'un ensemble de facteurs et de conditions où entrent en jeu la qualité de la construction, les températures ainsi que les différences de pression d'air et d'humidité à l'intérieur et à l'extérieur de l'habitation, le tout étant influencé par les activités et la façon de vivre des occupants de la maison.

Le phénomène de condensation se produit lorsque de la vapeur d'eau se transforme en gouttelettes ou en frimas au contact d'une surface froide. À l'intérieur du foyer, la condensation se manifeste de façon visible par de l'eau ou du givre sur les cadres et les vitres des fenêtres et portes, par des cernes humides sur les plafonds et le haut des murs ainsi qu'autour des plafonniers et des tuyaux et fils qui montent dans l'entretoit ou s'enfoncent dans les murs.

Dans l'entretoit même, l'endroit le plus exposé de la maison lorsqu'il est mal ventilé, la condensation pend la goutte (ou le glaçon) au bout du nez des clous qui dépassent sous la toiture et elle forme des nappes humides ou glacées sous le revêtement du toit ainsi que sur les chevrons.

Il ne faut pas confondre l'eau et la glace provenant de la condensation avec les infiltrations causées par des défectuosités de la toiture ou par les digues de glace en bordure du toit, encore que la formation de ces dernières suppose des conditions susceptibles d'engendrer en même temps de la condensation.

À l'extérieur de la maison, dans les cas graves, la condensation peut faire cloquer ou décoller la peinture sur les parements de bois et causer de l'efflorescence (taches blanchâtres) à la surface des briques. Il ne faut pas cependant crier trop vite « au loup » parce que les problèmes d'adhésion de la peinture et de l'efflorescence peuvent être attribués à bien d'autres facteurs que la vapeur d'eau provenant de l'intérieur de la maison.

Pare-vapeur essentiel

Pour faire sentir ses effets à l'extérieur, il faut que la vapeur puisse franchir les diverses tranches d'éléments qui forment les murs, ce qu'elle peut faire très facilement en l'absence d'un pare-vapeur ou par suite de déchirures ou de pose défectueuse de cette barrière essentielle à la protection de la maison.

Les vieilles habitations dont les murs, avec ou sans isolation, sont démunis de pare-vapeur, sont naturellement particulièrement éprouvées. La vapeur, lorsqu'elle n'est pas retenue par une membrane conçue à cette fin, peut passer à peu près à travers tous les matériaux de construction et lorsqu'elle se condense à l'intérieur des murs, elle peut exercer des ravages aux conséquences fort douloureuses pour le portefeuille.

Danger de pourriture
La glace et le frimas formés par la condensation peuvent s'accumuler pendant des périodes relativement longues. À la faveur d'un changement de température, glace et frimas fondent pour aller s'égoutter sur plafonds et murs et à l'intérieur des murs eux-mêmes. En l'absence de ventilation et moyennant certaines conditions propices, les pièces

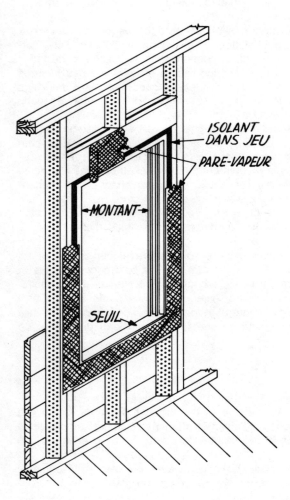

de bois imbibées par l'humidité pourriront à plus ou moins brève échéance.

Si la maison est pourvue d'un grenier accessible, on peut se rendre compte des risques que fait courir la condensation et on peut apporter assez facilement les améliorations requises. Dans les murs extérieurs, c'est une autre affaire.

Même en faisant souffler de l'isolation dans les murs qui en sont démunis, on ne mettra pas fin à la condensation, s'il n'y a pas de pare-vapeur. Les isolants sont conçus pour conserver la chaleur et bon nombre d'entre eux laissent passer très facilement la vapeur d'eau. Il y a même danger dans certains cas que l'incorporation d'isolant par soufflage dans les murs aggrave la condensation. De toute façon, c'est un travail qu'il vaut mieux confier à des spécialistes responsables.

Les maisons neuves

Il n'y a pas que les vieilles habitations qui soient sous la menace constante de la condensation. Même les maisons neuves n'y échappent pas.

Depuis plusieurs années, les règlements régissant la construction des habitations exigent qu'un pare-vapeur soit installé en même temps que les matelas ou les panneaux d'isolants dans les murs et les plafonds.

Cela ne veut pas dire pour autant que le problème de la condensation soit réglé par le fait même. Loin de là! Il peut toujours y avoir dans la maison des zones qui, pour diverses raisons, ne sont pas suffisamment protégées par le pare-vapeur. Et ce sont ces zones qui subissent l'assaut de la condensation engendrée par le surchauffage, une mauvaise ventilation, les infiltrations d'air froid par les portes et fenêtres mal calfeutrées, les fortes quantités d'humidité émanant de la cuisine, des chambres de lavage et de bain et des sous-sols mal ou non isolés ou encore soumis à des inondations continuelles, et aussi, il faut bien le reconnaître, des appareils humidificateurs maintenus à un degré trop élevé.

En période froide, un air trop sec à l'intérieur de la maison n'est bon ni pour les occupants ni pour le mobilier.

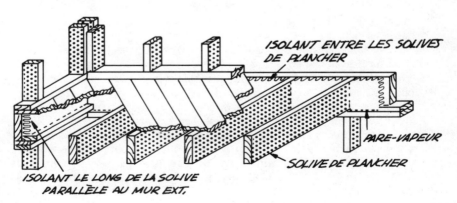

ISOLANT ENTRE LES SOLIVES DE PLANCHER

PARE-VAPEUR

SOLIVE DE PLANCHER

ISOLANT LE LONG DE LA SOLIVE PARALLÈLE AU MUR EXT.

Précautions

Il est bien connu que l'air chargé d'humidité est plus confortable et semble plus chaud que l'air sec, à même température, et que l'on peut ainsi baisser le thermostat de quelques degrés sans être incommodé. Cependant, si on exagère du côté humidité, on économisera peut-être sur la note de chauffage mais il y a risque qu'un jour ou l'autre on doive payer les frais des dégâts qu'une humidité excessive peut entraîner. On ferait bien de suivre les instructions qui accompagnent les appareils d'humidification et qui expliquent comment ajuster l'humidité relative à l'intérieur de la maison pour une température donnée, par rapport à l'humidité et à la température de l'extérieur.

Dans les maisons très étanches où la teneur naturelle en humidité est très élevée, on se débarrasse du surplus de vapeur à l'aide de ventilateurs dans la cuisine et autres chambres génératrices de vapeur. L'aération se complète en ouvrant de temps à autre une fenêtre ici et là. Ça renouvelle l'air frais et ça ne fait de tort à personne. Dans le cas des maisons « sèches », l'air frais leur permettra de récupérer un peu d'humidité.

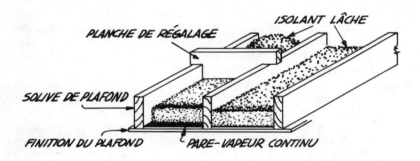

Au sujet des ventilateurs, l'air vicié qu'ils évacuent doit être rejeté à l'extérieur et jamais dans l'entretoit ou une autre pièce chauffée de la maison où, en plus d'ajouter aux dangers de condensation, ils pourraient, s'il s'agit de ventilateurs de cuisinières, faire courir de graves risques d'incendie.

En abaissant le volume d'humidité dans la maison, les vitres des fenêtres devraient normalement cesser de s'embuer, mais cela ne réglera probablement pas le problème présenté par les cadres métalliques qui forment un pont continu entre l'extérieur et l'intérieur et qui, du côté chaud, sont souvent givrés ou couverts de gouttes d'eau.

Il y a deux solutions: changer de cadres ou pratiquer une incision tout autour des cadres, entre les fenêtres, de façon à rompre le lien entre les parties avant et arrière. Les nouveaux cadres métalliques, comportant fenêtres et contre-fenêtres, sont en général pourvus, au centre, d'une bande de plastique qui prévient toute transmission de chaleur ou de froid.

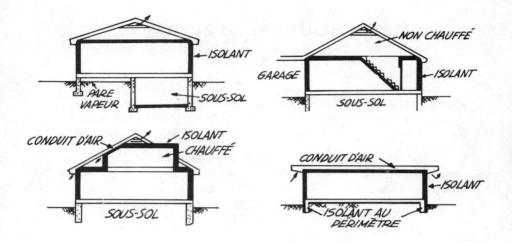

Dans beaucoup de maisons, une certaine ventilation s'opère par le jeu naturel des infiltrations d'air froid autour des portes et fenêtres mal calfeutrées. Ces infiltrations peuvent, jusqu'à un certain point, être bénéfiques si elles constituent la seule source de renouvellement d'air, mais ce n'est pas là une ventilation tout à fait souhaitable puisque l'air qui pénètre ainsi contribue à accélérer un effet de tirage vers le haut, comme dans une cheminée. L'air froid entrant par les fissures, sous la poussée du vent, se charge de vapeur chaude et va aboutir, en profitant des moindres défaillances du pare-vapeur, dans l'entretoit.

Les maisons modernes sont pourvues d'isolants en vrac, en matelas ou en panneaux, qui sont disposés (voir dessins) du côté intérieur des murs de l'habitation et du sous-sol. Par contre, dans le cas des maisons sans sous-sol, l'isolant est installé autour de la dalle de béton formant le plancher. Les plafonds surmontés d'un toit non chauffé sont isolés, en règle générale, avec un matériau granulaire.

Tous les isolants doivent être recouverts, du côté chaud de la maison, d'un pare-vapeur approprié. Les lisières de pare-vapeur doivent se chevaucher et il faut éviter de laisser des interstices par où la vapeur pourrait émigrer dans les murs et le toit.

En dépit des précautions qui peuvent être prises pour disposer convenablement l'isolant et le pare-vapeur autour des obstacles tels que fenêtres, portes, tuyaux, fils électriques, etc., il y a toujours des coins qui échappent à l'attention.

C'est pour cette raison qu'il ne faut jamais compter uniquement sur les pare-vapeur pour régler les problèmes d'humidité. Il faut se résigner à prendre les précautions qui s'imposent. Et la principale est le recours à la ventilation des espaces chauffés et non chauffés.

Les réparations d'urgence

Même par temps froid et pluvieux, on peut maîtriser les infiltrations d'eau provoquées par la perforation ou la détérioration des matériaux du toit des immeubles ou par le masticage insuffisant des solins des cheminées, des évents, etc.

Ces réparations, pourvu qu'elles ne portent pas sur des surfaces trop grandes, peuvent être effectuées assez facilement par divers moyens et aussi à l'aide de ciments spéciaux qui s'accommodent d'à peu près toutes les températures et adhèrent même aux surfaces humides.

(Il ne faut pas confondre l'eau qui s'infiltre à partir de l'extérieur avec l'eau qui se forme sous le toit à la suite d'une condensation causée par une ventilation ou par une isolation inefficaces, quand ce n'est pas par les deux à la fois. Par ailleurs, on signale chaque année un grand nombre de cas d'infiltration occasionnés par la présence d'une digue de glace en bordure de toits en pente. C'est un problème plus complexe.)

Ces ciments ou enduits à base d'asphalte ou de goudron contiennent des produits chimiques qui les empêchent de durcir trop rapidement au froid et qui leur permettent de se maintenir sur des surfaces mouillées mais propres. Ces ciments qui, selon certains manufacturiers, peuvent même être posés sous l'eau, collent à tous les matériaux utilisés couramment dans la fabrication des toitures.

Même si ces ciments demeurent malléables par temps froid, il vaut toujours mieux les garder au chaud jusqu'au moment où on s'en servira.

On dégage la neige et la glace, s'il y en a, de la surface à réparer et on enlève également les particules lâches telles que sable et poussière de gravier qui pourraient faire obstacle à une bonne adhérence.

Le ciment est étendu à la truelle. Pour empêcher l'enduit d'adhérer à l'instrument, on trempe la truelle dans un récipient d'huile, de térébenthine ou de varsol. À défaut de truelle, un vieux couteau, une spatule de plastique ou de bois peuvent toujours servir. Il faut lisser le ciment ou tout au moins éviter d'y laisser des trous d'épingle qui risqueraient alors de rendre le travail inutile.

Pour combler les larges déchirures et faire le pont entre les matériaux qui se sont séparés, les experts conseillent d'utiliser des bandes de jute que l'on noie dans le ciment. Les tissus de fibre de verre ne sont pas recommandés parce que, étant moins souples, ils sont moins susceptibles d'obéir aux mouvements de contraction et de dilatation engendrés par les changements de température.

On trouve ces ciments chez les quincailliers et les marchands de matériaux de construction. Ces ciments sont fabriqués entre autres par Mulco (Ciment-Colle humide); Tremco (Tremco Instant Patch et Tremfix) et Reardon (Bondex Patching Plastik).

Le plus facile d'abord

Il n'est pas toujours nécessaire d'aller se faire tremper jusqu'aux os sur le toit, à la pluie battante, pour colmater une fuite qui risque de causer des dégâts considérables. Si la maison ou le bâtiment comporte un grenier ou un espace suffisant pour ramper, on peut d'abord aller jeter un coup d'œil de ce côté, en apportant avec soi ce qu'il faut pour recueillir l'eau et refermer les voies d'infiltration.

S'il s'agit d'un toit ne comportant pas d'isolation, il sera peut-être facile de déceler les endroits par où l'eau s'infiltre. S'il n'y a que quelques petits trous, on peut les obstruer provisoirement avec les ciments spéciaux, du mastic à calfeutrage et, si l'on n'en a pas, on peut toujours essayer de la gomme à mâcher! L'essentiel est que le « cataplasme » improvisé tienne et mette fin à l'invasion. Plus tard, quand le beau temps sera revenu, on n'aura qu'à retourner dans le grenier et à passer à travers ciment ou mastic des petites broches recourbées qui vous permettront, une fois sur le toit, de savoir exactement où faire des réparations.

Mais la situation n'est pas toujours aussi claire et nette. L'infiltration peut se produire au-dessus d'un chevron et l'endroit où l'eau se manifeste n'est pas nécessairement l'endroit où elle pénètre à travers le toit. On ne voit pas de trous mais on voit de l'eau. Dans ce cas, comme on dit, il faut prendre son mal en patience. Au moyen d'un bloc de bois ou autre objet, on peut essayer de « dompter » l'eau de sorte qu'en butant sur l'obstacle dressé sur son chemin elle tombe toujours à un point déterminé sous lequel on aura disposé une chaudière ou autre récipient.

On marque ensuite au crayon indélibile la zone d'où l'eau provient puis on prend un certain nombre de mesures à partir de points facilement repérables (la poutre faîtière, les côtés de la maison) de façon à pouvoir plus tard situer exactement cette zone sur le toit et tenter de déterminer ce qui a pu occasionner l'infiltration.

Lorsqu'il n'est pas possible de repérer les fuites du côté intérieur du toit, on n'a alors pas d'autre ressource, si la réparation est vraiment pressante, que de monter sur le toit et de tenter à la fois de ne pas se casser le cou (s'il y a de la glace) et de trouver l'endroit par où l'eau pénètre dans la maison.

Les points à vérifier

Sur les toits en pente, revêtus de bardeaux d'asphalte ou de bois, on vérifie (si c'est en hiver) s'il n'y a pas de digues de glace en bordure du toit, où l'eau s'accumule. On vérifie ensuite si un ou des bardeaux n'ont pas été arrachés, retroussés ou fendus par le vent. On examine aussi les solins afin de se rendre compte si tout est étanche de ce côté et si une accumulation de neige et de glace ne pourrait pas permettre à l'eau de s'introduire par le haut des solins. Si c'est ce qui se produit, on enduit les joints d'une couche généreuse de ciment, après enlèvement de la neige et de la glace pour permettre à l'eau d'aller s'égoutter sur le bord du toit ou d'un drain.

Les trous dans les bardeaux d'asphalte se comblent aisément avec les ciments. Pour réparer les bardeaux à moitié déchirés, on en enduit le dessous de ciment et on retient les parties en place avec des clous galvanisés que l'on recouvre également de ciment.

Les bardeaux qui battent de l'aile et menacent de se détacher sont stabilisés avec une petite motte de ciment. Quant aux bardeaux d'asphalte très avariés ou arrachés par le vent, on peut, si l'on n'a pas de bardeaux de rechange, les remplacer provisoirement par une pièce de tôle ou autre matériau imperméable dont la partie supérieure est glissée sous les bardeaux immédiatement au-dessus. Ici encore, il faudra une couple de clous qu'on camouflera sous du ciment.

On répare les bardeaux de bois de la même façon que les bardeaux d'asphalte, en ayant soin cependant de percer d'avance des petits trous avant d'enfoncer des clous, et cela afin d'éviter de fendre le bois. Ne ja-

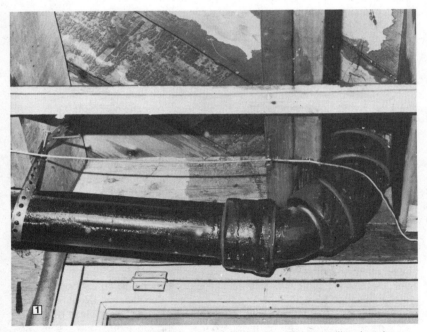

L'eau qui dégouline le long de ce tuyau d'aération (1) et souille planches et solives au-dessus, provient de cette boîte de tôle (2) faisant office de solin à l'extrémité du tuyau sur le toit. L'eau, emprisonnée entre la boîte et son corset de glace, s'est infiltrée par des trous minuscules dans le revêtement remontant le long du solin. La glace a été cassée (3) pour permettre à l'eau de s'échapper normalement puis le revêtement a été réparé (4) au moyen de ciment et de jute.

mais utiliser des clous trop longs. En transperçant la toiture, la pointe de ces clous risquerait de vous causer d'autres problèmes.

Sur les toits plats, les infiltrations peuvent se produire au niveau des solins et également à la jonction des lisières de feutre formant le revêtement. Avec le temps, il arrive qu'il se produise des ondulations qui entraînent la rupture du lien d'asphalte ou de goudron entre les feutres. On recouvre la surface à réparer avec du ciment et de la jute.

Sur les toits de tôle, les petits trous qu'il peut y avoir ici et là sont bouchés avec du ciment ou des vis à métal munies de rondelles de néoprène ou de caoutchouc ou encore en disposant sous la tête des vis un collet de mastic à calfeutrage. Si une partie de la tôle est trouée comme un tamis, on peut alors visser sur la partie avariée une tôle saine enduite de ciment ou de mastic. Le beau temps revenu, on remplacera les sections défectueuses selon la méthode conventionnelle, les lisières du haut chevauchant celles du bas du toit.

Les réparations suggérées ici sont relativement faciles à effectuer (à moins d'avoir un toit très à pic et haut perché) et, si elles sont faites au fur et à mesure, elles vous permettront de protéger votre maison sans attendre que le beau temps soit définitivement revenu.

L'installation de gouttières

Les gouttières installées aux points de chute des toits ont pour but de supprimer les douches désagréables au-dessus des portes, d'éviter que le martelage répété de l'eau ne creuse des rigoles dans le terrain autour de la maison et, enfin, d'éloigner le plus possible cette eau des fondations où elle pourrait exercer des pressions et s'infiltrer.

Ceux qui font eux-mêmes l'installation de leur propre système de gouttières atteignent généralement ces trois objectifs, mais il leur arrive parfois de se créer, sans s'en douter, de nouveaux problèmes.

L'avant-toit, comme les fondations, constitue l'un des points ultra-sensibles de la maison. C'est là, comme au sous-sol, que se manifestent le plus rapidement et de la façon la plus agaçante les défauts de construction ou des aménagements effectués par la suite.

Lors de l'installation, il faut prévoir que la pluie et l'eau du toit ne tomberont pas automatiquement dans la gouttière, notamment si les bardeaux de revêtement ne font pas une projection suffisante. L'eau peut s'attaquer aux pièces de bois adjacentes à la gouttière.

Le bois, au-dessus de la gouttière, est complètement protégé par des bandes de tôle qui ont été glissées sous le larmier.

Il ne faut pas oublier également que les gouttières sont susceptibles de contribuer à l'accumulation de neige, de glace et d'eau sur le bord des toits.

On aurait tort cependant d'attribuer uniquement aux gouttières la responsabilité de la formation de glace sur le toit et de la présence d'eau dans l'entretoit durant l'hiver. Il s'agit fréquemment d'un phénomène de condensation causé par une isolation et (ou) une aération défectueuses ou d'un vice de construction du revêtement de l'avant-toit, insuffisamment protégé contre les remontées et les infiltrations.

À ce propos, ceux dont les toits ont déjà présenté des problèmes de condensation et d'infiltration feraient mieux de commencer à corriger ces défauts avant de poser des gouttières qui ne pourraient alors qu'aggraver les difficultés.

Ainsi, même si l'on recourt à des gouttières de première qualité, une installation défectueuse peut entraîner à longue échéance beaucoup plus de soucis qu'elle ne guérira de maux dans l'immédiat.

Les dessins et les photos qui illustrent cet article montrent comment prévenir ou enrayer un problème bien fréquent: la pourriture et, éventuellement, la désintégration de la bordure de bois du toit et de la moulure qui souvent la couronne.

La pourriture est provoquée par l'eau qui, provenant du toit ou chassée par le vent, contourne la moulure et réussit à s'introduire entre la gouttière et la bordure. Dans ce milieu impossible à aérer, l'humidité a vite fait de venir à bout de la peinture de la bordure puis du bois lui-même. Si l'on attend trop, il faudra un jour ou l'autre tout arracher, gouttières et bordure, et recommencer.

On peut s'éviter bien des embêtements en recourant à une solution bien simple: des lisières étroites de tôle galvanisée qui empêchent l'eau d'atteindre quelque partie de bois que ce soit entre le revêtement du toit et la gouttière.

Dans le cas des toits plats, ceinturés d'un larmier métallique, on

La moulure et la bordure de bois de ce toit, minées par l'humidité, auraient tout intérêt à se barricader derrière une tôle protectrice.

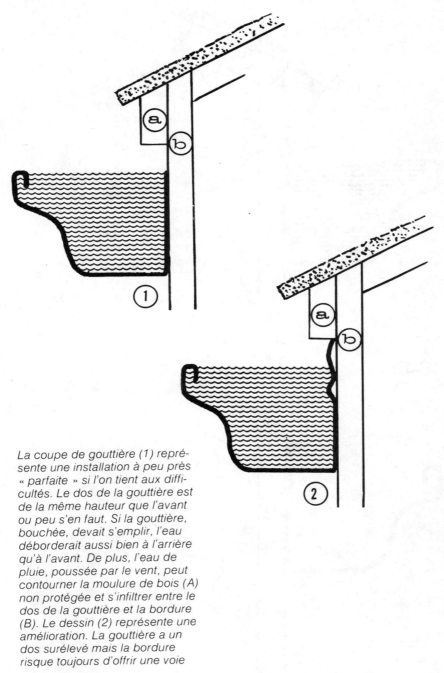

La coupe de gouttière (1) représente une installation à peu près
« parfaite » si l'on tient aux difficultés. Le dos de la gouttière est
de la même hauteur que l'avant
ou peu s'en faut. Si la gouttière,
bouchée, devait s'emplir, l'eau
déborderait aussi bien à l'arrière
qu'à l'avant. De plus, l'eau de
pluie, poussée par le vent, peut
contourner la moulure de bois (A)
non protégée et s'infiltrer entre le
dos de la gouttière et la bordure
(B). Le dessin (2) représente une
amélioration. La gouttière a un
dos surélevé mais la bordure
risque toujours d'offrir une voie

suite page 128

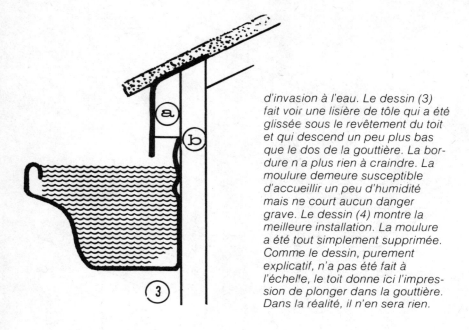

d'invasion à l'eau. Le dessin (3) fait voir une lisière de tôle qui a été glissée sous le revêtement du toit et qui descend un peu plus bas que le dos de la gouttière. La bordure n a plus rien à craindre. La moulure demeure susceptible d'accueillir un peu d'humidité mais ne court aucun danger grave. Le dessin (4) montre la meilleure installation. La moulure a été tout simplement supprimée. Comme le dessin, purement explicatif, n'a pas été fait à l'échelle, le toit donne ici l'impression de plonger dans la gouttière. Dans la réalité, il n'en sera rien.

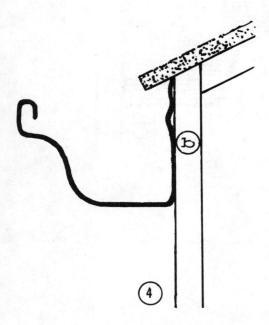

taille les lisières suffisamment larges pour remonter d'environ un pouce sous le larmier et descendre un peu plus bas que le sommet du dos de la gouttière. On peut aussi faire reposer le bas des lisières sur les douilles dans lesquelles les clous de soutien sont enfoncés. Ce procédé est plus ardu et, si l'on travaille seul, il vaut mieux s'en tenir à des lisières d'une longueur maximum de trois pieds.

Pour les toits en pente, la lisière est pliée selon l'angle du toit puis est glissée sur environ 2 à 2$\frac{1}{2}$ pouces sous les bardeaux d'asphalte. Comme pour les toits plats, la partie frontale de la lisière descend juste à l'avant du dos de la gouttière.

On recourt le moins possible aux clous pour l'installation des lisières. Si l'on utilise des lisières de huit pieds, trois clous suffiront. On peut clouer les lisières au toit en relevant légèrement les bardeaux lorsque la température est suffisamment chaude. En période froide, on enduit de mastic à calfeutrage la partie qui sera glissée sous les bardeaux. Si ça ne tient pas suffisamment, alors on cloue la partie frontale de la lisière (toujours à environ tous les quatre pieds) directement sur la moulure ou la bordure.

On fait chevaucher les bandes d'au moins deux à trois pouces. Les points de contact sont enduits de mastic à calfreutage. Les lisières ne doivent pas « être dans le vent », c'est-à-dire qu'elles doivent se chevaucher de façon que le vent dominant n'aura aucune prise.

La gouttière, dans sa partie la plus élevée, doit être installée le plus près possible sous le revêtement du toit ou la bordure de ceinture. Si l'on veut que la gouttière soit efficace, on lui donne une pente d'un pouce par longueur de 20 pieds.

Lors de la taille des lisières protectrices, il faut évidemment tenir compte de cette pente.

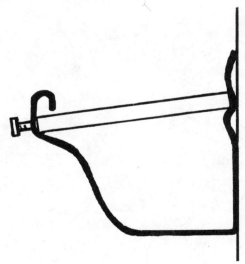

Les gouttières efficaces ont un dos surélevé comme celle du croquis ci-haut. La gouttière est conçue de sorte que les clous, guidés par les douilles reposant sur des appuis, sont disposés plus haut à l'arrière qu'à l'avant. L'eau ne sait pas remonter les pentes!

129

Comment rendre étanches les joints de gouttière

Le bricoleur qui désire procéder lui-même à l'installation d'un système d'égouttement en bordure du toit de son habitation peut recourir à des éléments prépeints, tels que l'acier et l'aluminium, ou à des gouttières de tôle galvanisée qu'il pourra, aussi surprenant que la chose puisse paraître, peinturer en place, même en hiver.

Les gouttières prépeintes exigent naturellement moins de travail. Par contre, les gouttières de tôle galvanisée sont moins coûteuses et, pour cette raison, demeurent encore très populaires auprès de ceux qui, par goût ou par nécessité, assument les travaux d'aménagement et d'entretien de leur foyer.

Le bricoleur qui installe ses propres gouttières de tôle galvanisée n'est généralement pas outillé pour souder d'avance les pièces et pour monter d'un coup sec, comme les ouvriers spécialisés, des longueurs de 30 à 40 pieds. On peut toujours essayer, mais il faudra bien plani-

Un mastic à calfeutrage est déposé sur une petite pièce de bout de gouttière.

Le bout de gouttière est en place. Le mastic, lissé, empêchera l'eau de passer.

fier sinon la soudure risque de ne pas résister à la torsion provoquée par une manipulation maladroite ou un coup de vent.

Il est plus facile d'installer un par un les conduits, généralement disponibles en longueurs de dix pieds.

À défaut de soudure, un mastic à calfeutrage assure l'étanchéité parfaite du canal formé par la gouttière. Un mastic de bonne qualité à base de caoutchouc butyl est tout indiqué. Il conservera longtemps sa souplesse et empêchera l'eau de s'infiltrer entre les tôles, aux points d'assemblage, et de faire pourrir la bordure de bois, en suintant sournoisement, goutte à goutte, tout le long des joints.

Ce travail de sape se voit assez fréquemment sur les installations

Un double cordon de mastic à l'intérieur de cet élément de descente sera écrasé par le conduit (à l'avant-plan) lorsque celui-ci sera emboîté. Le mastic formera un joint étanche. Les vis servent au besoin à consolider le joint.

datant d'il y a quelques années alors que l'on utilisait des pièces de jonction dans lesquelles les extrémités des conduits et de leurs compléments (coins intérieurs, coins extérieurs, etc.) étaient glissées. Ces jonctions laissaient deux joints.

Aujourd'hui certaines gouttières « s'enclenchent » sans intermédiaire. L'assemblage de deux conduits ne forme qu'un seul joint. Pour que ce joint soit bien rigide et qu'il n'y ait pas d'affaissement, les conduits doivent s'emboîter l'un dans l'autre sur une longueur d'au moins six pouces. On conseille de ficher un clou de soutien (avec douille de séparation) en plein milieu du joint. On peut aussi renforcer le haut du joint avec des vis à métal, mais ce n'est pas indispensable. Il est

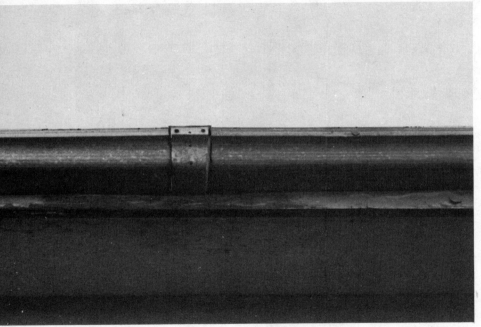

L'eau a profité d'une faiblesse de cette vieille jonction pour aller s'attaquer à la bordure de bois. Il faudra vite réparer ou remplacer.

bon cependant de retenir avec des vis ou des rivets les petites pièces fermant les extrémités des conduits, afin qu'elles ne soient pas délogées si jamais l'eau ou la glace créaient une pression à l'intérieur de la gouttière.

En vue de prolonger la vie de la gouttière, certains enduisent l'intérieur d'une couche de goudron. Ça ne donne pas toujours les résultats escomptés.

La peinture a refusé de tenir sous la gouttière. De plus, la pièce de bout, non mastiquée, a laissé l'eau s'infiltrer dans le coin de la bordure.

Au lieu des anciennes jonctions à glissière qui laissaient deux joints, on peut recourir aujourd'hui à des conduits qui s'emboîtent et ne forment qu'un joint. Il sera solide si les pièces se chevauchent sur une longueur de 6 pouces.

Le goudron se comporte dans les gouttières comme il se comportait autrefois lorsqu'il servait de couche de « protection » sous les voitures. À la moindre défaillance du goudron, l'eau s'introduit lentement entre le goudron et la tôle. La rouille s'incruste alors plus rapidement que si la tôle avait assumé seule sa propre protection. Le goudron peut être utilisé cependant pour rendre étanches les joints neufs mais si l'on a la main trop lourde et que le goudron sort à l'extérieur de la gouttière, le nettoyage sera plus long à effectuer que s'il s'agit de mastic à calfeutrage. En règle générale, le mastic s'enlève facilement après quelques heures de séchage.

Pourvu que la température ne soit que légèrement au-dessous du point de congélation, il est possible de peinturer les gouttières neuves au moyen d'un apprêt qui fait partie de la gamme des produits d'un fabricant de gouttières de la région de Montréal. La couche d'apprêt, qui peut être teintée, est la couche finale.

Les installateurs font la peinture des gouttières même en plein hiver et les chances de réussite sont de l'ordre de 80 à 90 pour cent.

Le bricoleur qui aurait des craintes peut, s'il a un local chauffé et bien aéré, assembler tout d'abord à sec, au sol, les divers éléments de la gouttière. Ensuite, après les avoir désarticulés, il les peinture et les laisse sécher avant de faire le montage définitif en bordure du toit.

La réparation des corniches

RECOUVERTES D'ALUMINIUM OU DE VINYLE, LES CORNICHES NE POURRIRONT PLUS

À tous les automnes et à tous les printemps, bon nombre de propriétaires se demandent, en regardant le bois avarié des corniches (bordure et sous-face) du toit de leur habitation, si le temps n'est pas venu de remplacer le bois par un autre matériau d'entretien moins exigeant: aluminium, vinyle, acier ou planches de bois pressé comportant un revêtement de peinture.

Les bordures et les sous-faces (appelées aussi « soffites ») de bois n'ont pas la vie facile: les premières, à cause de leur exposition au soleil et aux intempéries; les deuxièmes, en grande partie à cause d'une ventilation insuffisante de l'entretoit.

Comme la réfection et le repeinturage des débords de toit exigent souvent l'emploi d'une longue échelle ou d'un échafaudage (ce qui n'est pas toujours agréable), il arrive que les propriétaires négligent ces surfaces plus que les autres et remettent de saison en saison les réparations qui s'imposent. Et lorsqu'ils se résignent à se mettre à la tâche, ils constatent parfois que la bordure et la sous-face sont dans un état tel qu'il faut les remplacer en partie sinon en totalité.

Et les remplacer par quoi? De nouveau par du bois? C'est ce qu'il y a de plus économique à faire si les réparations ne sont pas trop considérables et si l'on n'a pas une aversion trop prononcée pour la peinture.

Par contre, s'il faut renouveler la bordure et la sous-face, il vaut vraiment la peine de songer à autre chose que le bois dont les prix ont considérablement augmenté, et qui, au surplus, exige un entretien constant. Si la bordure et la sous-face sont en aussi piteux état parce que, pour diverses raisons, on n'a pu s'en occuper à temps, il y a fort à parier que si l'on recourt de nouveau au bois, il faudra encore tout recommencer dans « X » années.

Alors, aussi bien opter pour un autre matériau: aluminium, bois pressé ou vinyle que les bricoleurs ayant une certaine habileté peuvent installer eux-mêmes. Il y a également l'acier, mais ce matériau, plus difficile à travailler que les autres, ne semble pas disponible sur le marché de détail et sa pose est effectuée par des entreprises spécialisées.

L'aluminium, le vinyle et le bois pressé peuvent être utilisés même par temps froid alors qu'il est impossible, si l'on recourt à du bois tel que le pin, de lui donner un revêtement efficace de peinture.

Une scie sur table, munie d'une lame pour métal, est à peu près indispensable si l'on veut réussir la coupe des bordures et des sous-faces d'aluminium ou de vinyle. Il faut aussi, c'est sûr, un marteau et, dans le cas du vinyle, il faut également ceux outils spéciaux que les vendeurs peuvent mettre à la disposition de leurs clients. Ces outils permettent d'insérer la bordure dans les moulures qui la retiendront.

Bien aérer le toit

Les bordures d'aluminium et de vinyle sont posées directement sur les anciennes bordures de bois. Toutefois, les sous-faces de bois doivent être enlevées ou tout au moins percées généreusement afin que l'air passant à travers les nouvelles sous-faces perforées puisse circuler en quantité suffisante entre le toit et le plafond.

Les « soffites » sont en général disponibles en panneaux perforés ou pleins. Les perforés coûtent un peu plus, mais l'écart est tellement peu considérable qu'il est préférable d'y recourir aussi souvent que possible.

Pour avoir une bonne ventilation, les experts estiment qu'il faut assurer à l'air un passage minimum d'un pied carré par 300 pieds carrés de plafond. Il vaut mieux ne pas s'en tenir à ce minimum et se donner une grande marge de sécurité, notamment en ce qui concerne les toits plats qui doivent absolument être ventilés entre chaque solive.

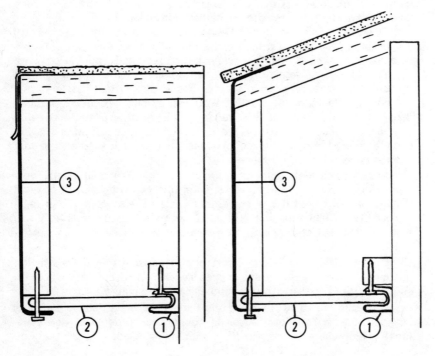

Si l'on a déjà eu des problèmes à cause de la condensation dans l'entretoit au cours des hivers précédents, l'installation d'une nouvelle sous-face donnant une aération abondante constituera un remède efficace. Une bonne circulation d'air empêche la chaleur qui se dégage du plafond supérieur de s'accumuler sous le toit et, de plus, elle prévient la formation de digues de glace au bord du toit. La glace s'oppose

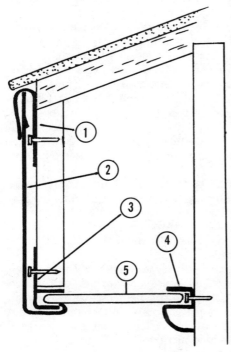

Ces dessins montrent de façon sommaire des agencements typiques de bordures et de sous-faces d'aluminium et de vinyle. À gauche et au centre, il s'agit d'aluminium. La moulure (no 1) retient la sous-face (no 2) du côté des murs de l'habitation. De l'autre côté, la sous-face est fixée par des clous au bas de la vieille bordure de bois qui a été laissée en place. Au numéro 3, c'est la bordure d'aluminium dont la partie inférieure, repliée, cache une extrémité de la sous-face et est clouée à intervalles plutôt espacés au bas de l'ancienne bordure. Au centre, le haut de la bordure d'aluminium est replié et inséré sous le revêtement du toit en pente en vue de prévenir toute infiltration d'eau. À gauche, le haut de la bordure, non replié, a été glissé derrière le larmier d'un toit plat. On peut faire de même avec la bordure de vinyle (le no 2 du dessin de droite). Quand ce n'est pas possible, la bordure de vinyle doit être retenue par deux moulures (nos 1 et 3). La bordure de vinyle en forme de « F » renversé (no 3) qui retient à la fois la bordure et la sous-face (no 5), peut être substituée à la moulure en demi-rond (no 4), plus coûteuse mais fort pratique en certaines occasions pour dissimuler le joint au sommet du parement des murs.

au libre écoulement de l'eau qui profite alors de la moindre défaillance du toit pour s'infiltrer et causer des dégâts parfois considérables.

En prenant avec soin les mesures extérieures de la maison, sur le parement de bois ou de maçonnerie, puis la dimension du toit, on peut déterminer de façon assez exacte le nombre requis de moulures et de pièces de bordure et de sous-face, compte tenu des longueurs que peuvent fournir les marchands.

Vérification essentielle

Avant d'acheter quoi que ce soit, il est à conseiller de procéder à une vérification des bordures actuelles qui serviront d'appui aux nouvelles. En tendant une corde d'un bout à l'autre des bordures, on peut ainsi se rendre compte si elles sont relativement droites. Si elles ont un aspect de « montagnes russes » ou qu'elles présentent des ondulations latérales très prononcées, on risque d'être incapable de faire un travail convenable et il vaut peut-être mieux, si l'on n'est pas trop sûr de son coup, décider dès ce stade de confier la tâche à des experts. Si l'on s'essaie tout de même et que l'on échoue, il faut s'attendre à ce que les experts appelés à la rescousse ne montrent aucun empressement à corriger les erreurs qui auront été commises.

Si l'on ne prévoit aucune difficulté majeure, on peut alors procéder à l'installation. Pour l'aluminium comme pour le vinyle, on commence par la pose de la ou des moulures, selon les cas. Il faut prendre un soin particulier de la moulure qui retiendra la sous-face du côté du parement de la maison. Cette moulure doit être installée à la hauteur requise et en ligne bien droite (on recourt ici de nouveau à la corde).

On découpe ensuite les pièces de soffite à la longueur nécessaire, tout en laissant généralement un jeu de quelques lignes, puis, après les avoir glissées en place et clouées solidement (s'il s'agit d'aluminium), on passe à la dernière étape, la pose des bordures. Les bordures d'aluminium les plus simples sont clouées à la base. Il n'est pas nécessaire de percer d'avance la surface de métal qui cède facilement sous la pointe du clou, mais c'est une précaution qui ne serait peut-être pas inutile.

Au sujet des clous, il faut éviter de leur taper dessus trop fort parce qu'alors le marteau risquerait de laisser des marques plutôt disgracieuses en refoulant le métal.

Les bordures de vinyle sont agrafées à des moulures et ne doivent en aucun cas être clouées. On ne cloue que dans les trous pratiqués dans les moulures, lors de la fabrication.

Les pièces de bordure d'aluminium ou de vinyle doivent se chevaucher sur une distance d'environ un pouce pour empêcher l'eau de pénétrer à l'arrière. Pour plus de sûreté, on peut déposer un mince cordon de mastic à calfeutrage entre les deux surfaces en prenant garde que le mastic ne ressorte pas par l'avant lorsque les surfaces sont pressées légèrement à la main l'une sur l'autre.

LE CARTON-FIBRE POUR RECONSTITUER LES CORNICHES

De même que l'aluminium et le vinyle, le carton-fibre (de bois) pressé est très pratique pour remplacer ou recouvrir les bordures (corniches) de bois avariées des toits.

De manipulation relativement facile, il permet un travail rapide puisqu'il est possible de se procurer ce matériau en éléments ayant jusqu'à 16 pieds de longueur, avec ou sans couche d'apprêt ou encore préfinis à la peinture ou à la teinture.

Le carton-fibre pressé n'est pas réservé, bien sûr, à la réfection des bords de toit. Selon sa préparation, il sert, entre autres, à la fabrication des meubles ainsi qu'au revêtement des murs intérieurs et extérieurs des habitations. Mais ça, c'est une autre histoire.

Si l'on veut utiliser ce matériau pour la réfection des bordures de toit, on recourt, selon ce qui est disponible, soit à des panneaux que l'on taille à la largeur requise (c'est ce qui coûte le moins cher), soit aux planches conçues pour les revêtements extérieurs. Dans ce cas, il faudra casser ou extraire la bande de plastique insérée à l'arrière des planches.

Le découpage du carton-fibre pressé se fait facilement à l'aide d'une égoïne à dents fines ou d'une scie sur table. Le côté fini est tourné vers le haut. Par contre, on tourne la planche ou le panneau à l'envers,

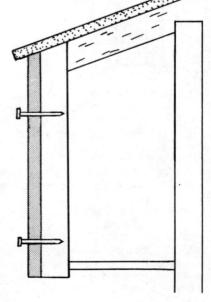

La nouvelle bordure de carton-fibre pressé peut être clouée sur la vieille bordure de bois si le revêtement du toit fait une projection suffisante. Dans le cas contraire, il faudra installer un larmier métallique ou supprimer la vieille bordure.

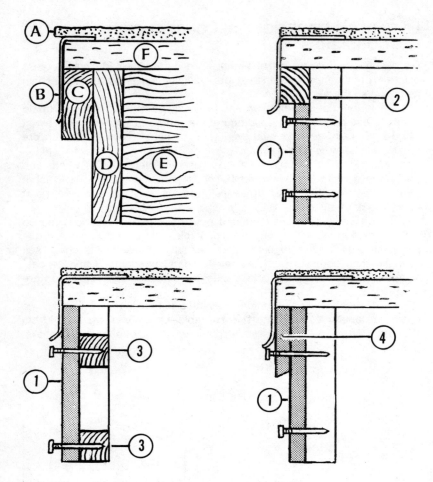

À gauche, en haut, on voit en coupe un toit plat « affligé » d'une décoration (C) parfois absolument nuisible. Lorsque aucune pente d'évacuation n'est prévue, l'eau qui dévale du revêtement multi-couches (A) sur le larmier (B) peu relevé, arrive à rejoindre la bande de bois décorative puis la pièce de bordure (D). Si la bande et la bordure présentent la moindre fissure, elles risquent de se détériorer rapidement et de contaminer les planches (F) et les solives (E) du toit. Les trois autres dessins suggèrent des solutions possibles, de valeur inégale. Dans tous les cas, la bande est enlevée. Elle peut être remplacée, et c'est d'ailleurs la meilleure solution, par une autre bande de bois (2) mais beaucoup plus étroite. Une nouvelle bordure en carton-fibre pressé (1) est supportée, soit par l'ancienne bordure, soit par des lattes (3) clouées à l'extrémité des solives. Enfin, si l'on ne peut résister à la décoration, aussi bien la faire en carton-fibre (4) imputrescible et la tailler en biseau pour épargner autant que possible la nouvelle bordure qu'elle surplombe.

pour ne pas égratigner la surface, lorsqu'on se sert d'une scie électrique manuelle.

Le revêtement de carton-fibre est déposé directement sur la vieille bordure de bois si celle-ci est dans une condition encore passable. Si elle est pourrie ou tordue, il vaudra mieux l'arracher avant de procéder à l'installation de la nouvelle.

Lorsqu'il est installé sur une surface pleine, telle que l'ancienne bordure, le carton-fibre n'a pas besoin d'être maintenu par plus de deux clous (l'un à un pouce du haut, l'autre, à pareille distance du bas), à tous les deux pieds environ. Et s'il a fallu escamoter la vieille bordure, alors la nouvelle doit être fixée soit sur les bouts des chevrons ou des solives (de toit plat), soit, si nécessaire, sur des lattes.

Les fabricants de carton-fibre prévoient pour l'installation de ce matériau des clous galvanisés à tête plate ou ovale. Lors du montage d'un parement extérieur, les clous peuvent être complètement dissimulés, mais ce n'est pas possible de le faire facilement lorsqu'il s'agit d'installer une bordure.

Au lieu de chercher à enfoncer la tête des clous sous la surface et risquer ainsi de provoquer des craquelures dans la peinture, on laisse la tête à effleurement. Si les clous sont disposés à intervalles réguliers, ça ne devrait pas trop déparer.

Il n'y aura aucun danger d'infiltration d'eau si, avant d'enfoncer les clous, on a pris soin de percer d'avance des trous de même diamètre que les clous, et de mettre à leur orifice une petite boule de mastic à calfeutrage. Écrasé par la tête des clous, le mastic formera un rempart infranchissable. On n'a ensuite qu'à enlever le surplus de mastic et à retoucher à la peinture les têtes de clous.

Si, pour une raison ou une autre, il est nécessaire d'enlever un clou avant qu'il ne soit enfoncé, on ne regrettera pas alors d'avoir « prépercé ». Arracher un clou galvanisé qui a commencé à pénétrer dans un carton-fibre non foré d'avance laisse généralement un souvenir indélébile à la surface du revêtement... et aussi au manieur du marteau.

Le carton-fibre pressé n'est pas un matériau inerte. Il s'étend et se contracte sous l'effet de la chaleur et du froid. La contraction et l'expansion sont en proportion de la longueur des planches. Les fabricants suggèrent de laisser un écartement de $3/_{16}''$ à $1/_2''$ entre les planches.

On peut utiliser les couvre-joints métalliques, servant habituellement au parement, comme on peut se contenter de combler l'espace avec un mastic à calfeutrage à base de latex. Le joint sera alors moins apparent. Il sera parfaitement étanche si la surface où se rejoignent les planches a été enduite de mastic.

Qu'il s'agisse de bordures ou de parements de mur, les planches de 16 pieds de longueur « sont d'avance », mais à partir d'une certaine hauteur, il est impossible à un homme seul d'en faire l'installation. Un coup de vent, une manipulation malhabile et la planche peut casser sous son propre poids.

Sans aller jusqu'à la rupture, il peut arriver également que la peinture se fendille sur les rebords des planches soumises à trop de contorsions.

Pour monter une « 16 pieds » en bordure d'un toit, surtout si la planche a été rétrécie, il faut au moins deux personnes. Une troisième n'est parfois pas de trop.

S'il arrive, au cours de l'installation ou par la suite, que des chocs fassent partir des éclats de peinture des planches préfinies, on peut réparer en se procurant chez son marchand un nécessaire pour faire des retouches. Ces nécessaires sont utiles dès l'installation si l'on veut masquer les extrémités des bordures coupées à bouts carrés, dans les coins extérieurs. Il n'y a sur le marché aucun couvre-joint spécial pour cacher les coins des bordures.

Si l'on fait exception des sous-faces où il ne s'est pas imposé, le carton-fibre pressé peut, dans la plupart des cas, être substitué économiquement et avantageusement, à l'extérieur, à la planche de bois, notamment s'il s'agit d'un bois dont la protection dépend en partie de la peinture qui le recouvre.

On peut obtenir des planches de carton-fibre pressé, avec une finition de peinture durable comportant une garantie.

QU'EST-CE QUI EST « MASONITE » ET QU'EST-CE QUI NE L'EST PAS?

Le « carton-fibre pressé » — terme utilisé par la Société centrale d'hypothèques et de logement — sert à désigner le matériau, à base de fibres de bois mou ou dur reliées par des résines, qui, selon son mode de préparation, son utilisation prévue et ses fabricants, est connu dans le commerce sous les noms de « Masonite » et de revêtements « X-90 » (Colorlock et Ruf-X) s'il s'agit des produits de la Masonite Canada Limitée ou de « Préfinis » (l'équivalent du « Masonite ») et de « Revêtements extérieurs », s'il s'agit des produits de la société Les Panneaux Abitibi Limitée.

(Tout ça, pour la plupart des gens, c'est du « masonite » apprêté de diverses façons. Le mot « masonite » est une marque de commerce qui désigne un produit particulier fabriqué par la société « Masonite ». Mais le « masonite » s'est imposé un peu comme le mot « frigidaire » qui sert encore souvent à désigner toutes les marques de réfrigérateurs.)

On peut se procurer planches et panneaux, enduits ou non d'une couche d'apprêt ou en préfinis peinturés ou teints. Les préfinis de couleur blanche sont les plus faciles à obtenir.

Les revêtements préalablement apprêtés ou que l'on apprête soi-même peuvent recevoir une finition à la teinture ou à la peinture (alkyd ou latex acrylique).

Comment installer des évents métalliques pour aérer le toit

Une bonne circulation d'air dans l'entretoit ou le grenier non chauffé d'une maison est essentielle pour protéger les divers éléments de bois et pour prévenir les multiples désagréments engendrés par la condensation.

Les toits plats et les toits en pente dont les chevrons soutiennent à la fois le toit et le plafond de l'étage au-dessous, sont ventilés au moyen d'évents continus, sur les côtés du toit où aboutissent les extrémités des chevrons ou des solives de toit.

Les évents continus sont aménagés dans les sous-faces (appelées aussi « soffites » ou corniches). Les sous-faces de bois sont fabriquées fréquemment de deux lisières longitudinales de contre-plaqué de $1/4$ de pouce d'épaisseur, entre lesquelles on laisse un espace d'environ un pouce. Afin d'empêcher les insectes et les oiseaux de profiter de cette prise d'air pour s'introduire dans l'entretoit, on dispose un grillage fin.

Normalement, ce grillage fixé au-dessus de l'évent devrait être constitué d'un matériau imputrescible ou très résistant tel que l'aluminium ou la fibre de verre. Mais ce n'est pas toujours ce qui se produit.

Ainsi, il arrive qu'au bout de quelques années, un grillage métallique de piètre qualité se détériore au point de se dissoudre littéralement. Si on ne prend aucune précaution, c'est alors que « l'invasion » commence et que tout un lot de locataires insolvables viennent s'abriter dans l'entretoit et risquent, par leur activité, d'obstruer ou du moins de réduire considérablement l'efficacité des évents.

C'est ce qui se produit dans le cas des oiseaux qui ont tôt fait de transformer la partie supérieure des sous-faces en chambres de ponte... et de toilette. Les brins d'herbe, les bouts de corde, la boue et quoi d'autre encore, qui entrent dans la fabrication des nids, peuvent, si on les laisse s'accumuler, nuire à une bonne circulation d'air.

La réparation s'effectue facilement sans enlever les panneaux des sous-faces qui sont encore « en bonne santé ». Ainsi, on peut brocher sous les évents du grillage de bonne qualité, découpé en bandes d'environ trois pouces de largeur, et dont les bords seront cachés par deux moulures de bois à profil bas.

Mais avant d'entreprendre ce travail, il est bon de calculer les dépenses qu'il entraînera: treillis, moulures et peinture. Si les frais s'élèvent à \$1 ou même plus par longueur de huit pieds, il y aura alors tout avantage à s'informer du coût, dans son secteur, des évents d'aluminium perforé, conçus spécialement pour les évents continus.

143

Ces évents ont à peu près tous les même formes (voir les photos). Larges d'environ 2 pouces, ils sont criblés de petites perforations rondes ou oblongues et certains sont même tapissés à l'intérieur d'un grillage. S'il n'y en a pas, on peut en ajouter soi-même, mais ce n'est pas indispensable.

En dépit de leur légèreté, les évents d'aluminium pourraient présenter des difficultés d'installation. Le bricoleur qui travaille seul ne peut tout simplement pas être « présent » aux deux extrémités des pièces de huit pieds de longueur. Par contre, en se fabriquant un « T »

Le « T », découpé un peu plus grand que le profil de l'évent, collera solidement les épaules de la moulure métallique sans en écraser le centre.

L'évent, retenu au centre par le
« T », est mis facilement en place.

Les mains libres, les ajustements
ne posent aucun problème.

146

*Les attaches galvanisées feront
un travail impeccable.*

ajustable, comme les photos des pages précédentes le suggèrent, le travail devient alors une affaire très simple.

Le « T » est formé de deux planches, une longue et une petite, qui se chevauchent et dont la longueur peut être ajustée au moyen d'une presse, à portée de la main. La planche la moins longue est surmontée d'un petit bloc comportant une cavité un peu plus grande que le profil de l'évent.

Le « T » est arc-bouté entre le sol et la sous-face sur laquelle il maintient l'évent, laissant les mains libres pour faire les ajustements nécessaires. On fixe l'évent au moyen de broches (c'est rapide mais attention, les broches non galvanisées vont vite rouiller!) ou de petits clous galvanisés enfoncés, soit directement à travers le métal, soit dans des trous percés d'avance, vis-à-vis de chaque chevron ou solive, c'est-à-dire à peu près à tous les 16 pouces.

Les évents d'aluminium, suffisamment souples pour « coller » à la sous-face même si elle est ondulée, sont installés bout à bout, sans chevauchement.

Le nouvel évent métallique donne meilleure allure à la sous-face.

4

BÉTON
ET BRIQUES

Un bon béton maison

Les bricoleurs qui font du béton recourent plus souvent qu'autrement à la formule traditionnelle du « 1-2-3 », c'est-à-dire une partie de ciment pour deux parties de sable et trois parties de pierre.

La formule, facile à retenir, n'est pas mauvaise en soi. Elle peut donner de bons résultats comme elle peut se traduire par un échec, un béton de qualité tout à fait inacceptable.

La raison? La formule ne détermine pas la proportion des ingrédients d'après la grosseur des agrégats (gravier ou pierre concassée) et surtout elle ne fournit aucune donnée sur le facteur essentiel, la teneur en eau ou, si l'on préfère, le rapport eau-ciment.

Pour rendre le malaxage moins ardu, surtout lorsqu'il est fait à la main, et ensuite pour faciliter le tassement du béton dans les formes ou moules, beaucoup de bricoleurs ont tendance à « baptiser » trop généreusement le mélange, ce qui affaiblit la résistance du béton.

Le rapport eau-ciment est ce qu'il y a de plus important dans la fabrication du béton et pourtant c'est cet aspect qui est le plus négligé. En mettant trop d'eau, on peut arriver à gaspiller de façon irrémédiable un mélange qui aurait pu constituer un béton d'excellente qualité.

Même si la formule « 1-2-3 » est susceptible de permettre parfois un travail convenable, le bricoleur aurait tout intérêt à l'oublier pour recourir plutôt aux formules (page 152) qui contiennent toutes les données nécessaires à la fabrication d'un béton d'une résistance de 5 000 livres, avec ou sans air entraîné. Ce béton est supérieur à celui qui est normalement utilisé pour les trottoirs, patios, etc. Si vous prenez les précautions requises, vous serez pleinement satisfait des résultats.

Ces formules, préparées et éprouvées par des spécialistes, donnent les proportions des divers ingrédients pour fabriquer, soit une quantité « X » de béton selon la méthode du volume, soit un pied cube de béton, d'après la méthode de la pesée.

Ceux qui font eux-mêmes leur propre béton mesurent habituellement les volumes plutôt que les poids. Toutefois, les spécialistes du béton recommandent fortement d'utiliser la pesée. C'est beaucoup plus précis.

Le calcul selon le poids n'est pas compliqué. Il n'est pas nécessaire de peser à chaque brassée. En se servant, par exemple, de la balance de la chambre de bain, on établit tout d'abord le poids des contenants vides (il en faut un minimum de trois: un pour le ciment, un autre pour l'eau et un dernier pour le sable et la pierre) puis, en tenant compte de leur poids, on pèse les ingrédients et on marque les contenants au niveau atteint par chacun des ingrédients.

Si la marque est faite de façon à ne pas disparaître en cours de manipulation, la préparation des brassées suivantes sera un jeu d'enfant.

Proportions requises pour un pied cube de béton (selon le poids)

Agrégats Grosseur maximum en pouces	Béton à air entraîné				Béton sans air			
	Ciment livre	Sable livre	Agrégats livre	Eau livre	Ciment livre	Sable livre	Agrégats livre	Eau livre
$3/8$	29	56	43	10	29	62	43	11
$1/2$	27	49	52	10	27	56	52	11
$3/4$	25	45	62	10	25	50	62	10
1	24	42	67	9	24	48	67	10
$1 1/2$	23	41	72	9	23	46	72	9

— Les agrégats dont il est question ici sont des pierres concassées, aux arêtes vives. Si l'on recourt à du gravier, dont les formes sont plus arrondies, on doit augmenter de trois livres le poids des agrégats et diminuer de trois livres le poids du sable.

Proportions selon le volume

Grosseur maximum des agrégats en pouces	Béton à air entraîné				Béton sans air			
	Ciment	Sable	Agrégats	Eau	Ciment	Sable	Agrégats	Eau
$3/8$	1	$2 1/4$	$1 1/2$	$1/2$	1	$2 1/2$	$1 1/2$	$1/2$
$1/2$	1	$2 1/4$	2	$1/2$	1	$2 1/2$	2	$1/2$
$3/4$	1	$2 1/4$	$2 1/2$	$1/2$	1	$2 1/2$	$2 1/2$	$1/2$
1	1	$2 1/4$	$2 3/4$	$1/2$	1	$2 1/2$	$2 3/4$	$1/2$
$1 1/2$	1	$2 1/4$	3	$1/2$	1	$2 1/2$	3	$1/2$

Pour fabriquer du bon béton, il faut utiliser des matériaux convenables: l'eau doit être potable et sans odeur, et les agrégats, c'est-à-dire le sable et la pierre, doivent être propres et exempts de corps étrangers tels que l'argile. Enfin, le ciment doit être frais et ne contenir aucune « motte » qui ne puisse être écrasée facilement entre les doigts.

Les proportions mentionnées dans les formules supposent l'emploi d'un sable humide. Si le sable est détrempé par la pluie, on soustrait une livre d'eau par pied cube et on ajoute une livre de sable. Par contre, si le sable est sec, on diminue le sable d'une livre et on augmente d'autant le poids de l'eau. Dans les mélanges faits selon le volume, la correction doit forcément être effectuée à l'à-peu-près.

La grosseur des pierres ne doit pas être supérieure à un tiers de l'épaisseur de ce que l'on fabrique. Ainsi, pour un trottoir de quatre pouces, on ne doit pas utiliser des pierres de plus d'un pouce. Il serait même préférable de se contenter de pierres de ³/₄ de pouce. Le travail de finition sera plus facile.

Brassée d'essai

Une fois que l'on a déterminé la formule que l'on utilisera (ainsi que la grosseur des agrégats qui conditionnent le poids des ingrédients), on fait une brassée d'essai.

Si le mélange est trop **sec,** on sauve la brassée en y ajoutant une pâte contenant une proportion d'une livre d'eau pour deux livres de ciment. Dans les brassées subséquentes, on diminue en conséquence sable et pierres. Si le mélange est trop **sablonneux,** on corrige en remplaçant deux à trois livres de sable par un poids semblable de pierres. Et c'est vice versa si le mélange est trop **pierreux.** Enfin, si le mélange est trop **fluide,** on ajoute de 5 à 10 pour cent de sable et de pierres. Par après, on réduit l'eau à raison d'une livre par dix livres d'agrégats ajoutés au mélange original. Les rajustements effectués au cours de la brassée-échantillon doivent être reportés sur les contenants.

Pour le malaxage à la main, un pied cube de béton représente une quantité respectable. Ça pèse près de 150 livres! Un petit malaxeur en prend davantage mais on doit éviter de charger la cuve à plus de 60 pour cent de sa capacité.

Dans le cas du brassage manuel, il est inutile de choisir les formules pour béton à air entraîné. Les formateurs d'air n'agissent efficacement que s'ils sont soumis à une action mécanique. Donc, il faut absolument un malaxeur pour faire du béton à air entraîné, qui saura résister aux gels et dégels ainsi qu'à l'action du sel et autres produits du genre utilisés en hiver.

Le malaxage à la main n'exige, à part les contenants (et du courage), qu'une pelle à bout carré et une surface propre qui peut être soit un bout de pavage, soit une boîte de tôle ou de bois. On verse tout d'abord la quantité de sable qui a été pesée puis on ajoute le ciment. On brasse jusqu'à ce que le mélange prenne une couleur uniforme.

Voici l'aspect que présente un bon béton. Il a suffisamment de « corps » pour se tenir, mais est aussi suffisamment plastique pour que quelques coups de truelle lissent la surface en remplissant toutes les cavités entre les agrégats.

Ça, c'est le béton que l'on bricole généralement. Ça ne vaut pas cher. Le mélange est trop fluide. Ce béton « bouse de vache » (il est désigné ainsi par les techniciens) sera frappé de vieillissement précoce. Un béton vite fait, mais vite défait!

On incorpore ensuite la pierre et on brasse de nouveau. Quand tout est bien mélangé, on fait une légère dépression au centre du tas et on ajoute lentement l'eau. Enfin, on malaxe jusqu'à ce que tous les ingrédients soient intimement unis.

Pour les malaxeurs, la marche à suivre est la suivante: on verse dans la cuve immobile toute la pierre et la moitié de l'eau requise pour le nombre de pieds cubes que l'on veut fabriquer d'un seul coup. Si on recourt à un formateur d'air, on l'incorpore dès ce stade. On fait tourner la cuve et on ajoute successivement le sable, le ciment et le reste de l'eau. Une fois tous les ingrédients versés, le brassage doit se poursuivre durant au moins trois minutes ou plus, jusqu'à ce que le mélange soit homogène.

Il est certain que les travaux que vous projetez n'exigent pas tous un béton de 5 000 livres, selon les données des formules suggérées. Mais, pour ce que ça coûte de plus, pourquoi prendre des risques? Mettez toutes les chances de votre côté. Si vous commettez une petite erreur ici et là (vous n'avez pas de laboratoire pour vous alerter) le mélange donnera tout de même un béton qui sera suffisamment solide pour tout ce que vous voudrez faire.

Le béton à air entraîné

Depuis quelques années, les entreprises canadiennes de livraison de béton prémélangé (Ready Mix) incorporent de l'air dans le béton destiné aux ouvrages soumis aux rigueurs de notre climat.

Ainsi, il y a fort à parier que le béton que vous commandez présentement contienne, sans que vous le sachiez peut-être, de l'air entraîné de façon artificielle, qui assurera meilleure résistance et plus de durabilité à vos trottoirs, patios et entrées de garage.

L'utilisation d'agents formateurs d'air dans les mélanges de béton a été commencée et continuée sans tambour ni trompette, de sorte que beaucoup de bricoleurs et le public en général ne savent absolument pas de quoi il retourne.

Le béton ordinaire, même s'il est de forte résistance, n'est jamais tout à fait hydrofuge. L'eau trouve toujours moyen de s'y infiltrer et, lorsque la température s'abaisse, l'eau se transforme en glace. Celle-ci, en raison du volume plus grand qu'elle occupe, désagrège petit à petit le béton. Le sel et autres produits auxquels on recourt durant l'hiver pour rendre les surfaces moins glissantes multiplient les cycles de gel et de dégel, néfastes au béton. Le processus d'effritement peut être plus ou moins long, mais il se poursuit de façon inexorable.

Les chercheurs ont découvert, dans les années 30, un moyen d'enrayer les méfaits des cycles de gel et de dégel. En introduisant de l'air dans les mélanges de béton, ils constatèrent qu'il se formait alors des milliards de petites bulles, indépendantes les unes des autres, qui, en plus d'améliorer la maniabilité du béton frais, le rendaient, une fois mûri, moins sensible aux pressions internes exercées par la glace. Les bulles constituent des compartiments où l'eau se transformant en glace peut prendre de l'expansion sans faire nécessairement éclater le béton.

Pas de demande

Contrairement à ce que certains pourraient peut-être penser, l'air n'est pas insufflé dans le ciment. La formation des microscopiques et bénéfiques bulles d'air est provoquée par un produit qui est ajouté au ciment lors de la préparation initiale à l'usine ou, plus tard, en cours de malaxage.

Dans certaines régions des États-Unis, le consommateur peut se procurer des sacs de ciment où est déjà incorporé un agent formateur d'air. Mais au Canada, aucun ciment sauf le ciment à maçonnerie, que l'on désigne habituellement sous l'appellation de « mortier », ne contient un agent d'occlusion d'air. Pourquoi? La question a été posée à des spécialistes. Ils répondent qu'il s'agit là à la fois d'une question de demande de la part du public et d'une question de manipulation supplémentaire en usine.

156

En ce qui concerne le public, il peut difficilement réclamer quelque chose dont il n'est pas au courant. Pour ce qui est d'ajouter un formateur d'air dès l'ensachage du ciment à l'usine, c'est une autre affaire.

Où s'adresser?

Ce n'est pas que les formateurs d'air coûtent cher. Il y en a à peine pour quelques cents dans une pleine bétonnière. Mais pour ajouter un entraîneur d'air à l'usine, cela nécessite de la machinerie et des opérations supplémentaires qui risquent d'avoir des répercussions sur les prix.

Même s'il n'est pas possible de se procurer du ciment contenant

Cette dalle de béton, dépourvue d'air entraîné, se ressent durement des effets du sel qui y a été répandu au cours de quelques hivers successifs. Le sel a multiplié les cycles de gel et de dégel, provoquant un vieillissement précoce de la surface de la dalle.

La gouttière a été tournée d'un quart de tour et ne déverse plus son eau sur cette pointe de dalle de patio fabriquée, semble-t-il, de bon béton mais sans air entraîné. Mais c'est trop tard. La dalle n'a pu tenir le coup par suite de l'accentuation des cycles de mouillage et de séchage.

déjà de l'air entraîné, tout espoir n'est pas perdu pour les bricoleurs qui voudraient recourir à ce matériau pour fabriquer trottoirs, dalles et patios plus résistants et plus durables.

Les bricoleurs devront se rabattre sur leurs marchands de matériaux pour obtenir des agents formateurs d'air.

On peut s'adresser aussi aux entreprises de « Ready Mix » qui ne devraient pas faire de difficultés pour en procurer à ceux qui en font la demande. Ces sociétés ne considèrent certainement pas les bricoleurs comme des concurrents. Comme les « Ready Mix » ne font aucune livraison inférieure à une verge cube de béton et exigent une surcharge pour des quantités de trois verges ou moins, leurs dirigeants comprennent que les bricoleurs "de métier" ou d'occasion ne vont pas nécessairement acheter une verge cube de béton pour fabriquer une quinzaine de dalles ou un bout de trottoir ne nécessitant qu'une demi-verge.

Un rien suffit

Les entraîneurs d'air se présentent sous forme de liquide. Ils ne coûtent à peu près rien et il n'en faut que très peu par sac de ciment: d'une demi-once à une once, selon les indications du fabricant. Ainsi, il ne faudrait pas en mettre plus d'un quart d'once par sac de béton pré-mélangé.

Ce sont là des quantités bien minimes à manipuler, mais on peut se tirer très bien d'affaire en recourant à un « jigger » (le petit truc qui sert à mesurer la boisson pour la fabrication d'un coquetel) ou encore à une tasse à mesurer comme celles que l'on utilise pour la préparation des aliments. Elles contiennent habituellement huit onces.

Par exemple, supposons que le malaxeur puisse admettre d'un seul coup un demi-sac de ciment avec agrégats (sable et gravier) et que la dose recommandée de formateur d'air soit d'une once par sac. Vous versez sept onces d'eau dans la tasse à mesurer et vous finissez de la remplir avec la solution de formateur d'air. Ainsi, il y aura une once de formateur d'air dans la tasse. Comme vous n'en avez besoin que d'une demi-once à la fois, alors tout ce qu'il y a à faire, c'est de verser la moitié du mélange dans le béton pendant le malaxage. Ainsi, vous serez certain de ne pas dépasser les quantités recommandées.

Si vous avez la main trop lourde, le béton ne sera pas nécessairement gaspillé. Il sera plus poreux et moins résistant, sans que sa durabilité soit amoindrie pour autant.

Comme les formateurs d'air « lubrifient » le béton, vous aurez besoin de moins d'eau pour préparer le béton et ce sera tant mieux parce que le meilleur béton est précisément celui qui contient le moins d'eau. Il en faut, c'est sûr, mais tout juste pour le rendre assez plastique pour être travaillé.

Trois joints essentiels

Les bricoleurs qui abordent pour la première fois le travail d'une grande surface plane de béton n'ont souvent qu'une notion très vague des divers joints qu'il convient de pratiquer pour assurer longue vie à leur œuvre.

Certains peuvent avoir l'impression que ces joints ne sont après tout que des embêtements qui retarderont le travail et auxquels il vaut mieux ne pas s'arrêter.

Ceux-là auront tout le loisir de changer d'idée — mais un peu tard — quand le trottoir, l'entrée de garage ou le patio auquel ils auront trimé se rompra aux endroits les plus inattendus parce qu'il n'y a pas de joints de contrôle, ou bien basculera sous l'effet du gel ou de sape de l'eau qui se sera infiltrée dans une jonction dépourvue de joint d'isolation, ou encore, présentera une hideuse cicatrice ou se dénivellera à un endroit où il aurait fallu pratiquer un bon joint de construction.

Les joints dans les surfaces de béton sont loin d'être choses futiles. Il ne faut pas se tromper! L'exécution soignée et le bon emplacement de ces joints peuvent faire toute la différence entre la réussite et l'échec à terme plus ou moins bref.

Les joints de contrôle, de construction et d'isolation sont conçus pour permettre au béton d'assumer, avec le moins de dégâts possible, des mouvements normaux de contraction et de dilatation.

Il ne faut pas confondre ces joints très importants avec les joints purement décoratifs, creusés de façon superficielle, et qui, selon que l'on a bon ou mauvais goût, n'ont pas d'autre utilité que d'équilibrer ou d'enlaidir, par leurs lignes, la surface de béton dans laquelle ils s'inscrivent.

Les joints les plus fréquemment pratiqués sont les joints de contrôle dont on peut voir divers exemples dans les dessins et photos de ce chapitre. Ces joints ont pour but de restreindre les ruptures du béton, si jamais il devait s'en produire, à des endroits déterminés d'avance, de façon à ne pas trop détériorer l'apparence de la surface.

Fabriqués au moyen d'une scie électrique munie d'une lame spéciale ou faits à la main à l'aide d'un bouvet, un outil à semelle à profil en « T », ces joints doivent avoir une profondeur correspondant, au minimum, au cinquième de l'épaisseur de la dalle de béton. Les joints sont comblés avec un matériau qui demeurera malléable, tel qu'un mastic à calfeutrage. Les joints obstrués ne laissent pas pénétrer l'eau.

Lorsque le béton est armé, ces joints ne seront efficaces que si la moitié des barres ou tiges d'armature sont sciées. Ainsi, la dalle de béton est volontairement affaiblie de façon que, si elle est soumise à un mouvement ou à un choc violent, les ruptures ne se produisent pas au hasard mais se restreignent aux joints de contrôle. À moins que les

Une planche droite permet de tirer au bouvet un beau joint de contrôle.

Joint d'isolation fait d'un carton imprégné. Les clous retiendront le carton au ciment qui sera coulé.

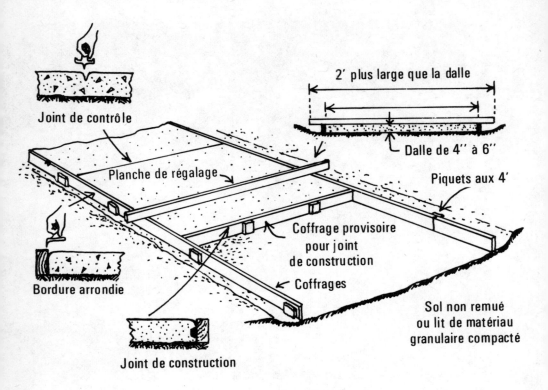

Joint de contrôle

2' plus large que la dalle

Planche de régalage

Dalle de 4'' à 6''

Piquets aux 4'

Coffrage provisoire
pour joint
de construction

Bordure arrondie

Coffrages

Sol non remué
ou lit de matériau
granulaire compacté

Joint de construction

parties disjointes de la dalle ne subissent un soulèvement ou un affaissement marqué, les ruptures ainsi contrôlées passent à peu près
inaperçues.

Dans les trottoirs, les joints de contrôle, effectués dans le sens de
la largeur, doivent former des carrés ou des rectangles dont la longueur ne doit jamais excéder une fois et demie la largeur du trottoir.
Les entrées simples de garage sont coupées à tous les dix pieds par
un joint de contrôle. Quant aux voies doubles, elles doivent, en plus
des joints de contrôle par le travers, comporter également un joint sur
toute leur longueur, en plein centre.

Les joints de contrôle ne sont tirés que lorsqu'il n'y a plus d'eau à
la surface du béton. C'est également à ce moment que l'on peut façon-
ner les bordures.

Un des dessins montre un joint de contrôle dans lequel une pièce
de bois, après avoir servi de coffrage, demeure incrustée dans le béton
où elle joue un rôle décoratif.

Ce joint, fréquemment utilisé dans la construction des patios, est
en quelque sorte un hybride qui a une forte ressemblance avec le joint
d'isolation.

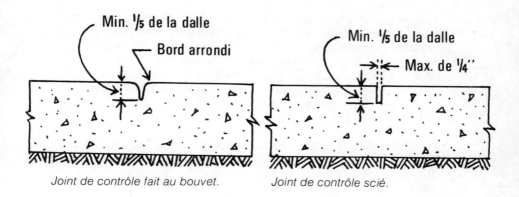

Min. ¹/₅ de la dalle — Bord arrondi

Joint de contrôle fait au bouvet.

Min. ¹/₅ de la dalle — Max. de ¹/₄''

Joint de contrôle scié.

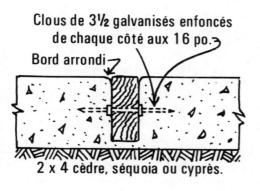

Clous de 3½ galvanisés enfoncés de chaque côté aux 16 po.
Bord arrondi
2 x 4 cèdre, séquoia ou cyprès.

Joint de contrôle avec bois.

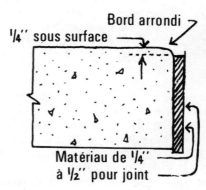

Bord arrondi
¹/₄'' sous surface
Matériau de ¹/₄'' à ¹/₂'' pour joint

Joint d'isolation.

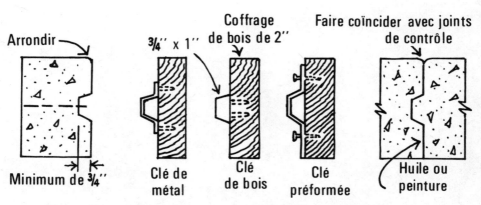

Arrondir
Minimum de ³/₄''

³/₄'' x 1''
Clé de métal

Coffrage de bois de 2''
Clé de bois

Clé préformée

Faire coïncider avec joints de contrôle
Huile ou peinture

Le joint de construction se fait au moyen d'une pièce formant clé.

163

Le joint d'isolation, conçu pour absorber les différences de dilatation et de contraction entre deux surfaces ou entre une surface et des obstacles tels que murs, lampadaires, perron, etc., est pourvu d'un matériau de 1/4 à 1/2 pouce d'épaisseur, susceptible d'obéir aux contraintes. Ce matériau peut être du bois, mais comme le bois peut pourrir, il vaut mieux se rabattre sur un matériau imputrescible qui peut être du carton imprégné ou de la mousse de polystyrène. Cette dernière est très pratique puisqu'il est possible de l'enlever facilement sur une certaine profondeur pour insérer dans le joint un mastic à calfeutrage qui le rendra parfaitement étanche. De toute façon, il est recommandé de laisser toujours un espace entre le haut du matériau du joint et la surface afin de pouvoir sceller le joint avec une pâte plastique.

Enfin, il y a le joint de construction. C'est un joint qui est déconseillé, mais qui est parfois inévitable lorsqu'il faut interrompre durant une période tant soit peu prolongée la mise en place du béton. Afin de s'assurer que la nouvelle couche de béton qui sera coulée plus tard demeurera de même niveau que l'ancienne, on « ferme chantier » avec une pièce de bois sur laquelle on cloue une « clé », également de bois ou de métal. À la reprise des travaux, la partie du béton dans laquelle le moule a laissé son empreinte est enduite d'huile ou de peinture. Le nouveau béton ira s'insérer dans la dépression laissée par la clé et maintiendra la surface au même niveau.

Pour ne pas trop attirer l'attention sur ces joints, on conseille d'en traiter les rebords supérieurs comme s'il s'agissait de joints de contrôle. Les rebords sont arrondis avec un outil à bordure. De plus, en faisant les joints de construction à des intervalles semblables à ceux des joints de contrôle, on les rendra ainsi moins apparents.

Au lieu de clés, on peut aussi exécuter ces joints en utilisant des tiges d'armature qu'on laisse dépasser de la dalle interrompue et qui font le lien avec le béton nouveau.

Le travail du béton

Le contour de l'ouvrage de béton que vous voulez construire (trottoir, patio, entrée de garage) est déterminé sur le terrain par des piquets et des cordes pour les lignes droites, et par un ou des boyaux d'arrosage pour les lignes courbes.

Le béton doit être coulé sur une terre non remuée ou qui a été compactée. S'il y a du gazon, il faut l'enlever en même temps que les autres matières organiques comme les racines.

Après compactage au moyen d'un pilon de fer ou de bois, si la surface du sol est suffisamment uniforme, on construit les coffrages et on coule le béton directement sur la terre.

Pour assurer un bon drainage et une meilleure uniformité, on étend une couche d'au plus 4 pouces de pierre, de sable ou de mâchefer. On prévient les risques d'érosion en laissant dépasser cette couche, en pente douce, d'environ un pied de chaque côté de la future surface de béton. Cette couche de remplissage doit, elle aussi, être pilonnée.

Les coffrages sont fabriqués de planches et de madriers droits, blanchis du côté où sera déposé le béton, et suffisamment solides pour résister à la poussée du béton. Pour les trottoirs et patios, on recourt à des pièces de 1 × 4 ou de 2 × 4 en épinette, maintenues à tous les deux ou trois pieds, selon le cas, par de solides piquets. Pour les courbes raides, on utilise le contre-plaqué de $1/4$ de pouce. Les piquets sont, au besoin, renforcés par des étais. Cordes bien tendues et niveau sont alors bien pratiques pour corriger toute ondulation latérale ou horizontale des coffrages.

On doit prévoir un dénivellement de $1/4$ de pouce au pied, dans le sens de la largeur ou de la longueur, pour permettre un bon égouttement. La pente ne doit jamais être inclinée du côté des bâtiments.

Arrosage

Avant de mettre le béton en place, on arrose modérément le sol s'il est sec. Ceci empêche la terre d'absorber trop rapidement l'eau du béton et de provoquer des décolorations et, pire encore, un séchage prématuré qui affaiblirait la résistance. Les coffrages sont également arrosés ou enduits d'huile.

On peut dès maintenant installer des joints d'isolation là où la nouvelle surface entrera en contact avec des « obstacles » tels qu'une autre section, une colonne, un mur, des objets de métal, etc. Ces joints, destinés à compenser le jeu de la dilatation et de la contraction, sont fabriqués avec du carton asphalté ou polystyrène d'une épaisseur de $1/4$ à $1/2$ pouce. On recourt également au bois traité, mais le bois n'est pas un matériau inerte comme le polystyrène.

Le béton est mis en place le plus près possible de la position qu'il occupera de façon définitive. La pâte doit être bien tassée, le long des coffrages en utilisant une pelle ou même un bout de 2 × 4. Mais pas de râteau!

Les étapes essentielles

Si le béton a la consistance nécessaire et si l'on pilonne sans excès, il n'y a aucun danger d'expulser l'air entraîné.

Et maintenant la finition. Il vaudrait mieux à ce propos suivre toutes les étapes classiques recommandées par les techniciens du béton, mais il demeure possible de couper court les coins et d'obtenir tout de même un résultat satisfaisant.

Dans un cas comme dans l'autre, il ne faut pas toucher à la surface de béton lorsque l'eau de ressuage est remontée, ce qui se produit peu après la mise en place.

Avant que l'eau ne fasse son apparition, les étapes classiques prévoient:

1) Le régalage, c'est-à-dire le nivellement de la surface de béton avec le haut des coffrages. On se sert d'une règle spéciale ou d'un

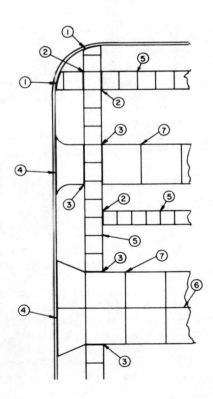

Ce dessin, préparé par l'Association ciment Portland, indique les divers endroits où des joints de contrôle et d'isolation doivent être pratiqués dans les trottoirs et entrées de garage: 1 — joint d'isolation entre trottoir et bordure; 2 — isolation aux points de rencontre de deux trottoirs; 3 — isolation aux jonctions trottoir-entrée de garage; 4 — isolation entre une bordure et une entrée de garage; 5 — joints de contrôle dans les trottoirs; 6 — joint de contrôle au centre d'une entrée de garage double; 7 — joints de contrôle à tous les 10 pieds dans les entrées de garage.

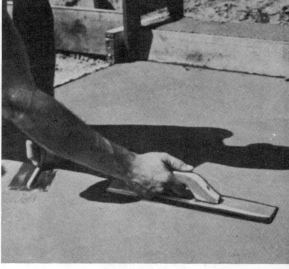

Ces photos représentent les deux étapes les plus importantes de la finition d'une surface de béton. En haut, une planche de régalage nivelle à la hauteur des coffrages le béton fraîchement coulé. La planche est déplacée lentement sur les coffrages en un mouvement de va-et-vient. En plus de refouler les pierres sous la surface, elle repousse devant elle le surplus de béton qui comble les cavités. En bas, la finition au bouclier qui ne doit être entreprise que lorsque l'eau s'est complètement retirée de la surface du béton.

167

2 × 4 auquel on imprime un mouvement de va-et-vient, comme une scie. Le béton de surplus, à l'avant de la règle, se dépose dans les parties creuses. On travaille une longueur de 30 pouces à la fois. On peut faire deux passes, mais il faut éviter de trop remuer la masse de béton.

2) L'aplanissage brut, au moyen d'un aplanissoir ordinaire (darby) ou à long manche (bull float) pour parfaire le nivellement.

Lorsque l'eau de ressuage est disparue de la surface et que l'on peut marcher sur le béton sans y enfoncer de plus de $1/4$ de pouce, on peut alors passer à:

A) Le façonnement des bordures et des joints de contrôle. Un instrument spécial pour les bordures permet d'arrondir l'arête vive de la surface, près des coffrages. Un autre instrument, appelé bouvet, guidé au moyen d'une planche droite, creuse des rainures qui doivent être profondes d'au moins un cinquième de l'épaisseur de la couche de béton.

Ça prend combien de béton?

Il est facile de calculer le volume du béton qui entrera dans un ouvrage tel qu'un trottoir ou un patio.

Supposons qu'il s'agisse de construire un trottoir de trois pieds sur 20, et d'une épaisseur de 4 pouces. On multiplie la longueur par la largeur, ce qui donne 60. Si le trottoir devait avoir un pied d'épaisseur, cela ferait 60 pieds cubes, mais comme il n'aura que quatre pouces (le tiers), alors on divise 60 par trois et on obtient 20, c'est-à-dire 20 pieds cubes. Si l'épaisseur devait être de trois pouces, on aurait divisé par quatre, et ainsi de suite. Il faut prévoir une perte d'environ 10 pour cent. De 20 pieds cubes, on passe ainsi à 22.

À partir du chiffre 22, on peut maintenant, si l'on se reporte aux formules citées antérieurement, déterminer les quantités exactes de chacun des ingrédients du béton.

Si l'on décide de fabriquer du béton à air entraîné, selon la méthode du poids, et d'utiliser des pierres concassées de $3/4$ de pouce, la formule indique qu'avec cette grosseur maximum d'agrégats, il faut, pour obtenir un pied cube de béton, 25 livres de ciment, 45 livres de sable et 62 livres de pierres.

Il n'y a plus qu'à multiplier chacun de ces chiffres par 22 (le nombre de pieds cubes requis) pour savoir qu'il faudra 550 livres de ciment, 990 livres de sable et 1,364 livres de pierres.

Un trottoir de béton à air entraîné, fabriqué selon la méthode du volume, devrait prendre sensiblement les mêmes quantités d'ingrédients.

Passez la commande!

Ces joints de contrôle, qui permettent de localiser les fissures ultérieures à des endroits précis, doivent être pratiqués à des intervalles équivalant à la largeur des trottoirs et entrées. Sur toutes les surfaces exposées aux intempéries, il doit y avoir un joint de contrôle à au moins tous les dix ou 15 pieds.

Il ne faut pas confondre les joints de contrôle ou de dilatation avec les joints décoratifs. Ces derniers ne sont là que pour le coup d'œil et ne s'enfoncent que très peu sous la surface.

B) L'aplanissage fin, qui vise à compacter la surface et à faire disparaître les imperfections, peut alors être entrepris au moyen d'un bouclier en bois (flotte) ou de métal. On conseille le bouclier en magnésium pour l'air entraîné. Au sujet du béton à air entraîné, il faut signaler qu'il n'y aura que très peu et peut-être même pas d'eau de ressuage en surface. L'attente est moins longue.

Le bricoleur qui ne tient pas à passer par toutes les phases classiques peut s'en tenir aux étapes no 1, A et B en omettant l'étape de l'aplanissoir.

Toutefois, s'il désire une surface bien polie (à déconseiller pour les trottoirs), il peut atteindre cette texture en se servant d'une truelle d'acier.

Pour rendre les surfaces moins glissantes, on les frotte avec des boucliers de bois ou de magnésium, ou encore avec des bandes de jute ou un balai.

Pour développer résistance, imperméabilité et durabilité maximum, le béton doit être maintenu constamment humide pendant une période de sept jours lorsque la température est inférieure à 20 degrés C, et de cinq jours, lorsqu'elle est au-dessus de 20 degrés.

C'est entre 10 et 15 degrés que le béton développe le plus de force. Au-dessous de 10 degrés, le mûrissement ne se fait que très lentement.

Afin que le béton demeure humide, on peut l'arroser, le protéger avec des feuilles de plastique, des toiles et couvertures imbibées d'eau et, enfin, on laisse les coffrages en place le plus longtemps possible.

Préparation du sol et coffrages

Pour assurer longue vie et bonne apparence aux surfaces de béton (trottoirs, entrées de garage) destinées à compléter l'aménagement du terrain, il faut se montrer attentif aux travaux préliminaires de préparation du sol et d'installation des coffrages.

Une omission grave à ce stade initial peut rendre inutile tout le travail ultérieur et peut provoquer plus tard l'enfoncement et le bris des dalles, même si le béton est de qualité supérieure.

La première tâche consiste à délimiter avec des cordes et piquets solides (fichés plus loin que les bouts de piste) l'emplacement de la future surface de béton. Il faut prévoir l'espace nécessaire aux coffrages. Dans le cas des trottoirs et entrées, ces coffrages sont fort simples: des planches ou des madriers droits.

Les cordes sont disposées parfaitement à l'horizontale. À défaut d'un instrument perfectionné d'arpentage, on se sert d'un petit niveau à bulle peu coûteux (photo 10). Si les cordes sont bien tendues, le petit niveau, conçu pour glisser facilement, permettra d'ajuster les cordes très rapidement.

Après avoir mis le niveau dans les deux sens, longitudinal et transversal, on se sert des cordes comme points de repère pour marquer les piquets à la hauteur qu'atteindra la surface de béton, compte tenu de l'épaisseur finale de la dalle, de la profondeur à laquelle elle descendra dans le sol et enfin, de la pente qu'elle décrira.

Les trottoirs et entrées de garage en béton ont, en règle générale, 4 pouces d'épaisseur et leur surface dépasse d'un pouce la pelouse qui les borde. Les entrées peuvent être inclinées jusqu'à $1/4$ de pouce au pied. Ainsi, une entrée de 30 pieds de longueur aura un dénivellement de $7^1/2$ pouces.

Les cordes sont relogées aux marques faites sur les piquets de coin. Tout dépendant de la nature du terrain, on peut mettre les coffrages en place dès ce stade, ou attendre après l'étape de préparation du sol. De toute façon, il est prudent d'enfoncer des piquets intermédiaires et de les marquer.

La terre sur laquelle le béton sera coulé est creusée (photo 1) jusqu'au niveau requis et est débarrassée de toutes matières organiques: gazon, racines, etc. La densité du lit est uniformisée en « attendrissant » les parties dures et en remplaçant les parties spongieuses soit par de la terre semblable au reste du lit, soit par du sable ou du gravier.

Bien que l'on puisse mettre le béton directement sur la terre qui aura été au préalable bien tassée, il est préférable d'étendre (photo 2) une couche de sable ou de gravier. Cette assise, d'une épaisseur maximum de 4 pouces et débordant d'un pied de chaque côté au-dessous des cordes, assurera un bon drainage sous le béton à la condition que

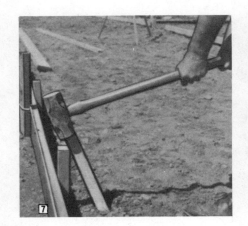

7

8

9

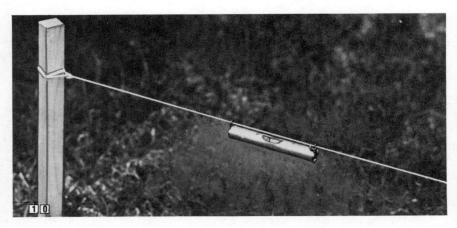

10

172

le sable ou le gravier, arrosés, soient damés solidement au moyen d'un pilon de fer (photo 3) ou d'un pilon de bois que l'on peut fabriquer avec deux bouts de madrier. L'écrasement du sol et de l'assise peut aussi se faire à l'aide de machineries industrielles qu'il est possible de louer et qui sont fort pratiques pour les grandes surfaces telles que les voies de garage.

Le dessin ci-dessous montre diverses coupes de coffrage dont on peut s'inspirer pour des dalles de 4, 5 ou 6 pouces d'épaisseur.

Pour maintenir les coffrages en position bien verticale, on utilise des piquets (du 1 × 2 jusqu'au 2 × 4) espacés de deux à quatre pieds (photo 4) le long des cordes, selon que les coffrages seront constitués de planches de ³/₄ de pouce d'épaisseur ou de madriers de deux pouces. Les piquets qui dépassent le haut des coffrages seront rabattus plus tard afin de ne pas nuire au travail de finition du béton.

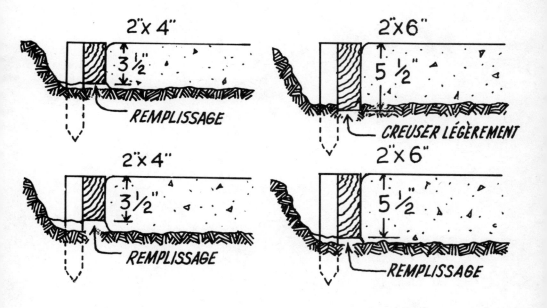

Les pièces de bois formant les coffrages doivent être droites, propres et blanchies au moins du côté où elles toucheront au béton. Les pièces de bois encore vertes risquent de tordre au cours des opérations, de sorte que les côtés de la surface de béton pourraient présenter des ondulations désagréables à l'œil. Par ailleurs, les pièces souillées pourraient communiquer au béton des couleurs inattendues et indésirables.

Le haut des coffrages est installé juste sous les cordes (photo 5). Les coffrages sont retenus par des clous que l'on enfonce depuis les

173

piquets (photo 6). On empêche les pièces de bouger en appuyant le pied sur le coffrage.

Si, pour une raison ou une autre, on craint que le béton n'écartèle les coffrages lors de sa mise en place, on étaie les piquets par d'autres que l'on enfonce en diagonale (photo 7) et que l'on relie, si nécessaire, avec des clous aux piquets de ligne.

Il ne reste plus maintenant, si tout s'est bien déroulé, qu'à mouiller uniformément et modérément le lit où sera coulé le béton. Le but de cet arrosage (photo 8) est d'empêcher la terre ou l'assise de sable et de gravier de boire trop goulûment l'eau du mélange de béton, et ainsi de l'affaiblir et de causer des décolorations.

On peut procéder (photo 9) à une ultime vérification de l'uniformité du lit puis, juste avant la mise en place du béton, la face interne des coffrages est mouillée ou enduite d'huile, afin de pouvoir démouler facilement plus tard.

174

Trottoirs et voies de garage

Avant d'entreprendre les travaux préliminaires de construction d'entrées de garage, d'escaliers extérieurs et de trottoirs à surface unie ou à courses et paliers multiples, la première précaution qui s'impose est de s'informer des règlements municipaux.

On peut ainsi prévenir bien des embêtements. Les règlements, là où il y en a, peuvent porter, entre autres, sur la pente et la largeur des entrées et trottoirs, selon qu'il s'agit de voies principales ou secondaires desservant des habitations comptant un ou plusieurs logements.

Même si la municipalité où l'on habite n'a pas de règlements spéciaux concernant la construction, il sera avantageux de courir aux renseignements notamment si la rue où aboutiront entrées et trottoirs n'a pas reçu son revêtement définitif. On ne va pas se lancer dans des travaux coûteux sans savoir quel niveau la rue (et le trottoir qui la bordera peut-être) aura finalement.

Une fois au courant des règlements et autres renseignements pertinents, on fait le tracé des entrées et trottoirs en tenant compte de divers facteurs tels que l'aménagement global du terrain, l'entretien, la nature du sol, etc. Ainsi, dans la mesure du possible, on doit éviter de construire un trottoir qui serait à cheval sur le tuyau d'amenée d'eau potable ou de la ligne que suit dans le sol le conduit d'évacuation des eaux.

Si jamais ces tuyaux devaient être réparés ou remplacés, le trottoir en prendrait un joli coup! Mais lorsque les terrains sont bien restreints, on n'a pas toujours le choix et il faut parfois prendre des chances. Il est plus facile d'évaluer la situation lorsqu'on est bien renseigné.

Les trottoirs desservant les habitations peuvent avoir, selon leur degré d'utilisation, de deux à quatre pieds de largeur. Pour des raisons pratiques, un trottoir étroit doit être élargi là où il aboutit à une porte extérieure, de sorte que la personne qui entre ou sort ne soit pas obligée de piétiner le gazon ou la terre.

Les trottoirs fabriqués de béton doivent avoir une épaisseur de quatre pouces. Le béton est coulé sur une terre non remuée ou un lit de gravier et de sable compacté.

Si la pente conduisant de la rue à la maison est accentuée, on évite de construire un trottoir à forte inclinaison où l'on risquera de se casser quelque chose pendant l'hiver. Mieux vaut ériger un escalier avec volée normale, quelque part dans le talus, ou décomposer la pente au moyen d'un trottoir à courses ou paliers multiples (voir dessins et tableau p. 176) s'élevant d'une ou deux marches à la fois.

Le tableau qui accompagne les dessins de trottoirs à paliers indique quelle pente on peut donner à chacun de ces paliers ou courses. Interrogé à ce sujet, un spécialiste des techniques du béton signale

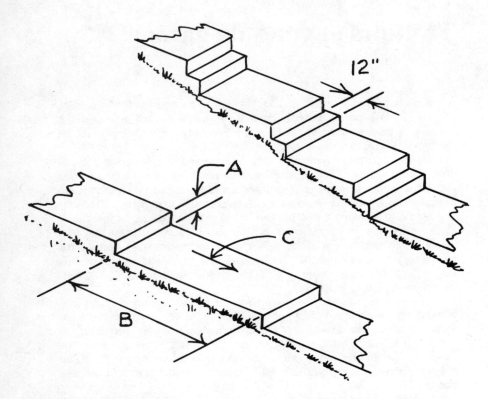

	MARCHES DOUBLES		MARCHES SIMPLES	
	Minimum	Maximum	Minimum	Maximum
Montée (A)	4''	6''	4''	6''
Longueur-course (B) 1	3'0''	8'0''	5'6''	5'6''
Pente-course (C) 2	$^1/_8$'' au pied	$^1/_4$'' au pied	$^1/_8$'' au pied	$^1/_4$'' au pied

1- Longueur facultative. Les dimensions suggérées prévoient une ou trois foulées entre les marches doubles et deux foulées entre les marches simples.

2- Pour éviter les glissades en hiver, on peut construire les courses de niveau.

que la pente suggérée peut convenir fort bien à bon nombre de régions des États-Unis (les calculs sont en effet d'orig ne américaine), mais que s'il devait construire pour lui-même un trottoir de ce genre, il ne donnerait aucune pente aux courses, afin de minimiser les risques de glissade en hiver. À moins, bien entendu, que les règlements municipaux n'exigent que le trottoir ait une pente quelconque!

Le spécialiste explique que même dépourvu de pente, un trottoir à paliers multiples, qui ne présente que des surfaces peu considérables, peut s'égoutter très facilement pourvu que rien sur les côtés ne fasse obstacle à l'écoulement de l'eau.

Il en est autrement des entrées aboutissant à des garages aménagés en surface ou au sous-sol. Comme il s'agit de surfaces relativement larges et parfois très longues, il faut prévoir un égouttement longitudinal ou transversal, et parfois dans les deux sens.

Trois dessins (voir plus bas) montrent des coupes d'entrées de béton indiquant trois façons d'assurer un bon égouttement. En plus de se purger de l'eau soit sur un ou deux côtés, soit en plein centre, l'entrée peut présenter une élévation qui ne doit cependant pas dépasser 14 pour cent ou $1^3/_4$ de pouce par pied de longueur.

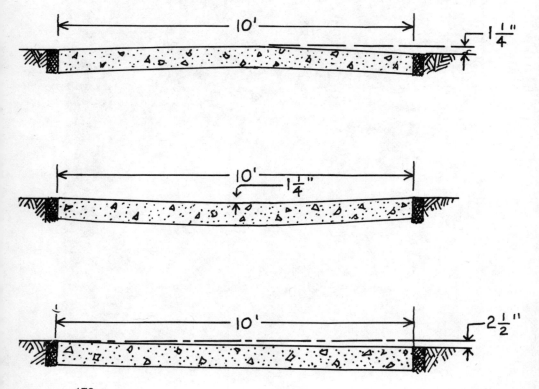

L'aménagement de la pente doit être conçu de façon à éviter que les voitures (voir dessins) ne « s'étripent » sur une surface trop bombée ou ne tapent du derrière à la jonction des angles décrits par l'entrée et la rue. C'est particulièrement important de ne pas faire d'erreurs de calcul notamment si la voiture sert fréquemment à tirer une ou des remorques.

Une précaution supplémentaire s'impose pour les entrées de garage en sous-sol. Le drainage doit être impeccable et la grille d'évacuation de l'eau, à l'entrée du garage, ne doit en aucun temps être obstruée.

Un drainage insuffisant peut entraîner une inondation miniature dans le garage, ou encore le coincement de la porte par la glace ou par le soulèvement des fondations dérangées par le gel.

Une épaisseur de 4 pouces de béton est généralement suffisante pour les entrées de garage des habitations, mais si l'on prévoit la présence de temps à autre de véhicules lourds, il est plus prudent alors de couler une couche de 5 à 6 pouces. La largeur recommandée pour les entrées est de 10 à 14 pieds pour une seule voiture et de 16 à 24 pieds, si deux voitures y seront garées côte à côte.

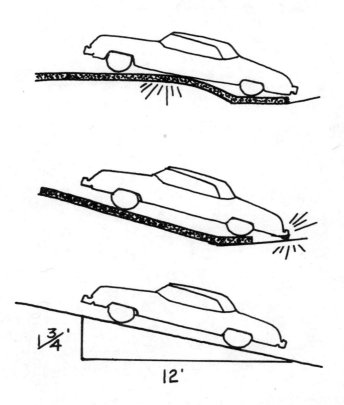

La construction d'un perron

La fabrication d'un petit perron de béton est à la portée de tout bricoleur qui sait manier le moindrement l'égoïne et le marteau et qui ne
prend pas peur à la seule pensée que le malaxage et la mise en place
du béton peuvent lui coûter quelques gouttes de sueur!

Les perrons qui comportent deux marches et plus doivent reposer
sur des fondations, d'une épaisseur minimum de 6 pouces, qui s'enfoncent à environ quatre pieds sous terre, au-delà de la ligne de gel.
Les fondations peuvent être construites de béton solide ou de blocs de
béton. Elles peuvent aussi consister en piliers de 6 à 8 pouces de
diamètre.

Deux piliers sous la marche inférieure d'un petit perron suffiront à
l'empêcher de sombrer dans le sol. Les piliers ne nécessitent aucun
coffrage et sont coulés dans des trous creusés dans la terre.

Du côté de la maison, le haut du perron est « accroché » au(x) mur(s)
par au moins deux ancrages de métal qui font projection à travers le
joint d'isolation, à la jonction du perron et de la maison.

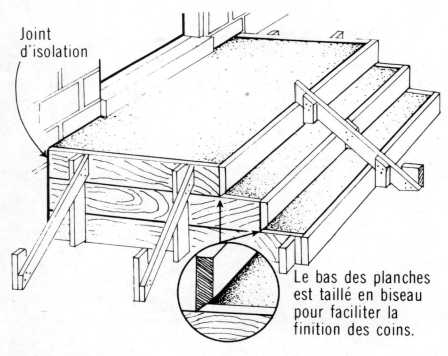

Joint
d'isolation

Le bas des planches
est taillé en biseau
pour faciliter la
finition des coins.

Les marches doivent avoir une profondeur d'au moins 11 à 12 pouces. Quant aux contremarches, leur hauteur ne doit pas excéder 7¹/₂ pouces.

Après avoir délimité avec soin l'emplacement du perron, on aménage, selon les besoins, des piliers ou des fondations à affleurement avec le sol.

Pour ne pas engloutir dans le perron plus de béton qu'il n'est vraiment nécessaire, on utilise des matériaux solides de remplissage (photo 3) qui sont empilés de façon à ce qu'il y ait un minimum de quatre pouces de béton au-dessus et sur les côtés. Si l'on préfère, on peut ne procéder au remplissage qu'après la construction des coffrages.

En l'absence de matériaux de remplissage, on laisse un vide sous le perron en fabriquant une boîte de bois, aux reins solides, par-dessus laquelle on coulera le béton. Si la boîte doit demeurer enfouie dans le perron, on l'entoure d'une membrane de polyéthylène et on coule une couche de 4 pouces sur le dessus et les côtés. En l'absence de pellicule imperméable, la boîte devra être enrobée d'une couche de 6 pouces afin d'empêcher le bois d'absorber l'humidité du béton et de provoquer, en se gonflant, des fissures dans la surface du béton.

Les côtés des coffrages sont fabriqués de contre-plaqué, de carton-fibre, de planches ou de madriers étayés par de solides piquets. Si le

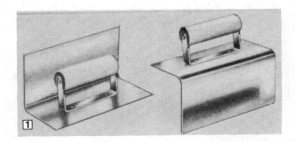

1

2

perron est relativement large, on utilise du madrier de 2 pouces pour délimiter les marches. Le madrier résistera mieux que la planche à la poussée du béton.

Les pièces sont mises de niveau (photo 4) horizontalement. L'arrière de la marche peut être légèrement plus élevé (environ $1/8$ de pouce) que l'avant. Pour permettre aux outils de finition d'accomplir facilement leur tâche, le bas des planches ou des madriers marquant les paliers est chanfreiné. Ces planches ou ces madriers sont retenus fermement entre eux par des entretoises (photo 5).

Les coffrages sont huilés puis l'on passe à la mise en place du béton qui doit être de résistance semblable à celui servant à la fabrication des trottoirs, entrées de garage et patios.

Le béton est coulé depuis le bas des coffrages, à l'avant, jusqu'au sommet, à l'arrière. Le béton doit être bien tassé le long des coffrages afin de n'avoir que le moins possible de poches d'air à combler lors de la finition.

Le béton est nivelé aux divers paliers et, si le perron est d'assez grandes dimensions, on recourt à un « darby » pour aplanir la surface. On évite ainsi d'y marcher inutilement. Le « darby » (photo 6) peut être fabriqué de deux planches. Celle du bas, qui sert de truelle, mesure de 40 à 60 pouces de longueur sur 3 à 4 pouces de largeur. La planche servant de manche peut être taillée plus longue, si nécessaire.

Après cet aplanissage brut, on attend que l'eau ait disparu de la surface du béton pour passer à l'aplanissage fin qui se fait au moyen d'un bouclier en bois ou en magnésium (pour le béton à air entraîné). Ces boucliers laissent une surface antidérapante que l'on peut accentuer en brossant le béton avec de la jute ou un balai.

Le bord et le fond des marches sont ensuite arrondis à l'aide d'outils à bordure (photo 1). Les coffrages sont laissés en place pendant au moins cinq jours, après quoi on procède avec soin au démoulage (photo 7) puis, s'il y a lieu, au remplissage des trous (photo 8) avec un mortier raide dont les proportions de ciment et de sable correspondent à celles du mélange de béton. On complète le perron avec une ou des rampes retenues par des ancrages.

Un patio bien conçu

Un patio bien conçu et bien construit ajoute beaucoup au charme et à la valeur d'une habitation. Bien que notre climat en restreigne forcément l'utilisation, il reste néanmoins suffisamment de beaux jours pour justifier les dépenses et les efforts requis pour ajouter ce pratique complément à la propriété. Et le patio présente un avantage non négligeable pour certains: moins de pelouse à tondre!

Le patio constitue un prolongement de la maison et on doit le concevoir de façon à l'adapter à la fois au décor et aux habitudes de la famille. Ainsi, avant d'arrêter son choix sur un dessin quelconque, il faut tenir compte de divers facteurs: l'exposition au soleil, le degré d'intimité que l'on veut conserver, l'utilisation d'un barbecue mobile ou la construction éventuelle d'un foyer extérieur, la possibilité de border le patio de fleurs, d'arbustes, de grillages, de clôtures ou de murs, ou encore de le surmonter plus tard d'un toit de vinyle ou de fibre de verre qui constituera un abri efficace contre la pluie et les rayons trop ardents du soleil. Les dimensions du patio doivent être ajustées au mobilier qu'on prévoit y placer et surtout, au nombre de personnes qu'il est susceptible d'accueillir.

Puis, on passe au dessin que l'on peut effectuer à l'échelle sur du papier quadrillé. Si l'on préfère, on peut travailler « nature » sur le terrain en se servant de piquets, de planches et de boyaux pour marquer le contour du patio.

Le patio peut être construit de divers matériaux. Le béton est l'un des plus communément utilisés parce qu'il ne nécessite aucun entretien lorsqu'il a été fabriqué avec soin. Le béton se prête à peu près à toutes les formes imaginables, peut recevoir diverses finitions et se marie très bien avec le bois.

Les dessins ci-après fournissent toutes les données nécessaires concernant le genre et l'espacement des joints dans un patio coulé d'une seule pièce. On y trouve également la façon de construire des coffrages aux courbes plus ou moins prononcées.

Les travaux préliminaires (délimitation du patio, préparation du sol avec assise de sable et gravier ainsi que la mise en place des coffrages) peuvent être faits par un homme seul.

Que le patio soit grand ou petit, il faut prévoir une dalle de béton de 4 pouces d'épaisseur à laquelle on donnera une pente de $1/4$ de pouce au pied. De même que dans le cas des entrées de garage et autres surfaces extérieures, la pente ne doit jamais être inclinée du côté de la maison mais toujours dans le sens opposé, pour éloigner l'eau des fondations.

La deuxième étape, le malaxage du béton, est une autre affaire!

Si le patio monopièce est de dimensions considérables, le bricoleur fera bien d'y penser à deux fois avant d'entreprendre lui-même la préparation du béton. À moins d'avoir à sa disposition une bétonnière suffisamment grande et de pouvoir compter sur un bon nombre d'assistants qui mettront la main à la pâte plus souvent qu'au verre, il vaut mieux alors acheter le béton d'une entreprise spécialisée.

Mais là encore, le bricoleur fera bien de compter sur au moins deux ou trois personnes qui seront là à temps pour l'aider à effectuer la finition de la surface du patio. À ce propos, il faut signaler que s'il n'est pas bon de « tapoter » le béton trop hâtivement, il n'est pas meilleur de lui taper dessus à tour de bras lorsqu'il aura commencé à faire prise.

En passant la commande de béton à une entreprise de livraison de béton prémélangé, fournissez tous les détails nécessaires au personnel qui pourra vous conseiller utilement.

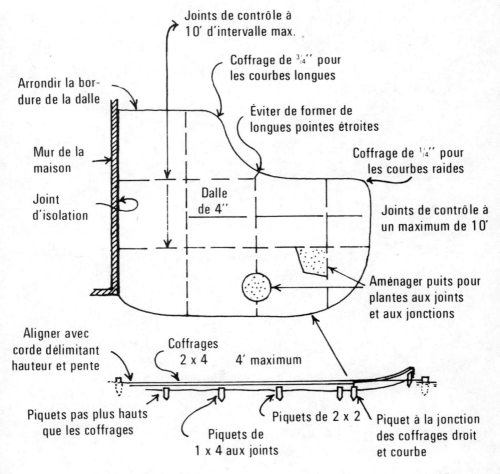

Joints de contrôle à 10' d'intervalle max.

Coffrage de ³/₄'' pour les courbes longues

Éviter de former de longues pointes étroites

Arrondir la bordure de la dalle

Mur de la maison

Coffrage de ¹/₄'' pour les courbes raides

Joint d'isolation

Dalle de 4''

Joints de contrôle à un maximum de 10'

Aménager puits pour plantes aux joints et aux jonctions

Aligner avec corde délimitant hauteur et pente

Coffrages 2 x 4   4' maximum

Piquets pas plus hauts que les coffrages

Piquets de 2 x 2

Piquet à la jonction des coffrages droit et courbe

Piquets de 1 x 4 aux joints

Si vous voulez un patio qui saura résister au temps, alors suivez les recommandations 'des spécialistes et exigez un béton de très haute résistance, c'est-à-dire du béton de 4,500 livres, contenant six pour cent d'air entraîné, avec pierres d'une grosseur maximum de $3/4$ de pouce, et dont l'affaissement ne dépassera pas trois pouces. Un tel béton ne coûtera pas beaucoup plus qu'un béton plus commun qui pourrait vite vous faire regretter votre fausse économie.

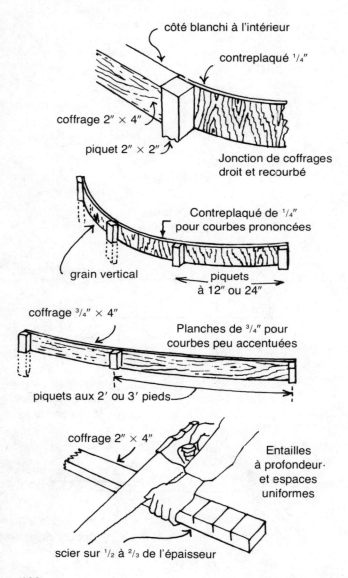

côté blanchi à l'intérieur

contreplaqué $1/4''$

coffrage $2'' \times 4''$

piquet $2'' \times 2''$

Jonction de coffrages droit et recourbé

Contreplaqué de $1/4''$ pour courbes prononcées

grain vertical

piquets à 12'' ou 24''

coffrage $3/4'' \times 4''$

Planches de $3/4''$ pour courbes peu accentuées

piquets aux 2' ou 3' pieds

coffrage $2'' \times 4''$

Entailles à profondeur et espaces uniformes

scier sur $1/2$ à $2/3$ de l'épaisseur

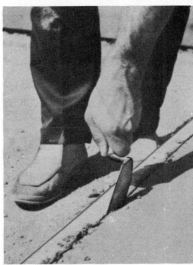

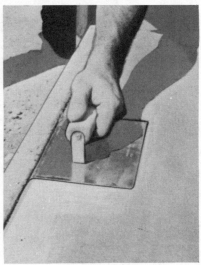

Pour faire une bordure, on commence par dégager le coin à la truelle.

L'outil à bordure laisse un coin arrondi, moins sujet au bris.

Les dalles de béton

Les dalles de béton de dimensions restreintes et de poids relativement léger permettent un aménagement extrêmement souple des terrains.

Le bricoleur peut recourir à des dalles préfabriquées comme il peut mouler lui-même ses propres dalles, s'il trouve que le jeu en vaut la chandelle ou encore s'il est à la recherche d'effets spéciaux au moyen de finitions ou de motifs de sa propre invention.

À l'encontre des grandes surfaces de béton coulé qui commandent toute une série d'opérations diverses dans un horaire tout de même assez rigide, les dalles de béton offrent la possibilité de choisir son rythme de travail. On peut en poser une ou 50 par jour, selon ses capacités et ses loisirs.

Avec des petites dalles, le bricoleur est en mesure d'aménager patios, trottoirs, entrées, bordures de piscines, etc., dont il peut modifier à volonté les proportions. Au gré de ses besoins et caprices, il peut tout chambarder et déménager les dalles sur son terrain ou ailleurs.

Pour celui qui n'arrive pas à se faire une idée précise de l'aménagement définitif de son terrain, de même que pour celui qui se réserve le droit de changer d'idée, sans qu'il lui en coûte trop cher, les dalles de béton sont ce qu'il y a de plus pratique.

Les dalles préfabriquées sont vendues en diverses largeurs et longueurs et, en règle générale, mesurent deux pouces d'épaisseur. Elles sont offertes dans un éventail limité de couleurs et de finitions.

Le bricoleur qui tient à donner une touche personnelle à tout ce qu'il entreprend peut fabriquer facilement ses propres dalles en les produisant en série dans un moule du genre de celui dont on voit ici le dessin ou encore en les coulant une à une, sans se presser, dans un moule plus petit.

Et tout en maintenant à zéro les frais de main-d'œuvre, le bricoleur a le loisir de donner à ses dalles les formes les plus fantaisistes (pourvu que finalement elles puissent s'assembler) et de jouer à l'infini avec les motifs et les couleurs. Il n'a pas de limites... ou presque.

Il faut cependant se méfier de sa propre imagination et ne pas se lancer à l'aveuglette dans une production éperdue de dalles qui seraient trop lourdes pour être déplacées facilement. À ce propos, il serait bon de s'inspirer des dimensions des dalles préfabriquées qui sont offertes pour la plupart en éléments de 18 × 18, 18 × 24 et 24 × 24 (pouces).

On évitera des déceptions en coulant un prototype qui fournira ainsi d'utiles renseignements sur le poids des dalles et la capacité physique de l'entrepreneur improvisé.

Il va sans dire qu'il faut utiliser un béton de très grande résistance pour obtenir des dalles de longévité satisfaisante.

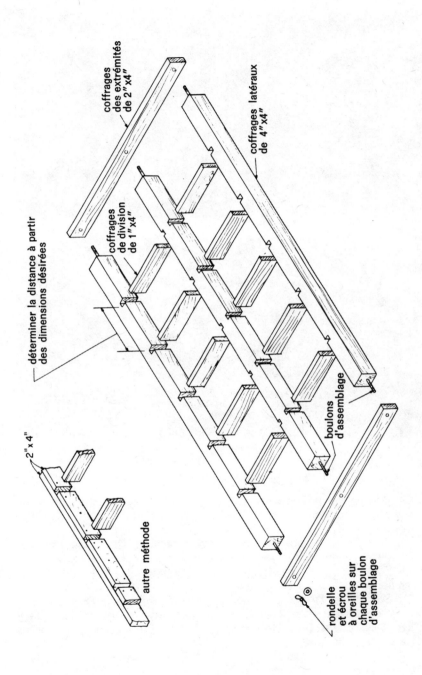

coffrages des extrémités de 2"x4"

coffrages latéraux de 4"x4"

coffrages de division de 1"x4"

déterminer la distance à partir des dimensions désirées

boulons d'assemblage

2" x 4"

autre méthode

rondelle et écrou à oreilles sur chaque boulon d'assemblage

189

Les dalles, peu importe leur forme, auront meilleure allure si, en cours de fabrication, on prend soin d'en arrondir les bords à l'aide d'un outil à bordure.

La méthode de pose des dalles est la même, qu'il s'agisse d'installer un patio ou un trottoir de modèle conventionnel ou de modèle sophistiqué.

Avec cordes et piquets, on délimite, grandeur nature, sur le terrain même, le contour de ce que l'on veut aménager. S'il y a du gazon, on l'enlève (photo 1) et on creuse la terre suffisamment pour y admettre un lit de deux à trois pouces de sable ainsi que les dalles. La surface des dalles doit faire une légère projection (environ un pouce) au-dessus du terrain avoisinant.

Après avoir compacté la terre puis le lit de sable qui aura été humecté, on dispose des planches ou madriers (photo 2) qui permettront de

mettre le niveau et de donner à la surface une pente d'égouttement de ¼ de pouce au pied.

Au moyen d'une longue pièce de bois bien droite, on nivelle la surface du lit de sable (photo 3) puis, après avoir enlevé les planches ou madriers-guides, on procède à l'installation des dalles en commençant par un coin (photo 4).

En prenant soin de ne pas marcher sur le lit de sable, la pose des autres dalles (photo 5) ne présentera aucune difficulté particulière.

Les dalles sont espacées en tous sens de ¼ à ½ pouce. Une fois la pose terminée, les joints sont remplis avec du sable que l'on balaie à la surface des dalles.

On gardera la surface propre en recourant à un herbicide, si jamais le besoin s'en fait sentir.

Dessin de motifs dans le béton

Il n'est pas nécessaire que les surfaces de béton fassent obligatoirement grise mine.

On n'a qu'à se rendre compte de l'utilisation que l'on fait, aujourd'hui, du béton dans les édifices publics et les œuvres de génie pour constater que ce matériau se prête à de multiples finitions qui en rehaussent l'apparence sans rien enlever à son caractère utilitaire.

Sans recourir à des coffrages compliqués pour modeler dans le béton cannelures et reliefs aux motifs abstraits ou figuratifs, le bricoleur le moindrement patient et adroit pourra atteindre des résultats satisfaisants en s'inspirant des modes de finition suggérés dans ce chapitre et le suivant.

Ces finitions ne présentent à peu près aucune difficulté d'exécution. L'imagination aidant, le bricoleur peut créer lui-même ses propres dessins qui, selon son goût, peuvent parcourir toute la gamme, depuis la facture esthétique jusqu'au cocasse.

Le béton se travaille aisément lorsqu'il est encore malléable, mais il faut se garder de bousculer les étapes. Qu'il s'agisse de pratiquer des rainures ou de donner un fini rugueux, il faut attendre que l'eau de ressuage ait disparu de la surface du béton après les phases initiales de nivellement et d'aplanissage brut, ce dernier étant généralement fait à l'aide d'un « darby ».

Pour imiter un dallage d'ardoise à la surface d'un trottoir, d'un sentier, d'une bande entourant une piscine ou d'un patio de béton, on utilise soit un outil pour tirer les joints dans les murs de maçonnerie, soit un bout de tuyau de cuivre recourbé, de $^1/_2$ à $^3/_4$ de pouce de diamètre.

Le dessin des « pierres » est tracé au jugé (photo 1) au moyen de l'instrument, de façon à laisser des faux joints de $^3/_4$ de pouce à un pouce de largeur sur environ $^3/_8$ de pouce de profondeur. L'outil creuse son chemin en enfonçant les agrégats (pierres, gravier) qui affleurent la surface.

Le façonnement des faux joints laissera fatalement des bavures ici et là. On peut aplanir de nouveau et passer une autre fois l'outil dans les rainures pour que le fond en soit bien lisse. Puis, la surface est adoucie à la truelle (photo 2). Pour que le béton ne soit pas trop glissant, on le brosse légèrement avec un balai, lorsque le mélange a fait suffisamment prise. Pour que les joints aient une allure bien propre et pour arrondir les arêtes des « pierres » on recourt à un pinceau souple (photo 3).

Si l'on n'a jamais fait ce genre de travail d'imitation et que l'on n'est pas trop sûr de la réussite, il vaut mieux, la première fois, se faire la main sur une surface restreinte (une petite dalle isolée, par exemple) afin de déterminer jusqu'à quel point, il peut y avoir concordance entre la rapidité d'exécution des faux joints et la prise du béton. C'est important, parce qu'il ne faut jamais utiliser d'eau pour ramollir le béton en cours de finition. L'eau affaiblirait la surface qui aura tôt fait de s'écailler ou de se désagréger.

L'imitation du dallage se rapprochera du réel si l'on saupoudre à la surface des oxydes qui coloreront le béton. Toutefois, que le béton soit laissé nature ou qu'il soit coloré, l'imitation n'aura peut-être jamais la chaleur d'un authentique dallage d'ardoise, mais le béton est beaucoup moins coûteux, demande beaucoup moins de travail et, s'il est bien préparé, durera tout aussi longtemps.

Le béton à l'état plastique est susceptible de retenir toutes les empreintes que l'on fait à sa surface. Sur la photo no 4, un ouvrier presse sur le béton, au moyen d'une truelle d'acier, des feuilles qu'il a

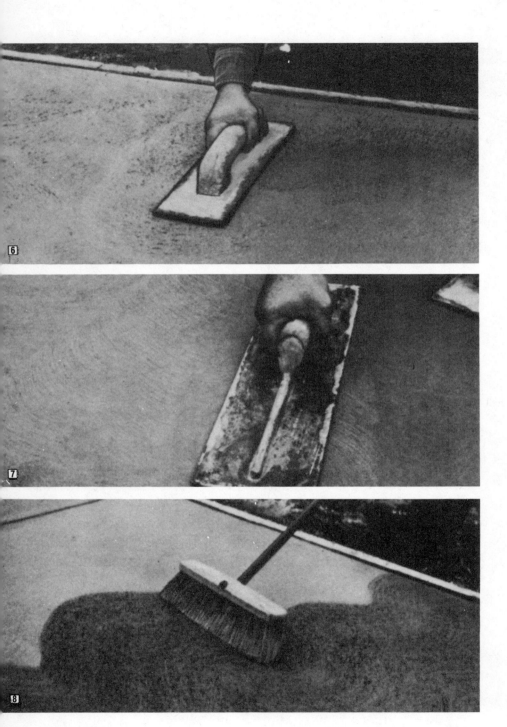

196

cueillies aux arbres avoisinants. Il ne faut pas que la truelle enfonce trop les feuilles ni le les déloge. Les feuilles sont enlevées lorsque le béton est devenu assez dur.

Sur la photo no 5, des empreintes circulaires sont laissées sur la surface lissée du béton par des boîtes de conserve de divers diamètres.

Selon l'effet désiré, on pourrait tout aussi bien se servir de boîtes carrées ou rectangulaires ou utiliser n'importe quel objet dont le motif répété donnera le cachet voulu à la surface de béton. À ce propos, il fut un temps où les grandes vedettes du cinéma américain laissaient ainsi l'empreinte de leurs mains (ou était-ce de leurs pieds?) dans le béton fraîchement coulé des trottoirs de Broadway.

Si une surface plutôt unie est tout ce que l'on recherche, on peut tout de même effectuer facilement une certaine décoration en pratiquant un mouvement en éventail à l'aide d'une truelle en aluminium où en magnésium (photo 6). Le grain de « l'éventail » sera moins grossier s'il est effectué avec une truelle d'acier (photo 7). Dans les deux cas, la surface sera antidérapante.

On peut obtenir un autre effet en recourant à un balai à poils raides pour faire des stries droites en travers de la surface ou exécuter, comme sur la photo no 8, un motif de vagues.

Pierres incrustées

Les surfaces de béton incrustées de pierres arrondies sont d'un charme rustique auquel bien peu demeurent insensibles.

Ce mode de finition rehausse l'apparence de toutes les surfaces planes en béton et il donne un effet particulièrement saisissant lorsque le béton est intercalé entre des cadres de bois foncé (dans le cas des patios) ou qu'il est coulé en dalles de formes irrégulières comme celles de l'allée que l'on voit sur la photo en page 202. Les dalles, ceinturées de gazon, font parfaitement corps avec le paysage.

Pour exécuter cette joaillerie du béton, on utilise du gravier coloré (pas de la pierre concassée aux arêtes vives) ou ce que l'on appelle communément de la pierre des champs. Les pierres des champs sont de textures et de couleurs variées et sont résistantes au gel. On peut tirer profit du coloris et de la dimension des pierres pour créer des motifs.

Les surfaces à agrégats exposés (c'est ainsi qu'on les désigne en termes de métier) sont non seulement agréables à l'œil mais également très pratiques. Elles sont en effet antidérapantes et d'une grande durabilité.

Il existe diverses méthodes pour réaliser ce genre de finition, mais celle qui est décrite ci-après est la plus courante et la plus facile.

Dans cette méthode, que l'on pourrait appeler d'« ensemencement », le gravier ou la pierre des champs n'est ajouté qu'en cours d'opération.

On prépare tout d'abord une dalle de façon conventionnelle en ayant soin toutefois de niveler la surface du béton (photo 1) de $3/8$ à $1/2$ pouce plus bas que le sommet des coffrages. On laisse ainsi la place voulue aux agrégats qui seront additionnés plus tard.

On passe ensuite à l'aplanissage brut avec le « darby » et on procède à l'ensemencement qui consiste (photo 2) à répandre uniformément, à la pelle ou à la main, du gravier ou des pierres sur la surface du béton.

Le gravier coloré qui est recommandé pour ce genre de travail doit être de grosseur uniforme et mesurer de $1/2$ à $3/4$ de pouce. Si l'on a recours à des pierres des champs passablement grosses, d'une épaisseur de trois pouces par exemple, une simple dalle de béton de 4 pouces d'épaisseur ne suffira pas. Il faudra tout d'abord couler une assise de béton de $2^1/2$ à 3 pouces d'épaisseur puis la couche de surface (4 pouces) dans laquelle les pierres seront logées.

Les agrégats, gravier ou pierres, sont enfoncés au moyen d'un « darby » ou d'une planche de bois (photo 3) de façon à ce que le béton les recouvre très légèrement. Puis la surface est de nouveau nivelée (photo 4) avec un « darby » ou une truelle.

Si le travail est entrepris sur une grande surface par une température

3

4

très chaude, il sera prudent de retarder la prise du béton au moyen de produits que l'on peut se procurer chez certains marchands et peut-être même chez les livreurs de béton prémélangé (Ready-Mix).

Au bout d'un certain temps, impossible à préciser, mais qui correspond au moment où le béton n'est pas marqué par le poids d'un homme monté sur un bout de planche, on entreprend de dénuder le haut des pierres à l'aide d'une brosse à poils raides en nylon (photo 5). C'est ici qu'il faut travailler avec une certaine délicatesse afin de ne pas déloger les agrégats ou de rompre la liaison avec le mélange de béton.

Enfin, la dernière étape: la surface est brossée et arrosée jusqu'à ce que l'eau soit claire. L'ouvrier (photo 6) utilise ici un balai spécial, mais on obtiendra un résultat tout aussi valable avec un simple boyau d'arrosage et la brosse de nylon déjà utilisée.

Pour avoir des fondations résistantes

Une bonne partie des difficultés qui tracassent les propriétaires est attribuable à la mauvaise qualité des murs de fondation de leur maison.

Tous les jours, on entend parler de fondations qui suintent, qui se fendillent, formant fissures et crevasses, quand elles ne se fracturent pas parfois depuis leur sommet jusqu'à la rigole qui les supporte, ouvrant ainsi la voie aux infiltrations d'eau et aux dégâts considérables que ces dernières peuvent entraîner.

Les dommages que peuvent causer de mauvaises fondations ne se limitent pas uniquement au sous-sol. Toute la charpente et, par voie de conséquence, les revêtements intérieur et extérieur peuvent se ressentir des faiblesses manifestées par les fondations.

Pour diverses raisons, il est naturel que la proportion des fondations défectueuses soit plus élevée dans les centres domiciliaires érigés au cours des dernières années que dans les vieux secteurs.

Il est normal que durant les mois suivant la construction, il se produise un certain tassement du sol autour des fondations d'une maison.

Ce qui n'est pas normal, cependant, c'est que les fondations « profitent » de ces circonstances pour se fissurer.

Les fractures de fondation de même que les infiltrations d'eau sont tellement courantes et les gens en parlent d'une telle façon qu'on peut se demander s'ils n'en sont pas arrivés à se résigner à ces difficultés comme si elles étaient absolument inévitables.

Normes trop basses

Et pourtant, il n'en est rien. Les constructeurs sont en mesure, de nos jours, d'ériger des murs de fondation capables de résister à l'épreuve normale du temps.

Ce qui se produit, c'est que les normes nationales relatives à la résistance du béton entrant dans les fondations sont très basses. Ainsi, le Code national du bâtiment n'exige, selon les spécialistes interrogés, qu'une résistance de 2,000 livres au pouce carré. Et d'après ces mêmes spécialistes, c'est nettement insuffisant. D'ailleurs, certaines villes, comme Montréal, conscientes de ce problème, exigent un minimum de 2,500 livres, comme c'est le cas aux États-Unis.

Même si une résistance de 2,500 livres représente une amélioration appréciable par rapport au niveau requis par la loi fédérale, ce n'est pas encore assez. Les spécialistes consultés sont unanimes à dire que c'est à partir d'une résistance de 3,000 livres que l'on commence à avoir vraiment un bon béton.

Si vous habitez une municipalité où, en l'absence de règlements spéciaux sur l'habitation, s'appliquent les normes fédérales, il y a grand risque que votre maison toute neuve ou celle que vous projetez de faire construire ait des fondations qui, tout en étant conformes à la loi, aient des faiblesses congénitales dont elles ne se remettront jamais.

Bien entendu, tous les constructeurs ne vous feront pas automatiquement l'offrande d'un béton à 2,000 livres, uniquement parce que la loi les y autorise. Il y a encore des gens consciencieux, mais c'est toujours bon de poser les questions quand il en est encore temps. Ça peut aider à prévenir bien des soucis ultérieurs.

Pas de croulant, du solide!

De bonnes fondations, qu'est-ce que ça coûte de plus? Quelques dollars seulement. Mais aujourd'hui, tout se fait à la chaîne, les maisons comme les voitures. Dans les localités où les règlements ne formulent pas d'exigences particulières sur la résistance du béton, la tentation doit être bien forte pour un constructeur qui entreprend la fabrication en série d'un grand nombre d'habitations de s'en tenir au strict minimum prévu par la loi fédérale.

Bien sûr, il n'y a qu'un écart de quelques dollars entre le coût de bonnes fondations et des mauvaises, mais si le constructeur met 200 maisons en chantier durant l'année et qu'il ménage quelques dollars sur le béton de chacune et s'organise de façon à économiser autant sur l'électricité, puis sur la plomberie et ainsi de suite, on peut facilement deviner le montant que ces accrocs à la bonne qualité peuvent représenter. Ces rognures ne sont pas nécessairement un profit net pour le constructeur, mais elles lui aident à faire face à la concurrence, et à vendre, sensiblement aux mêmes prix qu'il y a dix ans, alors qu'on sait que les coûts de la main-d'œuvre et des matériaux ont considérablement augmenté.

Les acheteurs éventuels qui visitent les maisons en construction jettent bien un coup d'œil à l'occasion sur les murs de fondation pour voir s'ils ont l'air solides et s'il n'y a pas de fissures. Il faudrait être drôlement connaisseur pour être en mesure de déceler, comme ça, d'un seul regard, si le béton est de bonne ou de mauvaise qualité. Quant aux fissures, elles ne se produisent pas généralement en cours de construction ou immédiatement après mais plutôt à la suite de la première saison de gel.

Pour être résistantes, les fondations doivent reposer sur une rigole (l'assise inférieure de la maison) d'une épaisseur minimum de six pouces et dépassant les fondations d'un minimum de quatre pouces de chaque côté. La rigole doit être coulée sur une terre qui n'a pas été remuée. Dans les sols instables, la rigole doit être absolument au-dessous de la ligne de gelée, c'est-à-dire à quatre pieds de profondeur.

Drainage et imperméabilisation sont deux étapes importantes à surveiller en plus des murs de fondation dont le béton, exposé aux cycles de gel et de dégel, doit contenir de l'air entraîné. Au sujet de l'air entraî-

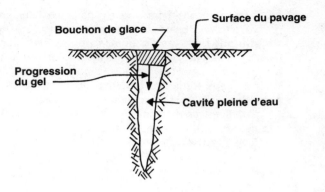

Bouchon de glace

Surface du pavage

Progression du gel

Cavité pleine d'eau

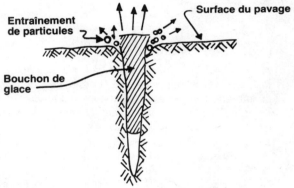

Entraînement de particules

Surface du pavage

Bouchon de glace

Ces dessins font voir, comme on pourrait l'observer au microscope, l'action de l'eau se transformant en glace sous l'épiderme d'un pavage de béton. La glace forme un bouchon qui fait éclater sur son pourtour des particules de béton. Le phénomène prendra de plus en plus d'ampleur jusqu'au jour où la surface sera littéralement « crevée ». Le dessin du bas montre comment les bulles d'air entraînées se compriment pour agir comme amortisseurs. Elles permettent à la glace de prendre une certaine expansion tout en réprimant toutefois ses tendances dévastatrices.

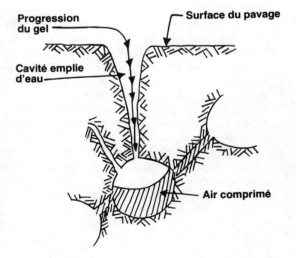

Progression du gel

Surface du pavage

Cavité emplie d'eau

Air comprimé

205

né, il faut dire que personne n'y perd. Le futur propriétaire est assuré, pourvu que son béton soit de bonne résistance, que les fondations ne s'effriteront pas, tandis que les entreprises de béton prémélangé (Ready Mix) ont tout intérêt à incorporer de l'air dans le béton. Ces entreprises achètent le ciment au poids tandis qu'elles le revendent au volume, sous forme de béton. L'air ayant gonflé la masse de béton, alors le volume s'en trouve augmenté d'autant.

Quant au constructeur, il n'est qu'un intermédiaire qui ne devrait pas hésiter à transmettre à l'acheteur le minime coût supplémentaire que représente un béton de bonne qualité.

Faut-il dire ciment ou béton?

Au Québec, on se sert généralement du mot ciment pour désigner ce qui, en réalité, doit s'appeler béton. Les gens connaissent en général la différence, mais c'est probablement une question d'habitude.

Le CIMENT est la poudre grise ou blanche, formée d'un mélange dosé de divers ingrédients et qui, soumise à l'action de l'eau, fait prise et durcit.

Le ciment, additionné de sable, de pierres et d'eau, constitue alors le BÉTON.

Le BÉTON ARMÉ est un béton dans lequel on a noyé des tiges ou des armatures métalliques pour lui donner plus de solidité.

Le ciment mélangé uniquement à du sable et à de l'eau devient du MORTIER.

Le ciment auquel on ajoute de la chaux ou des poudres calcaires, ainsi que du sable et de l'eau, se transforme alors en MORTIER À MAÇONNERIE.

Quand on parle de ciment, on réfère généralement au ciment « Portland ». Ce nom vient d'un maçon britannique, Joseph Aspdin, qui, en 1824, mit au point ce matériau qu'il appela ciment Portland parce qu'une fois durci. le matériau ressemblait aux pierres calcaires de l'île Portland. Au Canada, le premier ciment Portland a été fabriqué à Hull, en 1889.

L'Association Ciment Portland, selon sa propre définition, s'occupe de recherche scientifique, de développement de méthodes ou de produits nouveaux ou améliorés, de service technique, de promotion et d'éducation. L'association n'est propriétaire d'aucune cimenterie, mais est appuyée financièrement par les cimenteries canadiennes et américaines.

Une recette éprouvée

Et si vous commandez vous-même le béton des fondations de votre future demeure, vous ne regretterez pas de suivre les conseils des spécialistes. Et la recette qu'ils sont unanimes à recommander est celle qui a été éprouvée par l'Association Ciment Portland: *du béton d'une résistance de 3,000 livres au pouce carré, d'un affaissement maximum de trois pouces et contenant six pour cent d'air entraîné, avec vibration adéquate. Le mot affaissement sert à désigner la consistance du béton.*

Évidemment, il serait présomptueux d'affirmer qu'avec des fondations de béton résistant vous n'aurez jamais un seul problème. On n'est jamais tout à fait à l'abri des accidents de la nature: un fort tremblement de terre, par exemple. Mais une chose est sûre: avec de bonnes fondations, il y a tout un paquet de problèmes avec lesquels vous vous féliciterez toute votre vie de ne pas faire connaissance.

Une fois la maison érigée, vous voudrez sans doute avoir un trottoir, une entrée de garage, des dalles et un patio durables. Pour obtenir des surfaces résistantes, les spécialistes conseillent de recourir à un béton encore plus fort, c'est-à-dire d'une résistance de 4,500 livres, contenant six pour cent d'air entraîné, avec affaissement d'au plus trois pouces et des agrégats (pierres) d'une grosseur maximum de $^3/_4$ de pouce.

Les fondations en blocs de béton

Que ce soit pour ériger les fondations ou même les murs d'un garage, d'un atelier ou d'une habitation, le bricoleur qui n'en a jamais fait l'expérience découvrira avec satisfaction que le bloc de béton est vraiment un matériau taillé sur mesure pour lui.

Le bloc de béton est économique, n'exige pas de coffrages longs et coûteux à construire, non plus que de main-d'œuvre supplémentaire. On peut assembler dix blocs ou cent blocs dans une journée sans que la solidité de l'ouvrage n'en soit touchée. Ainsi, on peut concevoir qu'un homme seul puisse, selon ses capacités physiques et financières, mettre deux ou trois mois (mais pas en période de gel) pour « monter » les fondations d'une maison moyenne. La seule précaution à prendre: recouvrir le dessus de la dernière rangée de blocs pour empêcher l'eau d'y pénétrer.

Les seuls coffrages nécessaires serviront à l'empattement, d'une résistance minimum de 3,000 livres, et qui, peu importe le terrain, doit être au moins deux fois plus large que les blocs qu'il supporte et d'une épaisseur égale à la largeur de ces blocs. Pour l'empattement comme pour le plancher d'un sous-sol, le bricoleur, à moins d'être d'une patience peu commune, devra faire appel à un service de livraison de béton prémélangé (Ready Mix).

Avant d'entreprendre un ouvrage important comme les fondations d'une maison et de décider s'il recourra à des blocs de 8, de 10 ou de 12 pouces, le constructeur solo fera bien de s'informer des règlements et lois en vigueur dans sa municipalité, des méthodes de construction

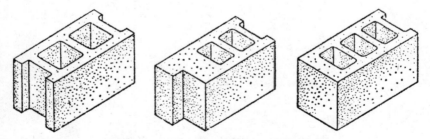

Ci-dessus, trois blocs d'usage courant dans la construction. Le bloc de gauche, à deux alvéoles (il y en a aussi à trois) est le bloc régulier de rangée. Au centre, le bloc en « L » sert à fermer les coins des murs de 10 et de 12 pouces. À droite, un bloc ordinaire de coin. Les blocs sont fabriqués en largeurs de 8, 10 et 12 pouces. Ils sont hauts de 8 pouces et larges de 16 pouces. Leurs dimensions réelles sont inférieures de ³/₈ de pouce, pour prévoir le joint de mortier.

qui ont fait leurs preuves dans sa région et, enfin, des exigences de la société dont il voudrait obtenir un prêt.

Une fois qu'il a obtenu ces renseignements, qu'il sait à quoi s'en tenir sur les dépenses à encourir et qu'il a déterminé le genre de fondations qu'il fera, selon la nature du terrain (voir le dessin des coupes de fondations), il peut alors se mettre à l'œuvre.

En prévoyant un joint de mortier de $^3/_8$ de pouce, il faut 8.5 pieds cubes de mortier et 113 blocs de 8 pouces sur 16 pouces par 100 pieds carrés de superficie des murs. Pour des dimensions restreintes, on peut calculer 18 blocs par 16 pieds carrés. Avant d'acheter, il faut déterminer le nombre de blocs réguliers, de blocs de coin et aussi de blocs en « L », s'il y a lieu. Pour les portes et fenêtres, il faut tenir compte des mesures modulaires afin de réduire au minimum la coupe des blocs.

Les blocs doivent être tenus au sec avant la pose. La première rangée est couchée sur un lit de mortier qui fait la pleine largeur des blocs. Pour les autres rangées, on ne met généralement du mortier que sur le haut des parois latérales des blocs. Pour les joints verticaux, on enduit de mortier les bouts de chacun des blocs. La partie la plus épaisse des parois est tournée vers le haut.

La première rangée en place, on érige les coins sur une hauteur de quatre à cinq blocs. Un grand niveau et une règle marquée à tous les 8 pouces sont absolument nécessaires. Une corde tendue entre les coins aidera à bien aligner les rangées. Chaque bloc doit tomber au centre du joint formé par les deux blocs de la rangée inférieure. Pour respecter ce chevauchement, il faut des blocs de coin en « L » dans les murs de 10 et de 12 pouces.

Chaque bloc est glissé à la verticale contre le bloc précédent. La poignée de la truelle peut servir à loger le bloc de niveau. L'alignement se fait pendant que le mortier est mou et plastique. Il ne faut absolument pas tenter de faire un ajustement quelconque une fois que le mortier aura durci ou commencé à faire prise, sinon la liaison sera rompue et il y aura risque, plus tard, d'infiltration d'eau.

Les fondations très longues ou encore situées dans des terres qui se drainent mal peuvent être renforcées par des pilastres et par des tiges métalliques. Les alvéoles traversées par les tiges sont remplies de mortier.

On remplit également de mortier les cavités des blocs de la rangée supérieure des murs de fondation. Le mortier est retenu par un treillis métallique étalé sous cette rangée. Des boulons d'ancrage, d'un demi-pouce de diamètre, sont disposés à une distance maximum de quatre pieds. Longs de 18 pouces, les boulons sont retenus dans les alvéoles remplies des blocs des deux dernières rangées. La partie filetée, non enfouie, servira, une fois le mortier séché, à retenir les lisses de bois de la charpente.

Les joints sont tirés à l'extérieur comme à l'intérieur des murs dès que le mortier a commencé à durcir. Un bout de tuyau de $^5/_8$ de pouce, recourbé, fera un beau joint concave.

La pose des blocs terminée, les murs de fondations sont rendus étanches, côté extérieur, par les enduits de mortier, de bitume ou de mastic mentionnés dans les dessins montrant les coupes de murs. Si l'on recourt aux enduits de mortier (même formule que celui utilisé pour la pose des blocs), on doit humecter la surface des murs. La première couche est striée afin de créer des points de rétention pour la deuxième couche qui est appliquée 24 heures plus tard, alors que la première couche est censée être demeurée encore humide. La deuxième couche doit être gardée humide pendant 48 heures. N'appliquez bitume et mastic qu'après séchage complet du mortier.

On ne procède au remblayage que lorsque le haut des murs de fondations aura été renforcé par l'installation du plancher, sinon il faudra étayer solidement les murs. Dans tous les cas, on doit tenir les machineries lourdes à l'écart des murs non appuyés.

SOL MAL DRAINÉ

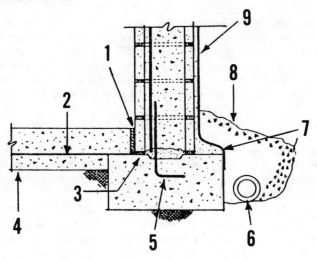

1 — joint de bitume; 2 — membrane hydrofuge (polyéthylène) entre la base de 2 pouces en béton maigre (4) et la dalle de plancher; 3 — lit de mortier pleine largeur. Ici, une clé (dépression) a été pratiquée dans l'empattement pour un meilleur ancrage; 5 — tige métallique reliant un minimum de deux blocs; 6 — drain; 7 — joint arrondi de l'enduit de mortier; 8 — remblai de 12 pouces d'épaisseur de gravier ou de pierre; 9 — deux couches de ¼ de pouce de mortier suivies de deux couches de bitume ou une couche de ¼ de pouce de mortier suivie d'une couche épaisse d'un enduit fibreux à base d'asphalte.

L'Association Ciment Portland et ses membres, qui ont collaboré à la vérification des données techniques pour ce chapitre et les précédents sur le béton, recommandent pour la fabrication d'un bon mortier pour blocs de ciment la formule suivante:

une partie de ciment à maçonnerie,

une demi-partie de ciment Portland,

$3^1/_2$ à $4^1/_2$ parties de sable et suffisamment

d'eau pour le rendre plastique.

On peut ajouter de l'eau au mortier qui a commencé à durcir par évaporation pourvu qu'on le fasse dans les deux heures et demie suivant le malaxage initial, si la température est de 27 degrés C ou plus, ou dans les trois heures et demie s'il fait moins de 27 degrés.

Incidemment, ce mortier peut être également utilisé, en deux couches, comme décrit précédemment, pour recouvrir les blocs de béton au-dessus de la surface du sol.

SOL ORDINAIRE

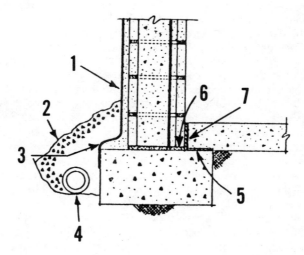

1 — à l'extérieur des blocs, enduit de deux couches de $^1/_4$ de pouce de mortier ou encore, d'une couche de $^1/_4$ de pouce suivie de deux couches de bitume ou d'une couche épaisse d'un mastic fibreux à base d'asphalte ou, troisième choix, une couche épaisse d'un mastic fibreux à base d'asphalte; 2 — remblai de 12 pouces d'épaisseur de gravier; 3 — l'enduit de mortier se termine en joint arrondi pour éloigner l'eau de l'empattement; 4 — drain; 5 — mince lit de sable ou de carton asphalté pour assurer le retrait normal du béton du plancher; 6 — lit de mortier à pleine largeur du bloc; 7 — joint en polystyrène de $^1/_4$ de pouce scellé avec un mastic à calfeutrage.

Les effets du gel

FONDATIONS ET PILIERS

Lorsque les murs de fondation d'un garage et que les piliers d'un abri-auto ou d'un chalet prennent appui, selon les règles de l'art, au-dessous du niveau de gel, on peut raisonnablement se croire à l'abri des multiples désagréments causés par les cycles de froid et de chaleur.

De même, lorsqu'on revêt les murs intérieurs d'un sous-sol d'une couche ultra-épaisse de matériaux isolants pour empêcher toute déperdition de chaleur, on peut penser que l'hiver ne pourra jamais rien déranger dans ce sanctuaire douillet et étanche. Mais ce n'est pas toujours ce qui se produit. Les forces de la nature sont à l'œuvre qui risquent de faire se volatiliser ce confortable sentiment de sécurité.

Divers problèmes surgissent auxquels il sera parfois très difficile d'apporter une solution durable. Ces problèmes — des lézardes dans les fondations, la dislocation des blocs de béton, les piliers qui jouent à saute-mouton — sont fréquemment causés par un phénomène dont on entend peu parler: la congélation adhérente.

Associée au soulèvement des sols sensibles au gel, tels que l'argile, la congélation adhérente peut avoir des effets vraiment désastreux notamment sur les garages et abris en annexe aux habitations, les garages au sous-sol et, en général, sur les bâtiments non chauffés.

La division des recherches sur le bâtiment du Conseil national de recherches du Canada a publié, sous les signatures de MM. E. Penner et K. N. Burn, une intéressante étude sur ce sujet.

Les auteurs proposent des solutions dont les bricoleurs et les propriétaires feraient bien de tenir compte dans les constructions qu'ils se proposent d'ériger ou de faire construire dans des sols susceptibles d'être remués par le gel.

La congélation adhérente se produit lorsque l'eau, transformée en glace, durcit le sol qui « colle » alors plus intimement aux fondations et piliers. Comme la glace occupe un volume plus considérable que l'eau, il s'ensuit une expansion qui se traduit le plus souvent par un soulèvement vers le haut de la couche gelée (voir dessin p. 215).

Cette pression vers le haut est transmise aux fondations et aux piliers, aux endroits où la couche gelée forme pour ainsi dire corps avec eux. Les fondations et les piliers ne peuvent alors résister au mouvement ascensionnel, à moins que le poids du bâtiment ou autres facteurs de résistance n'annulent cette poussée.

Pour diverses raisons (drainage, perte de chaleur par les murs de fondation dans le cas des sous-sols chauffés, exposition au soleil et aux vents, etc.), la congélation adhérente et le soulèvement du sol ne jouent pas nécessairement de la même façon sur tous les côtés des fondations. Ainsi, la congélation et le gonflement du sol peuvent se manifester sur les côtés nord et est tout en épargnant les deux autres côtés. Ça produit évidemment des tiraillements dont les fondations ne se tirent pas toujours indemnes.

Lorsque les éléments des murs de fondation ou les piliers sont refoulés vers le haut, il arrive parfois que les vides laissés par l'extraction soient comblés en entier ou en partie par de la terre ou des pierres qui auront été dérangées. Les fondations et les piliers ne pourront plus retrouver leur ancienne assiette. Les gels et dégels ultérieurs ne pourront qu'aggraver le problème.

Les auteurs du bulletin, tout en signalant que l'acier est plus sensible à la congélation adhérente que le bois et le béton, soulignent que le Conseil national de recherches n'a pas encore terminé les études qui permettraient d'évaluer de façon précise les effets de la congélation et du gonflement de la terre gelée sur les divers matériaux de construction, selon la nature des terrains où ils sont utilisés.

Les données recueillies jusqu'ici constituent cependant un « guide » fort utile puisqu'elles ont permis de formuler des méthodes pour faire échec à la congélation.

Trois méthodes (deux sont illustrées page 214) sont suggérées. La première s'applique aux constructions non chauffées. On prévient tout danger de soulèvement des fondations en remplissant de gravier ou de pierre concassée les tranchées qui ont été creusées pour les ériger.

Et si les tranchées sont bien larges et les moyens financiers bien minimes, la dépense sera moins élevée si l'on se contente du minimum: un pied de gravier ou de pierre de chaque côté des murs de fondation. Mais c'est vraiment un minimum, a déclaré M. Burn, que j'ai interrogé à ce sujet.

Il faut absolument que la couche granulaire soit bien drainée sinon elle « prendra en pain » et sera soumise à la congélation. Un tuyau de drainage est installé au fond de la tranchée extérieure, près de la rigole. Pour que l'eau qui aurait pénétré du côté intérieur puisse rejoindre le drain, on aménage de petites ouvertures dans le bas du mur, juste au-dessus de la rigole. Dans le cas des blocs de béton, on pratique ces ouvertures dans le mortier à environ tous les trois blocs.

La deuxième méthode, utilisée surtout pour les piliers ou colonnes, prévoit un ancrage dans la rigole. Pour que ce procédé soit efficace, la rigole doit être hors d'atteinte du gel. Les piliers sont retenus à leur socle souterrain par des tiges métalliques. Le gel aura beau « solliciter » les piliers, la rigole s'opposera à tout mouvement vers le haut.

L'ancrage des piliers pourrait vraisemblablement constituer la solution recherchée par les propriétaires dont les chalets situés en bordure des cours d'eau « valsent » à tous les printemps sur leurs pilotis. Mais, comme il ne s'agit pas d'un problème facile à résoudre pour le bricoleur ordinaire, et que chaque cas peut présenter des particularités qu'il faut évaluer avec précision, il est fortement à conseiller de consulter

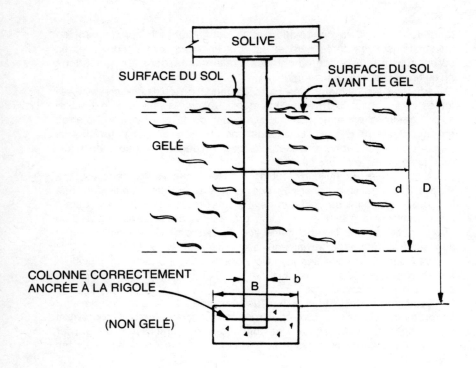

SOLIVE

SURFACE DU SOL

SURFACE DU SOL AVANT LE GEL

GELÉ

d

D

COLONNE CORRECTEMENT ANCRÉE À LA RIGOLE

(NON GELÉ)

B

b

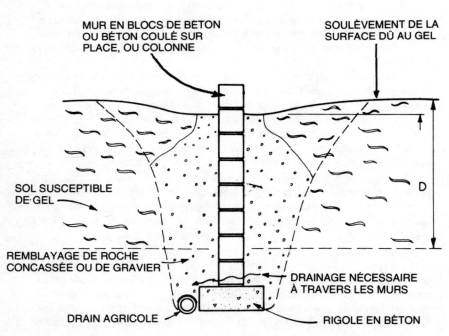

MUR EN BLOCS DE BÉTON OU BÉTON COULÉ SUR PLACE, OU COLONNE

SOULÈVEMENT DE LA SURFACE DÛ AU GEL

SOL SUSCEPTIBLE DE GEL

D

REMBLAYAGE DE ROCHE CONCASSÉE OU DE GRAVIER

DRAINAGE NÉCESSAIRE À TRAVERS LES MURS

DRAIN AGRICOLE

RIGOLE EN BÉTON

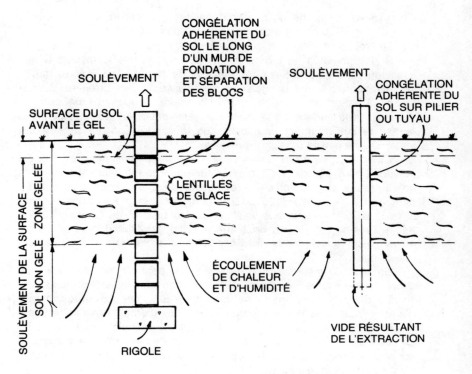

CONGÉLATION ADHÉRENTE DU SOL LE LONG D'UN MUR DE FONDATION ET SÉPARATION DES BLOCS

SOULÈVEMENT

SOULÈVEMENT

CONGÉLATION ADHÉRENTE DU SOL SUR PILIER OU TUYAU

SURFACE DU SOL AVANT LE GEL

LENTILLES DE GLACE

SOULÈVEMENT DE LA SURFACE

ZONE GELÉE

SOL NON GELÉ

ÉCOULEMENT DE CHALEUR ET D'HUMIDITÉ

VIDE RÉSULTANT DE L'EXTRACTION

RIGOLE

Ces dessins, reproduits d'un bulletin de la division des recherches sur le bâtiment du Conseil national de recherches du Canada, montrent les effets de la congélation adhérente sur les piliers et sur les murs de fondation des bâtiments non chauffés. Les dessins ci-dessus font voir les conséquences de l'entraînement vers le haut exercé par la couche gelée qui adhère aux blocs de béton et aux piliers.

Les dessins ci-contre expliquent deux méthodes qui sauront faire échec à la poussée de déracinement. Les lettres « d » indiquent la profondeur maximale du gel. Comme on peut le constater, la rigole (empattement) est logée bien au-dessous du niveau dangereux.

des experts avant de se lancer dans des travaux ardus qui, faits à l'à-peu-près, risqueraient de ne pas donner satisfaction.

La troisième méthode, applicable aux murs de fondation de bâtiments non chauffés de même qu'aux piliers, propose le recours à des « isolants non mouillables », la mousse de polystyrène, par exemple, pour empêcher le sol de geler et de se livrer à des étreintes dangereuses. L'isolant est enterré, horizontalement, à quelques pouces au-dessous de la surface de la terre, suffisamment creux pour ne pas être écrasé et suffisamment haut pour que la congélation qui se produira au-dessus ne puisse causer des ennuis.

L'isolant, taillé à une largeur égale à la profondeur habituelle du gel (environ $3^1/_2$ à 4 pieds), doit toucher aux murs de fondation et aux piliers qu'il entoure. Un isolant d'une épaisseur de deux pouces, correspondant à la norme de « 0.25 BTU/pouce/pied 2/h/0 F » devrait suffire dans la plupart des régions voisines de Montréal et de Québec. Si l'on habite un endroit où l'on croit que le froid est plus rigoureux que la moyenne, il vaudra mieux alors consulter un expert avant de faire quoi que ce soit.

En plus du « sandwich à l'isolant », on peut s'offrir une protection supplémentaire en isolant les murs de fondation soumis aux intempéries.

Le bulletin du Conseil national de recherches mentionne que d'autres méthodes ont été étudiées en vue d'empêcher l'adhérence. Ainsi, on a utilisé sur des piliers du lubrifiant de même que du papier de construction enduit de lubrifiant. De l'avis des experts, cette méthode ne peut avoir qu'un effet bénéfique temporaire et, pour cette raison, n'est pas recommandée.

SOUS-SOLS ET GARAGES

Les sous-sols chauffés mais non isolés du côté intérieur échappent dans la très grande majorité des cas aux dangers du gel, même si la terre servant au remblai est susceptible de se gonfler sous l'action de la glace.

En raison de la déperdition de chaleur à travers les murs, le phénomène de congélation adhérente ne peut se produire. Même par un froid très vif, le sol qui touche à la fondation ne descendra pas au point de congélation si la chaleur est assez élevée dans le sous-sol (voir le dessin).

Si l'on tient compte du prix du chauffage, ce serait évidemment là un moyen fort coûteux de prévenir tout effet néfaste du gel sur les fondations.

Il en coûterait vraisemblablement moins cher, à la longue, de remplacer le sol instable du remblai par des matériaux qui se purgeront facilement de l'eau et en assureront l'écoulement par un système de drainage près de la rigole. Par la suite, on pourra appliquer une couche modérée d'isolation à l'intérieur du sous-sol, de façon à conserver plus de chaleur.

La majorité des sous-sols, lorsqu'ils sont isolés modérément, laissent toujours échapper un peu de chaleur à travers les murs. Il est facile de constater la chose après une forte chute de neige. Quelques heures après la tempête, la chaleur fait fondre la neige tout autour des fondations, laissant un mince sillon au fond duquel le gazon increvable a gardé une belle verdeur.

Par suite de la hausse constante des prix du combustible, on pourrait avoir la tentation, lors de la finition du sous-sol, « de mettre le paquet » au stade de l'isolation, afin de ne gaspiller aucune parcelle de la précieuse chaleur. Mais cette présumée économie pourrait, selon les spécialistes du Conseil national de recherches du Canada, devenir pur gaspillage si la couche isolante était épaisse au point de provoquer ou d'amplifier dans les sols qui s'y prêtent, le phénomène de la congélation adhérente et les soulèvements de terrain qui y sont associés.

Sans que le bulletin du Conseil national de recherches le spécifie, on peut présumer qu'une isolation excessive n'entraînera pas fatalement la fracture des murs de fondation, surtout s'ils sont constitués de béton coulé de bonne qualité. Toutefois, les fondations de blocs de béton, dont les multiples joints de mortier sont autant de points naturels de rupture, pourraient résister moins bien.

Que doit-on considérer comme une couche excessive d'isolation? Le Conseil national de recherches n'est pas très explicite à ce sujet. Le nombre des facteurs qui entrent en ligne de compte peut être assez considérable. Toutefois, on peut raisonnablement supposer que les couches isolantes habituelles, d'un à deux pouces d'épaisseur, selon les matériaux, ne présentent aucun danger.

Garages en sous-sol

Les problèmes provoqués par la congélation adhérente ressuscitent avec une régularité décourageante, à tous les hivers, dans les entrées en pente des garages logés dans les sous-sols.

Le gel soulève le pavage et le mur de fondation et déboîte les blocs de béton. Ces difficultés proviennent, entre autres, d'un drainage défectueux, de la pénétration dans le garage de l'eau qui dévale de la rampe de descente et des talus qui la bordent ainsi que d'un chauffage insuffisant, de sorte que le sol gorgé d'eau gèle près de l'entrée.

Deux dessins (voir ci-après), préparés par la division des recherches sur le bâtiment du Conseil national de recherches du Canada, font voir, le premier, les « accidents » que l'on peut relever dans un garage non chauffé ou insuffisamment chauffé; le second, les corrections à apporter. Elles consistent notamment à aménager un système impeccable de drainage qui capte l'eau avant qu'elle n'atteigne l'entrée du garage. Une couche généreuse de gravier, à l'intérieur comme à l'extérieur du mur de fondation, prévient tout bouleversement attribuable à la congélation adhérente. Une petite contre-pente, depuis l'entrée jusqu'au drain extérieur, assure une protection supplémentaire contre l'eau.

Ces dessins, reproduits d'un bulletin rédigé par MM. E. Penner et K. N. Burn, du Conseil national de recherches, montrent deux coupes d'un garage de sous-sol. L'un fait voir les ravages exercés par la congélation adhérente qui a pu se manifester par suite d'une couche trop mince de gravier, de la pente qui laisse dévaler l'eau dans le garage et de l'absence d'un drain à l'entrée du garage et autour de la rigole. La deuxième coupe montre comment éviter les embêtements. Pour que tout fonctionne bien, il faudra que le drain à l'entrée du garage demeure en tout temps dégagé.

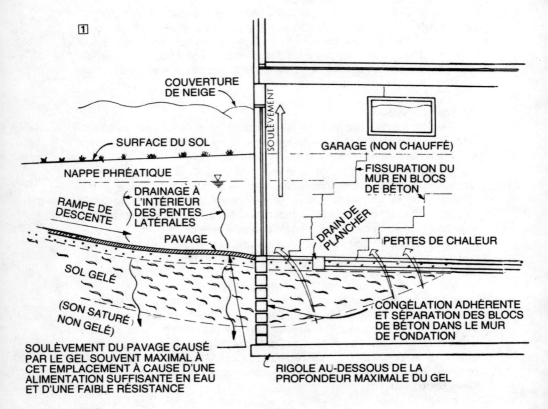

1

COUVERTURE DE NEIGE

SOULÈVEMENT

SURFACE DU SOL

NAPPE PHRÉATIQUE

GARAGE (NON CHAUFFÉ)

RAMPE DE DESCENTE

DRAINAGE À L'INTÉRIEUR DES PENTES LATÉRALES

FISSURATION DU MUR EN BLOCS DE BÉTON

PAVAGE

DRAIN DE PLANCHER

PERTES DE CHALEUR

SOL GELÉ

(SON SATURÉ NON GELÉ)

CONGÉLATION ADHÉRENTE ET SÉPARATION DES BLOCS DE BÉTON DANS LE MUR DE FONDATION

SOULÈVEMENT DU PAVAGE CAUSÉ PAR LE GEL SOUVENT MAXIMAL À CET EMPLACEMENT À CAUSE D'UNE ALIMENTATION SUFFISANTE EN EAU ET D'UNE FAIBLE RÉSISTANCE

RIGOLE AU-DESSOUS DE LA PROFONDEUR MAXIMALE DU GEL

Réparations ardues

Si, au cours des années, la congélation adhérente a déjà disloqué les blocs de béton des murs de fondation de bâtiments non chauffés et que les blocs, par suite des tassements du sol, n'ont pu retomber à leur place, il faut alors, bon gré mal gré, se rendre à l'évidence qu'il sera impossible de tout remettre d'aplomb, à moins de débâtir.

On peut cependant empêcher le mal de s'aggraver, en creusant, par sections, de chaque côté des fondations et en remplissant les tranchées de gravier ou de pierres concassées. Il ne faut pas oublier d'installer un drain près de la rigole, du côté extérieur.

Il serait bon également de gratter les joints ouverts, au-dessus comme au-dessous de la surface, et de les obstruer avec du mortier ou du mastic à calfeutrage.

Pour ceux qui ne voudraient rien d'autre qu'une protection maxi-

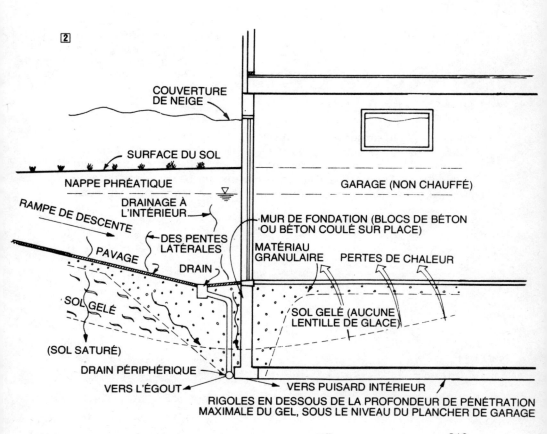

RIGOLES EN DESSOUS DE LA PROFONDEUR DE PÉNÉTRATION
MAXIMALE DU GEL, SOUS LE NIVEAU DU PLANCHER DE GARAGE

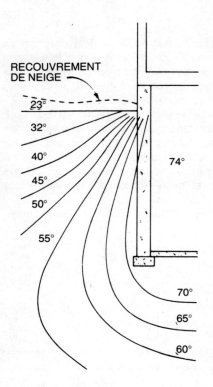

RECOUVREMENT DE NEIGE

23°
32°
40°
45°
50°
55°
74°
70°
65°
60°

La congélation adhérente n'est pas fréquente près des murs de sous-sols chauffés mais non isolés. La chaleur qui se dégage des murs refoule la frontière du gel.

mum, on peut supposer qu'ils atteindraient leur but si, avant de remblayer avec de la pierre ou du gravier, ils appliquaient des panneaux de polystyrène du côté extérieur des murs de fondation, puis, plus tard, enterraient à l'horizontale d'autres panneaux, un peu au-dessous de la surface, tout autour des murs. Évidemment, ça ferait « un peu beaucoup ».

Réparations des surfaces

Le crépi crevassé des fondations de votre maison de même que les bords et les coins écornés ou écaillés de vos trottoirs ou dalles de béton peuvent être réparés facilement.

Malaxer de petites quantités de mortier de ciment ne présente aucune difficulté. On peut faire le mélange soi-même ou l'acheter préparé d'avance. En dehors de la recette conventionnelle contenant ciment et sable, on trouve chez le quincaillier et le marchand de matériaux de construction des pâtes hydrofuges et des mastics spéciaux contenant du vinyle, du latex et des résines polymères.

Ces produits, la plupart sous forme de poudre, permettent un travail sûr et rapide. Ils peuvent se poser en couches très minces sans se décomposer en poussière, sèchent rapidement tout en assurant une excellente liaison et, enfin, endurent la circulation normale après seulement quelques heures d'attente.

Le coût de ces produits est relativement élevé et, pour cette raison, le bricoleur peu fortuné les réservera à des réparations n'exigeant que peu de matériau de remplissage. Toutefois, ils valent vraiment la peine d'être essayés, notamment sur les dalles et trottoirs atteints de « picote » légère. Il convient ici de souligner que si toute la surface n'est pas recouverte, il y a risque qu'elle soit bigarrée, comme elle le serait d'ailleurs même si vous utilisiez un mélange absolument semblable à celui du vieux béton en place. L'air, la poussière, les déchets de gazon, etc., ont vite fait de modifier le teint du béton.

Pour ces produits comme pour le classique mélange ciment-sable, les réparations mineures ne nécessitent que quelques outils et accessoires: marteau, ciseau, brosse d'acier, truelle, plat ou chaudière pour le malaxage, spatule de bois, masque ou lunette de sécurité et gants.

Pour réussir, il faut enlever de la surface à réparer toutes les particules lâches. On a parfois des surprises comme on peut le constater sur les photos: une fissure qui avait un petit air bien ordinaire cachait les trois quarts de la vérité.

La surface dépouillée de ses éléments instables, on la nettoie vigoureusement avec une brosse d'acier puis avec un balai ou un aspirateur pour déloger toutes les poussières.

Si l'on recourt au mortier de ciment, il faut que les rebords des crevasses soient élargis à environ $1/2$ pouce, et soient taillés de façon à présenter des points de rétention où le mortier pourra s'agripper. Au lieu d'évaser les rebords vers l'extérieur, on pratique plutôt, quand c'est possible, un biseau vers l'intérieur pour former une clé.

Un bon mortier de ciment, qui convient parfaitement, entre autres, à la réparation du crépi de fondation, contient une partie de ciment ordinaire (pas de ciment à maçonnerie) pour deux à trois parties de

Une petite cassure dans le crépi peut sembler anodine.

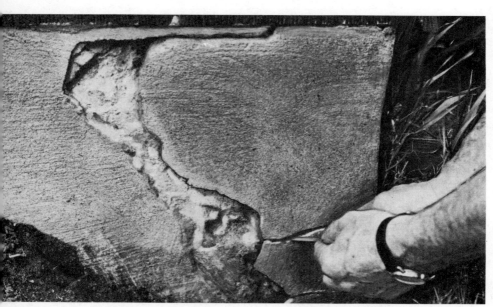

Mais les dégâts sont parfois plus considérables qu'on ne le pense.
Il faut nettoyer, arroser et enduire d'un bon mortier de ciment.

Un polythène empêchera le mortier de sécher trop rapidement.

Les yeux, les mains et les genoux
protégés, on enlève au ciseau
les parties désagrégées du béton.

La surface est brossée puis
balayée afin qu'il ne reste aucune
poussière.

224

La réparation, effectuée ici avec une pâte contenant du vinyle, est presque terminée. Le bois près de la dalle est protégé par du ruban gommé.

sable. L'eau de même que les accessoires servant au malaxage doivent être propres. Pour qu'il ait la plus grande résistance possible — et cela vaut pour tous les genres de mélanges où il y a du ciment — le mortier doit être assez raide, c'est-à-dire qu'il doit former une pâte épaisse qui soit cependant malléable. Il faut résister à la tentation d'ajouter trop d'eau. Les « pâtes molles », ça se manie bien, mais ça ne vaut rien dans le domaine du ciment comme ailleurs.

Avant d'écraser fermement le mortier avec une truelle de bois dans tous les coins et recoins des crevasses et fissures, il faut bien imbiber d'eau la partie à réparer afin que la vieille surface n'absorbe pas trop rapidement l'humidité du mortier et ne provoque un retrait.

La couche de mortier doit excéder légèrement la vieille surface avec laquelle elle se nivellera en séchant.

Le mortier mûrira bien si on le protège pendant quelques jours avec des sacs de jute, des bâches humides ou un morceau de polythène.

Si plus tard la couleur du mortier se marie mal au crépi, ce qui est fort possible si vous avez utilisé une truelle d'acier, vous pouvez redonner à la fondation une couleur uniforme en la saturant d'eau et en appliquant à la brosse un coulis à consistance de peinture épaisse, contenant une partie de ciment pour $1^1/_2$ à 2 parties de sable. Le surplus de coulis est enlevé avec un jute propre ou une éponge en caoutchouc.

Comment poser des ancrages

Une « cordée » de vêtements propres qui arrache ses ancrages de la maçonnerie et va choir dans la poussière de la ruelle n'a rien de bien réjouissant pour la ménagère qui croyait pouvoir faire flotter indéfiniment et impunément ses « couleurs ».

On peut éviter pareils désagréments, moyennant certaines précautions. Les murs de maçonnerie, qu'ils soient de briques, de pierres ou de béton, retiendront solidement cordes à linge, supports de boîtes à fleurs, treillis, barrières, toits et murs de garages, d'abris et de remises, etc., si l'on utilise les ancrages qui conviennent.

Le bricoleur peut facilement se procurer diverses chevilles expansibles qui lui permettront de fixer en permanence à la maçonnerie à peu près tout ce qu'il voudra.

Il peut aussi recourir à des clous et crampons conçus spécialement pour la maçonnerie mais, en règle générale, ils ne sont utilisés que pour des objets sans pesanteur ou soumis à aucun tiraillement. Dans tous les autres cas, il vaut mieux se servir de chevilles de fibre comprimée, de plastique ou de métal.

Les chevilles de fibre et de plastique servent aux poids légers et moyens tandis que les chevilles de métal, dont la gamme est assez étendue, sont particulièrement utiles pour les poids lourds et les supports exposés à des secousses.

Les chevilles se présentent sous forme de cylindres à surface unie, rayée ou côtelée, parfois même munis de barbillons (plastique), qui se dilatent sous l'action des vis ou autres tiges qui y sont enfoncées.

Les trous doivent être forés au diamètre précis inscrit sur les chevilles ou leurs contenants et doivent être plus profonds d'environ $1/4$ à $1/2$ pouce, que la longueur des chevilles. Si le trou a été trop agrandi par un forage imprécis ou si une attache se relâche, un peu de ciment hydraulique permettra de reprendre le jeu. Mais il faut faire vite, le ciment hydraulique sèche très rapidement.

La grosseur des vis à utiliser avec les chevilles n'est pas toujours mentionnée mais le quincaillier pourra facilement la déterminer pour vous. Quant à la longueur des vis, elle doit équivaloir à l'épaisseur du support, plus la longueur de la cheville, plus $1/4$ ou $1/2$ pouce.

Les manufacturiers ne fournissent pas de données précises sur la grosseur et la longueur des chevilles. Tous les murs ne présentant pas la même résistance à l'arrachement, les chevilles les plus fréquemment utilisées sont celles de $1/2$ à $5/8$ de pouce de diamètre. Dans le doute, votre marchand pourra vous conseiller.

Le forage peut se faire au moyen d'une tige spéciale que l'on tourne constamment à la main en l'enfonçant au moyen d'un marteau ou d'une petite masse.

Un vilebrequin ou, mieux encore, une perceuse électrique, rendra la tâche plus facile. Il faudra appuyer le plus possible sur la poignée pour obliger le foret de carbure de tungstène à bien grignoter la maçonnerie. Il faut percer à basse vitesse pour éviter d'émousser la mèche et il faut également retirer fréquemment le foret pour vider le trou de la poussière qui s'y est accumulée. La cheville est ensuite introduite jusqu'à l'épaulement dans le trou.

Il est généralement plus facile de forer dans le mortier, entre les briques et les pierres. Certaines briques et la plupart des pierres ont la tête dure. Par ailleurs, certaines briques sont très friables ou cassantes.

Le béton est particulièrement rébarbatif à cause des cailloux qu'il contient et il n'est pas toujours facile à travailler avec l'outillage habituel du bricoleur. S'il ne faut creuser qu'un trou ou deux on peut toujours s'armer de patience et souhaiter que tout ira bien. Et si ça va mal, le mieux serait peut-être de louer des appareils industriels pour « tirer » des ancrages dans le ciment ou y faire pénétrer des chevilles dentelées qui creusent elles-mêmes leur chemin dans le béton.

Le bricoleur n'a pas besoin d'un arsenal bien considérable pour fixer des chevilles dans les murs de maçonnerie.

La tige cruciforme est enfoncée à l'aide d'un marteau ou d'une petite masse. Ce travail « à la mitaine » est peut-être lent mais est peu coûteux.

Le vilebrequin, muni d'un foret de carbure de tungstène, peut être utilisé. Il faut exercer une très forte pression pour que la mèche morde bien.

Une perceuse électrique, tournant à basse vitesse ou dotée d'un réducteur, permet de faire assez rapidement un boulot tout à fait convenable.

Une cheville de métal, enfoncée jusqu'à la collerette, subit un essai...

Encore quelques tours de vis et ce 2 × 4 sera ancré solidement au mur de briques.

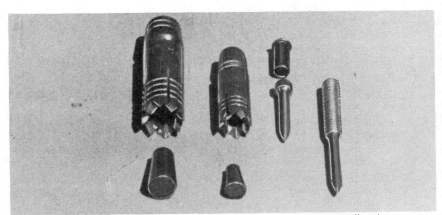

Quand rien d'autre ne fait, les attaches « industrielles » accompliront la tâche.

La bonne façon de tirer les joints

Profitez de la température encore relativement fraîche du printemps pour refaire les joints de briques devenus granuleux ou qui se sont même vidés par suite des intempéries ou des tassements qui se produisent fréquemment au cours des premières années d'existence d'une maison.

En vous mettant au travail le plus tôt possible, vous aurez tout le temps voulu pour accomplir cette besogne essentielle et vous ne serez pas obligé, l'automne venu, de faire des « sprints » entre deux orages, pour boucher les trous et empêcher ainsi les infiltrations d'eau et le gel de détériorer encore davantage votre propriété.

Lorsqu'il est effectué régulièrement, le rejointoiement ne représente généralement qu'une tâche mineure, à la portée de tous les bricoleurs.

Les joints effrités et profondément craquelés sont dégarnis de leur mortier au moyen d'un ciseau, d'une tige de fer effilée, enfin de tout objet qui vous permettra d'enlever le mortier « déconfit » sur une profondeur d'environ un pouce, sans casser les coins et les bords des briques.

Ne videz pas plus de joints que vous n'en pourrez combler dans la même journée. Un orage subit pourrait vous faire regretter votre présomption.

Les ouvriers spécialisés remplissent les joints évidés au moyen de lissoirs, des outils à lame étroite conçus spécialement pour le rejointoiement. Le bricoleur qui veut éviter des dépenses peut, en dehors des accessoires de sécurité tels que lunettes et gants, se contenter d'un outillage bien sommaire: une petite truelle ou un couteau à mastic pour garnir les joints verticaux; un long et étroit fer plat ou même un bâtonnet à « popsicles » pour les joints horizontaux, une brosse d'acier et un bout de tôle galvanisée pour tenir la motte de mortier.

Le travail sera moins pénible, surtout « dans les hauteurs », si le bricoleur se procure une taloche ou s'en fabrique une (voir le dessin). Cette espèce de bouclier sera utile même à l'intérieur, par exemple, pour le travail du stuc et du plâtre.

Quant au mortier à utiliser pour le rejointoiement, on peut opter pour les pâtes spéciales à base de latex ou de vinyle ou à prise rapide dont il a été question au chapitre sur la réparation des surfaces, comme on peut acheter un mortier à maçonnerie préparé d'avance ou faire son propre mortier en malaxant une partie de ciment à maçonnerie avec 2½ parties de sable humide. Laissez aux professionnels les mélanges ciment Portland, chaux éteinte et sable.

Le mortier normal est mélangé à consistance épaisse et on peut s'en servir immédiatement. Cependant, pour éviter les retraits possibles, on peut procéder à un premier mouillage tout juste suffisant pour rendre

Une « bavette » fabriquée de cinq pièces de bois reliées par deux clous et deux presses permet de compacter le joint d'une tablette de béton en surplomb sans que le mortier fiche le camp. Le mortier est glissé dans le haut du joint et est d'abord foulé au bas et à l'arrière. Le joint rempli et la « bavette » enlevée, il ne reste plus qu'à lisser à la truelle le dessous du joint et... à passer à une autre fenêtre.

le mortier granuleux, puis, après une attente d'une heure, on lui donne la consistance nécessaire.

À l'encontre du mortier de ciment qui ne peut subir un deuxième détrempage sans perdre de force, le mortier de maçonnerie peut être rafraîchi en cours de travail mais, en aucun cas, il ne doit être utilisé au-delà de $2^{1}/_{2}$ h après le premier malaxage.

Si la partie à réparer est sèche et risque de boire trop goulûment l'eau du mortier, aspergez les briques au préalable. En autant que

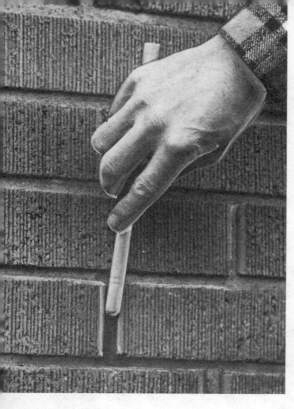

Une cheville ou un bout de tuyau au diamètre un peu plus grand que l'espace entre les briques permettra de faire un bon joint concave, qui résistera aux infiltrations d'eau.

Le mortier peut sembler un matériau bien « évasif » lorsqu'on l'utilise pour la première fois dans un joint vertical. Ça viendra avec la pratique. En attendant, pour prévenir les dégâts, délimitez les points avec du papier gommé ou, si vous avez un grand nombre de joints à reprendre, avec un carton perforé que vous pourrez déplacer en un clin d'oeil d'un joint à l'autre.

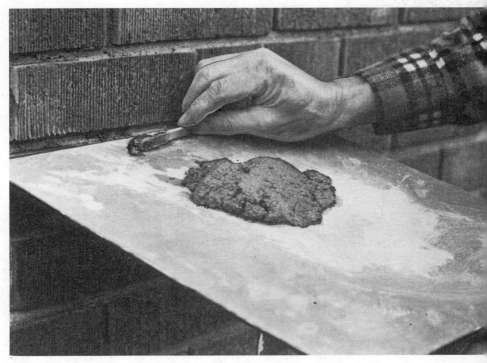

Vous apprendrez vite à jouer de la taloche et le remplissage des joints horizontaux ne devrait pas présenter trop de difficulté même si, comme ici, vous utilisez un simple bâtonnet pour fouler le mortier. Pour éviter les bavures, la taloche est appuyées sur le bord des briques inférieures. (Voir schéma en page suivante).

possible, évitez de travailler en plein soleil afin que le mortier ne fasse pas prise trop rapidement.

Si vous êtes inexpérimenté et craignez de souiller les briques, notamment lors du remplissage des joints verticaux (c'est décevant au début, vous verrez), protégez les briques avec du ruban gommé. Les joints horizontaux présentent moins de difficulté. Pour obtenir de bons résultats, le mortier doit être bien tassé dans les joints. On attend pour tirer les joints que le mortier ait pris une apparence granuleuse, sans trace d'eau en surface. Une cheville de bois ou un tuyau au diamètre un peu plus grand que les ouvertures entre les briques permettra de faire un beau joint concave.

Lorsque le mortier a séché, une brosse d'acier aidera au nettoyage des briques légèrement entachées. Les taches persistantes ne pourront être enlevées qu'avec une solution d'acide muriatique comportant 10 parties d'eau pour une partie d'acide. Ce produit présente des dangers. Suivez les conseils du manufacturier.

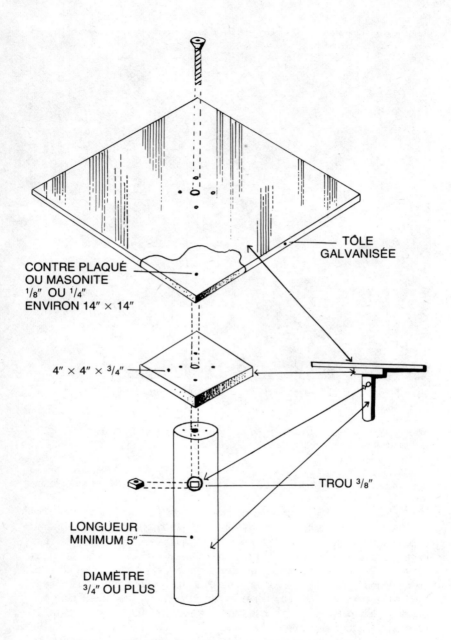

TÔLE
GALVANISÉE

CONTRE PLAQUÉ
OU MASONITE
1/8" OU 1/4"
ENVIRON 14" × 14"

4" × 4" × 3/4"

TROU 3/8"

LONGUEUR
MINIMUM 5"

DIAMÈTRE
3/4" OU PLUS

Vous voulez une taloche? C'est facile... Un bout de tôle et des rebuts de bois suffiront. Les quatre vis retenant la petite pièce de 4 pouces carrés sont posées avant de replier la tôle autour du plateau supérieur. La tête de la vis centrale qui retient le tout doit être à affleurement de la surface de la tôle.

234

Gare aux briques de démolition!

Pour donner un cachet rustique aux murs extérieurs des habitations, on a recouru assez fréquemment dans le passé à des briques récupérées de vieux édifices en démolition.

L'expérience a été parfois cuisante et coûteuse. Dans bien des cas, les murs se sont rapidement désagrégés en partie sinon en totalité, sans que les propriétaires découragés puissent faire grand-chose pour empêcher les briques de tomber par galettes ou de se transformer peu à peu en poussière d'argile.

Et pourtant, au moment de leur réutilisation, les vieilles briques avaient un air trompeur de bonne santé et semblaient encore bonnes pour au moins un siècle.

Bien que l'utilisation des vieilles briques pour le parement extérieur des habitations semble avoir fléchi, il n'en reste pas moins que certains futurs propriétaires continuent à tenir mordicus à ces vestiges du passé sans lesquels, pensent-ils, leur maison de style ancien ratera son effet.

D'autres, par ailleurs, recourent à la vieille brique parce qu'elle coûte moins cher que la brique neuve. C'est là un genre d'économie qui risque éventuellement de coûter cher.

Une étude, publiée par le Conseil national de recherches du Canada, déconseille fortement l'emploi de vieilles briques à l'extérieur des habitations. Toutefois, ces briques, protégées des intempéries, peuvent, sans aucun danger, être utilisées à l'intérieur pour les murs de sous-sol, les cheminées, etc.

À l'extérieur, les risques sont considérables. Il n'existerait aucun moyen vraiment précis pour déterminer combien de temps les vieilles briques pourront tenir le coup. Peut-être des siècles, mais peut-être également pas plus que la moitié d'un hiver.

Efflorescence

Et même à supposer que les briques soient vraiment solides, il peut y avoir des embêtements du côté des joints à cause de la surface poussiéreuse et de la mince couche de vieux mortier qui peut demeurer attachée de place en place.

Le nouveau mortier ne pourra assurer une bonne liaison et les joints défectueux laisseront l'eau s'infiltrer. Les cycles répétés de mouillage et de séchage ainsi que la formation de glace entre mortier et briques et à l'intérieur de ces briques habituellement assez poreuses auront tôt fait d'engendrer un petit désastre.

De plus, même si la liaison du nouveau mortier avec les briques est excellente, il reste le danger que le mortier communique aux vieilles briques une maladie mortelle qui, après avoir ruiné leur apparence, les

235

fera s'effriter. En effet, les vieilles briques sont susceptibles d'absorber les sels contenus dans le mortier et d'être ainsi atteintes d'efflorescence. Ce phénomène se manifeste sous forme de taches blanchâtres à la surface de la maçonnerie.

Les vieilles briques que l'on récupère à des fins de réutilisation datent, pour la plupart, d'au moins une cinquantaine d'années. À cette époque, les briques étaient liées les unes aux autres par un mortier à base de chaux. Depuis, on se sert d'un mortier à base de ciment dont l'adhérence est si forte qu'il est souvent difficile de l'enlever sans abîmer les briques de façon irrémédiable.

Autrefois, le façonnement des briques et surtout leur cuisson étaient loin d'assurer un produit de qualité uniforme comme c'est le cas, aujourd'hui. Les briques, fabriquées d'argile molle, étaient introduites après séchage dans des fours où la distribution de chaleur était fort inégale. Selon la place qu'elles occupaient dans les fours, les briques subissaient une cuisson plus ou moins efficace.

Les briques étaient ensuite classées à l'œil, selon l'intensité de leur couleur qui servait à déterminer la réussite de la cuisson. Les briques bien cuites servaient au parement des murs extérieurs, tandis que les autres, plus friables, étaient destinées au remplissage des murs qui, à ce moment-là, atteignaient des épaisseurs fort respectables, parfois jusqu'à près de deux pieds, sinon davantage.

Seules les anciennes briques de façade peuvent, à la rigueur, présenter des qualités suffisantes pour être de nouveau utilisées à l'extérieur. Mais lors des démolitions, il n'est pas question de desceller soigneusement les briques les unes après les autres. Les vieilles briques coûteraient alors plus cher que les neuves. On abat des pans de mur au complet et dans le tri effectué par la suite il arrive fatalement que des briques de qualité inacceptable soient mélangées aux briques de parement.

Et lorsque les anciennes briques de remplissage se retrouvent sur la ligne de front, il est facile de comprendre qu'elles ne résistent pas longtemps aux conditions adverses.

Par ailleurs, la performance des vieilles briques de parement est parfois loin d'être satisfaisante. Après avoir été en service pendant 50 ans et plus, bon nombre de ces briques ont donné le meilleur d'elles-mêmes.

Risque calculé

Si, en dépit des grands risques qu'elles représentent, il fallait absolument, pour une raison ou une autre, se servir de vieilles briques, on doit tout d'abord prendre tous les moyens possibles de s'assurer qu'il s'agit bien d'éléments de parement. On peut présumer qu'après avoir baigné dans une atmosphère de suie et autres agents de pollution, la face de ces briques doit être de coloration différente, vraisemblablement plus foncée.

236

Pour mettre toutes les chances de son côté, on n'utilise ces briques que sous des toits à larges corniches qui les protégeront de la pluie. Il faut également les soustraire à la condensation et autres conditions d'humidité qui pourraient leur être préjudiciables. Ainsi, les vieilles briques ne doivent pas être en contact avec le sol. Il faut aussi les isoler des murs de fondation par des solins et utiliser des coupe-vapeur pour empêcher l'humidité provenant de l'intérieur de la maison de les rejoindre. Selon le Conseil national de recherches du Canada, l'utilisation des vieilles briques dans les cheminées extérieures, les patios et les jardinières est à prohiber.

Afin de ne pas imposer aux vieilles briques plus de contraintes qu'elles n'en peuvent supporter, on recommande de les lier avec un mortier de type K, composé de sable et de chaux. Un mortier susceptible de convenir serait formé d'une partie de chaux et de trois parties de sable. Les risques d'efflorescence seraient grandement diminués avec un tel mortier.

Pour les propriétés qui sont déjà affligées de murs de vieilles briques avec les désagréments que cela comporte, il n'existe guère de remède en dehors de remplacer les briques très avariées et de recourir, au moins une fois l'an, à un produit hydrofuge tel que le silicone, encore que les essais faits jusqu'ici aient été loin de donner entière satisfaction. Le silicone ne peut pas obstruer les fissures entre le mortier et les briques.

Quant aux futurs propriétaires qui projettent de construire avec des murs de briques à l'ancienne, mieux vaut recourir à des briques rustiques neuves qui imitent parfaitement les anciennes.

Le nettoyage du béton et de la brique

MÉTHODES ET PRODUITS

Le nettoyage des taches sur les murs de maçonnerie de briques et de béton est un travail qui présente parfois des difficultés. Il exige souvent une bonne somme de patience qui n'est pas toujours récompensée par des résultats entièrement satisfaisants.

En premier lieu, il n'est pas toujours aisé de diagnostiquer à coup sûr ce qui a pu provoquer les taches et, en deuxième lieu, une fois que le diagnostic est bien établi, il arrive que le remède indiqué soit un acide dont la manipulation exige certaines précautions à la fois pour celui qui l'utilise et pour les murs où l'acide sera déposé.

Les méthodes de nettoyage à la portée du bricoleur sont le lavage et le brossage avec eau et savon, acides ou autres produits disponibles aux consommateurs, ainsi que l'application, dans certains cas, de pansements et de cataplasmes. Il y a plusieurs autres procédés (vapeur, eau froide sous haute pression, jet de sable et jet d'agrégats humides) mais comme ils nécessitent un équipement spécial, seuls les experts sont en mesure d'y recourir.

Les produits chimiques agissent de deux façons: a) ils dissolvent les taches qui sont alors épongées ou s'enfoncent sous la surface; b) ils transforment les taches en substances qui ne laissent aucune trace.

On ne doit utiliser que des brosses à fibres raides, qu'il s'agisse de nettoyage à l'acide ou à l'eau. Les brosses d'acier pourraient sembler bien pratiques pour les surfaces rugueuses mais elles sont à prohiber, parce qu'elles risquent de laisser des particules métalliques qui formeront de la rouille.

Les pansements consistent en bandelettes de tissu trempées dans le produit chimique approprié et déposées sur les taches. Les cataplasmes sont faits d'un ou plusieurs produits chimiques mélangés à un agent inerte finement moulu, tel que de la poudre de talc, de la chaux hydratée, du blanc d'Espagne, etc. Le choix du matériau inerte dépend du ou des produits utilisés et il vaut mieux s'informer auprès des vendeurs.

Le produit chimique est ajouté en quantité suffisante au matériau inerte pour en faire une pâte qui est étendue en une épaisseur de $1/4$ à $1/2$ pouce sur la tache que l'on veut faire disparaître.

Le produit chimique dissout la tache qui est absorbée par le cataplasme que l'on enlève une fois qu'il a séché. La méthode des cataplasmes, lorsqu'on peut y recourir, est utile puisqu'elle empêche les souillures de s'étendre.

Les préliminaires

Pour l'argile comme pour le béton, il faut procéder avec précaution. Il ne faut jamais travailler sur une grande surface avant d'avoir identifié la nature des taches et d'avoir déterminé le produit qui permettra de l'enlever.

Il est nécessaire parfois de se livrer à quelques expériences préliminaires avec divers produits. On choisit pour cela un endroit où, si l'on échoue, les traces de cet échec ne seront pas trop apparentes.

Le recours à des produits non appropriés ou une mauvaise application des acides peuvent contribuer à agrandir les souillures en surface et même à les incruster plus profondément.

Tous les acides doivent, en règle générale, être dilués. Les spécialistes signalent que même les acides peu actifs, tels que l'acide oxalique, peuvent marquer les surfaces s'ils demeurent trop longtemps en contact. Les spécialistes recommandent de bien saturer d'eau la surface à nettoyer afin que l'acide ne pénètre pas trop profondément dans les briques ou les surfaces de béton.

On peut obtenir les produits chimiques nécessaires dans les quincailleries, les pharmacies, les stations d'essence et chez les manufacturiers de ces produits.

La plupart des produits chimiques sont toxiques et présentent des dangers: on doit éviter d'en respirer les vapeurs et éviter également tout contact avec la peau. Des gants et des lunettes de sécurité s'imposent. Si les produits doivent être mélangés, il faut suivre à la lettre les recommandations des manufacturiers.

Pour prévenir les accidents regrettables, les contenants doivent être clairement identifiés et remisés dans un endroit sous clé, loin de la portée des enfants. Enfin, il ne faut jamais remettre dans les contenants la partie des produits ou mélanges qui n'aura pas été utilisée.

Les souillures sur la maçonnerie peuvent être causées par: a) les bavures de mortier ordinaire ou de couleur; b) l'efflorescence; c) des agents extérieurs tels que peinture, huile, rouille, etc. Le traitement peut varier selon la nature et aussi la couleur des briques et des blocs.

Comme « l'armoire à remèdes » pour la maçonnerie est passablement considérable on n'abordera dans cet article que quelques méthodes de nettoyage de la brique d'argile et de chaux (silico-calcaires).

Les bavures de mortier
Il faut attendre que le mortier ait complètement séché et durci avant d'entreprendre le nettoyage des briques. Les gros morceaux de mortier sont enlevés au grattoir de bois, au couteau à mastic, au ciseau ou à la brosse à poils raides.

Ensuite, si un brossage avec de l'eau claire ne suffit pas, on recourt à une méthode plus vigoureuse: du savon ou du détergent et, au besoin, quand c'est possible, de l'acide.

Lorsqu'on se sert d'acide ou d'une solution caustique, il faut bien imprégner d'eau non seulement les briques à nettoyer, mais également la partie du mur au-dessous. Le traitement à l'acide une fois terminé, le mur est abondamment rincé à l'eau claire.

Pendant le nettoyage, il faut protéger tous les éléments voisins (fenêtres, encadrements de bois ou de métal) qui pourraient être endommagés.

Selon les spécialistes, les diverses méthodes de nettoyage donnent toujours de meilleurs résultats par une température de 15 à 22°C. L'efficacité serait moindre par une température fraîche (inférieure à 8 degrés) ou trop chaude (au-dessus de 30 degrés).

Lorsqu'il s'agit de mortier de couleur, il est préférable de vérifier auprès du fabricant avant de recourir à un procédé quelconque de nettoyage.

Pour enlever le mortier sur les maçonneries nouvelles, la société Domtar recommande les méthodes suivantes, selon la couleur des briques d'argile:

Briques rouges: imbiber la brique avec de l'eau claire et déloger toutes les particules de mortier détachées et la saleté. Brosser avec une solution d'une demi-tasse de phosphate trisodique et d'une demi-tasse de détersif domestique, le tout dilué dans un gallon d'eau propre. Appliquer avec une brosse puis bien rincer avec de l'eau.

Pour les endroits bien souillés, on peut brosser plutôt avec une partie d'acide muriatique commercial versée dans neuf parties d'eau. Le mélange se fait dans un contenant non métallique. Ne brosser que les briques et non les joints.

Briques brunes et grises: Nettoyer avec du phosphate trisodique comme les briques rouges où, si les briques sont très sales, utiliser une solution d'une partie d'acide acétique (teneur à 80 pour cent) versée dans deux à quatre parties d'eau. Il ne faut jamais employer d'acide muriatique sur les briques brunes et grises.

Briques de couleur claire, telles que briques de couleur blanche, chamois, brune et grise: traiter avec phosphate trisodique et détersif, comme les briques rouges, mais n'utiliser aucun acide sur ce genre de brique.

Briques vernissées: passer un linge doux à la surface des briques quelques minutes après la pose. Un dernier nettoyage avec une éponge et une forte quantité d'eau suffit habituellement sinon on recourt à la solution de phosphate trisodique et de détersif. Il ne faut jamais traiter à l'acide les briques vernissées.

Enfin, dans le cas des briques de chaux (silico-calcaires), la plupart des spécialistes déconseillent le nettoyage humide. Tout au plus quelques-uns suggèrent un brossage avec de l'eau et rien de plus fort que du savon. D'autres recommandent d'enlever les particules de mortier séché avec un morceau de bloc de béton ou mieux encore avec un morceau de brique à chaux.

TACHES SUR LA BRIQUE

Si les taches de mortier sur la brique ne présentent aucun problème d'identification, il n'en est pas de même de toutes les autres souillures qui peuvent déparer les murs.

La couleur aide parfois à déterminer l'origine de ces taches qui sont apparues progressivement ou subitement à la surface.

Ainsi, les taches blanchâtres indiquent qu'il s'agit vraisemblablement d'efflorescence; les taches vertes, de mousse, de gazon ou d'efflorescence; les taches brunes, de rouille ou d'efflorescence. Enfin, les taches noires peuvent être provoquées par un nombre très considérable d'agents extérieurs.

En déposant un peu d'acide sulfurique concentré sur une petite partie seulement d'une tache insolite, on saura qu'elle est d'origine organique si la réaction fait noircir la portion enduite d'acide. Dans ce cas, la tache pourra probablement s'enlever au moyen d'acide oxalique — si la brique peut supporter ce traitement — ou d'un produit servant au nettoyage domestique.

La nature a ses bricoleurs qui ne coordonnent pas toujours leurs travaux avec leurs confrères humains. Ici, des insectes ont fabriqué un mortier de leur propre composition, qui a servi à construire un nid pour leurs larves. C'est un mortier qui fait honneur à ses créateurs mais qui ne leur permettrait probablement pas d'obtenir leur carte de compétence comme maçons. Le mortier, assez friable, s'enlève facilement avec un bâton pointu. Un coup de brosse et le mur de briques reprendra son aspect premier.

Le bout de quelques-unes de ces briques semble brûlé. Il l'est et aucun nettoyage ne pourra uniformiser la couleur. Il se peut qu'en utilisant ces briques le constructeur ait voulu donner un effet spécial comme il se peut qu'il ait voulu économiser en mélangeant des « briques de colle » (ou des « seconds », comme on dit couramment) à des briques de première qualité. Il faut garder l'oeil ouvert. Mis à part leur fard inégal provenant d'un accident de cuisson, ces briques dureront vraisemblablement aussi longtemps que les autres.

242

Ces souillures sont des cadeaux venus du ciel! Les oiseaux, c'est bien gentil, mais bien em...bêtants quand ils adoptent un pan de mur de briques comme perchoir. Pour inciter les oiseaux à aller faire ça plus loin, on peut installer à proximité du mur un centre communal attrayant, une bonne cabane munie de perchoirs où ils pourront peinturlurer à leur guise. Et les cadeaux? C'est comme le mortier. On laisse sécher à fond, on gratte et on brosse avec vigueur.

Efflorescence

L'efflorescence est la souillure naturelle qui se produit le plus fréquemment. Elle est provoquée par la remontée de sels solubles en surface des briques où elle se manifeste le plus souvent par des taches blanches, mais aussi, comme il a été mentionné plus haut, par des taches vertes ou brunes.

Les sels laissent une couche poudreuse sur les briques. Il suffit parfois de brosser vigoureusement le mur avec une brosse à poils raides pour faire disparaître les sels. On peut aussi frotter la brique avec une brosse mouillée. On fait suivre cette opération d'un rinçage à l'eau propre.

Si les sels refusent de « décrocher », il faut alors se résigner à procéder à un nettoyage à l'acide, mais à la condition que la brique appartienne à une catégorie qui se prête à pareil soin. En cas de doute, il vaut mieux consulter le manufacturier de briques ou ses représentants.

Pour enlever l'efflorescence, on se sert d'une solution composée d'une partie d'acide muriatique (chlorhydrique) commercial et de neuf parties d'eau propre. L'acide est versé dans l'eau et non l'eau dans l'acide. La solution doit être préparée dans un contenant non métallique.

Avant de brosser la brique avec la solution, le mur est imbibé d'eau et on en déloge toutes les saletés. Après le brossage, on doit arroser abondamment le mur avec de l'eau propre et ce, avant que l'acide n'ait eu le temps de sécher.

243

Pour empêcher l'efflorescence de se répéter, on conseille habituellement de recourir à la silicone. Mais tout le monde n'est pas d'accord là-dessus.

Remplacer ou nettoyer?

En dehors de l'efflorescence, il faut bien penser à son affaire avant d'entreprendre le nettoyage de taches sur une grande surface si les essais préliminaires de lavage n'ont pas donné des résultats valables.

On peut alors se demander si, au lieu de s'esquinter pendant des heures et peut-être des jours pour aboutir à rien ou à peu près rien, il ne serait pas plus simple de remplacer les briques souillées par d'autres de couleur semblable. Mais là encore, il faut faire attention. Les briques neuves risquent de trancher sur un vieux mur de briques. Toutefois, on peut compter (?) sur les agents polluants en suspension dans l'air pour modifier l'aspect des briques neuves et les rendre, en un temps plus ou moins long, pareilles aux vieilles briques, c'est-à-dire aussi sales.

Huile

Les taches d'huile et de goudron sont nettoyées au moyen de produits commerciaux conçus à cette fin. Les grosses taches de goudron sont tout d'abord raclées, puis on ajoute de la kérosène au produit commercial pour le rendre plus actif. Le travail accompli, le produit est coupé d'eau afin, cette fois, de supprimer toute trace de kérosène. Le nettoyage se termine par un arrosage abondant.

Si les taches sont petites, on peut utiliser un cataplasme au benzène, au naphte ou au trichloréthylène.

Des briques en « banque », c'est utile!

Au moment de la construction de leur habitation, les nouveaux propriétaires feraient preuve de prudence en gardant en réserve au moins deux à trois douzaines de briques provenant de la même fournée que celles de leurs murs.

Si, plus tard, certaines briques se fracturaient ou se souillaient au point d'exiger un long mais pas toujours fructueux travail de nettoyage, les briques endommagées pourraient être remplacées facilement, sans qu'il y paraisse.

De plus, la « banque » de briques serait particulièrement précieuse si jamais, pour une raison ou une autre, la production de briques semblables était discontinuée.

Rouille

Les souillures provoquées par la rouille se traitent à l'acide ou au moyen d'un cataplasme.

Une solution d'une livre d'acide oxalique par gallon d'eau est brossée ou vaporisée sur la brique. On peut obtenir une réaction plus rapide en ajoutant une demi-livre de fluorure double d'ammonium par gallon d'eau à cette solution. À ce propos, on recommande de ne pas forcer la note puisque le mélange est susceptible de donner un acide fluorhydrique qui peut détériorer la brique.

Le cataplasme contre la rouille est constitué d'hydrosulfate de soude et d'un agent inerte tel que la poudre de talc que l'on mélange avec de l'eau pour en faire une pâte qui, après séchage, est grattée ou brossée. Au besoin, on peut répéter le traitement.

Fumée

Une poudre de nettoyage contenant un agent de blanchiment est brossée sur les briques souillées. On fait suivre d'un copieux arrosage. Il est possible également de recourir à un produit émulsifiant commercial.

Dans les cas très difficiles et lorsqu'il s'agit de taches peu étendues, un cataplasme de trichloréthylène devrait donner satisfaction.

Peinture

Dans le cas de peinture fraîche, on peut recourir à un décapant commercial ou à une solution de deux livres de phosphate trisodique dans un gallon d'eau. La solution est appliquée sur la tache où on la laisse reposer durant quelque temps. On enlève ensuite la peinture au moyen d'une brosse ou d'un grattoir et on rince à l'eau claire.

Les vieilles taches de peinture sont plus récalcitrantes et les décapants sont parfois impuissants. On n'a alors qu'à faire appel à un spécialiste qui utilisera le procédé du jet de sable pour redonner à la brique son aspect premier. Mais toutes les briques ne répondent pas de la même façon à l'utilisation du jet de sable. La solution la plus économique serait donc, dans pareil cas, de remplacer les briques souillées, si la chose est possible.

Terre

Les éclaboussures de terre projetées sur le bas des murs par les véhicules ou l'impact de la pluie sont particulièrement difficiles à enlever. Le meilleur remède est encore la prévention: mieux vaut paver ou mettre du gazon aux abords des murs pour empêcher la répétition de ces « remontées » désagréables. On doit également s'assurer que les rebords du toit ne s'égouttent pas à proximité des murs.

Il y a un grand nombre d'autres taches d'origine les plus diverses qui peuvent souiller les briques. On peut faire l'essai, comme il a déjà été suggéré, de différents produits de nettoyage à un endroit où il n'y paraîtra pas trop.

Par mesure de prudence, on attend une semaine pour vérifier l'effet du produit de nettoyage avant de poursuivre le travail sur une plus grande échelle.

Saleté

C'est un travail quasi impossible pour le bricoleur, notamment si la saleté s'est installée sur une grande surface et si, au surplus, il s'agit de briques rugueuses. Il faudra faire appel à un spécialiste qui recourra vraisemblablement à un jet de vapeur à haute pression pour laver la brique.

On peut toutefois tenter de nettoyer soi-même les briques à texture lisse en utilisant des poudres nettoyantes et des détersifs que l'on brosse à la surface du mur.

BITUME ET ROUILLE SUR LE BÉTON

Le nettoyage des maçonneries de béton exige les mêmes précautions que celui des maçonneries de briques.

Les traitements prévoient l'utilisation de plusieurs acides dangereux pour ceux qui les manipulent. Il ne faut pas se laisser tromper par leur aspect parfois inoffensif. Même pour un travail de courte durée, on ne regrettera jamais de s'être protégé au moyen de lunettes, de gants, etc.

Avant d'utiliser un acide, on protège également bois et métal à proximité de la partie à nettoyer et on imprègne d'eau non seulement le voisinage de la tache mais également le mur au-dessous. Et après le nettoyage, il ne faut jamais oublier de rincer abondamment le mur à l'eau claire.

Tous les soins de nettoyage du béton au moyen d'acides ou de détergents laissent, en général, les parties nettoyées un peu plus pâles que la surface environnante. Toutefois, elles devraient reprendre leur teint « normal » tôt ou tard.

Efflorescence

L'efflorescence se manifeste sur la maçonnerie de béton de la même façon que sur la maçonnerie de brique : des dépôts poudreux en surface.

Si les dépôts résistent à un bon frottage avec une brosse raide (pas d'acier) ou au mouvement d'usure exercé à l'aide d'un petit morceau de béton propre, il faut alors laver la partie souillée avec une faible solution d'acide chlorhydrique (muriatique) constituée d'une partie d'acide versée dans neuf parties d'eau.

L'acide chlorhydrique rend le béton rugueux, aussi ne faut-il pas en abuser si l'on tient à garder une surface aussi lisse que possible. Par ailleurs, cet acide ne donne pas toujours des résultats épatants sur le béton blanc. Il risque d'y laisser des taches ou des cernes jaunes.

Bitume

Les taches de bitume, asphalte ou goudron, sont très tenaces, notamment si elles sont profondément incrustées. Avant d'appliquer un traitement quelconque, on gratte jusqu'au béton la couche de bitume et on frotte ensuite avec une poudre à récurage et de l'eau.

Si la couche de bitume est encore molle et n'a pas eu ainsi le temps de pénétrer le béton, on la refroidit avec des cubes de glace. Le bitume, devenu cassant, est enlevé au ciseau. Puis, un nettoyage avec poudre de récurage et eau est habituellement suffisant.

S'il s'agit d'une **émulsion de bitume** (bitume dilué dans l'eau), on recourt à la poudre de récurage. Les émulsions de bitume demeurent en surface du béton. Il ne faut jamais utiliser un solvant quelconque, sinon il y aura risque de les faire pénétrer plus loin dans le béton et les taches deviendront indélébiles.

Les bitumes dits « **cutback** » (bitume dilué dans un solvant tel que l'huile de lin) s'infiltrent loin dans le béton et la suppression totale des taches est chose à peu près impossible. On peut toutefois rendre les taches moins visibles en appliquant des cataplasmes de toluène (toluol) ou de benzène et de terre diatomée. Il faut faire plusieurs traitements. On termine par un brossage avec poudre de récurage.

Un jet de sable sous pression peut venir à bout des taches les plus tenaces de « cutback », mais la surface de béton sera creusée aux endroits traités.

Rouille

Les coulisses de rouille sont le tribut que les propriétaires paient pour l'absence d'entretien des divers éléments de fer et d'acier près des surfaces de béton.

Les taches superficielles de rouille disparaissent habituellement après l'application d'une solution comportant une livre d'acide oxalique dans un gallon d'eau. La solution agira plus rapidement si l'on y ajoute une demi-livre de fluorure double d'ammonium. La surface traitée est rincée, à l'eau claire deux ou trois heures plus tard, tout en frottant le béton avec une brosse ou un balai. Un deuxième nettoyage est parfois nécessaire.

On peut aussi nettoyer avec une solution à 10 pour cent d'acide chlorhydrique (muriatique) ou d'acide phosphorique. Ces acides risquent toutefois de graver le béton.

Lorsque les taches de rouille sont entrées profondément dans le béton, il faut recourir à des remèdes plus puissants. On a le choix entre deux méthodes, l'une avec cataplasme, l'autre, avec pansement et cataplasme.

Dans la première méthode, le cataplasme est constitué d'une partie de citrate de soude dans six parties d'eau tiède. Le tout est mélangé avec un volume égal de glycérine. Le cataplasme, à consistance épaisse, est laissé en place durant deux à trois jours après quoi on renouvelle, au besoin, le cataplasme.

Cette marche a été souillée profondément par la rouille provenant de cette rampe de fer dont l'entretien a été négligé. Il faudra vraisemblablement beaucoup de travail pour redonner bon teint au béton.

La réaction sera plus vive si on recourt au citrate d'ammonium au lieu du citrate de soude. La solution de citrate d'ammonium est frottée sur le béton au moyen d'un linge. Cette solution, recommandée pour le nettoyage du béton blanc, est susceptible elle aussi de rendre la surface plus rugueuse.

La deuxième méthode est conseillée par les spécialistes pour faire disparaître les taches particulièrement opiniâtres. On imbibe un linge d'une solution faite d'une partie de citrate de soude et de six parties d'eau tiède. Le pansement est laissé pendant une demi-heure sur la tache. On peut également brosser la solution à des intervalles d'environ cinq minutes.

Si la souillure est sur une surface horizontale, la partie à nettoyer est ensuite saupoudrée de cristaux d'hydrosulfite de sodium, humectés de quelques gouttes d'eau. Puis on recouvre la tache d'un cataplasme consistant en une pâte à base de poudre inerte.

Le cataplasme est enlevé au bout d'une heure. On en pose un nouveau, si besoin est. Une fois la tache disparue, la surface est brossée avec de l'eau puis on fait une nouvelle application de solution de citrate de soude afin de prévenir toute remontée de la rouille qui serait demeurée enfouie loin dans le béton.

Sur une surface verticale, le cataplasme est maintenu en place au moyen d'un morceau de linge retenu lui-même par une pièce de bois ou tout autre appui convenant à la situation.

Il peut arriver que les taches rousses formées par la rouille deviennent noires au contact de l'hydrosulfite de sodium. Il faut alors faire un traitement au peroxyde d'hydrogène jusqu'à ce que la couleur redevienne rousse puis on reprend le travail avec l'hydrosulfite.

On déconseille l'emploi d'hydrosulfite de sodium à l'intérieur à moins que le local ne soit très bien ventilé.

Graisse

Les taches peu profondes de graisse sont grattées puis brossées avec de la poudre de récurage, du savon, du détergent ou du phosphate trisodique. Les taches qui persistent sont recouvertes d'un cataplasme de benzène ou de trichloréthylène. Répéter le traitement au besoin et, si nécessaire, brosser de nouveau avec savon, détergent, etc., avant de donner un rinçage à l'eau claire.

Fumée

Un cataplasme de trichloréthylène est appliqué sur les taches laissées par la fumée. Le cataplasme, une fois séché, est gratté et on fait suivre d'un brossage à l'eau.

Lorsque la fumée a souillé une grande surface, on frotte cette dernière avec de la pierre ponce en poudre et on rince à l'eau claire. On complète le traitement avec un cataplasme imprégné de soude ou d'eau de Javel.

HUILE ET PEINTURE SUR LE BÉTON

De même que la rouille et le bitume, les diverses peintures ainsi que les huiles de toutes provenances causent bien des ennuis aux propriétaires qui désirent garder propre la maçonnerie de béton de leur habitation et des dépendances.

La corvée de la peinture des corniches, portes et fenêtres de bois, qui revient avec une désolante régularité à tous les trois ou quatre ans, donne parfois lieu à des dégoulinades déplorables sur la maçonnerie.

La **peinture fraîche** doit être épongée délicatement avec un linge ou du papier absorbant. Éviter d'essuyer afin de ne pas agrandir la tache ou de la faire pénétrer plus avant dans le béton.

La partie souillée est brossée le plus tôt possible avec une poudre à récurage et de l'eau jusqu'à la disparition de la tache ou du moins jusqu'à ce qu'on s'aperçoive que le brossage ne donne plus aucun résultat.

Il ne faut jamais recourir à des décapants ou à des solvants sur des taches qui ont moins de trois jours parce qu'ils risquent non seulement d'agrandir ces taches mais aussi d'en accroître la pénétration.

Pour faire disparaître la **peinture séchée,** on commence par enlever tout ce que l'on peut à l'aide d'un grattoir, puis on applique sur les taches, pendant une demi-heure environ, un cataplasme contenant un décapant approprié. En frottant délicatement les taches, on peut alors généralement réussir à soulever la pellicule formée par la peinture. On lave ensuite à l'eau propre. Les particules qui pourraient demeurer en surface ne résisteront vraisemblablement pas à un brossage avec une poudre à récurage.

Si la peinture a pénétré profondément dans la maçonnerie, la surface est lavée avec une solution diluée d'acide chlorhydrique (muriatique) ou d'acide phosphorique. Ce traitement est aussi valable pour le vernis-laque (lacquer), l'émail et les vernis à base d'huile de lin. Dans le cas de la gomme-laque (shellac), on utilise de l'alcool. Quant aux vernis à base d'uréthane, il faut procéder soit par meulage, soit par jet de sable sous pression.

Les taches de peinture qui ont séché longtemps et ont formé une croûte très dure sont fort coriaces et on n'en vient à bout qu'en les soumettant à un jet de sable ou à la flamme d'un chalumeau. On fait suivre d'un nettoyage avec poudre à récurage ou de l'application d'un cataplasme avec décapant. C'est selon les besoins.

Les huiles

Les **huiles à base de pétrole** sont absorbées facilement par le béton. Il faut apporter un traitement immédiat qui consiste en premier lieu à éponger (encore une fois, pas de frottage!) avec un tissu absorbant.

En deuxième lieu, les taches sont recouvertes d'une poudre sèche de ciment ou d'un matériau inerte. Si, au bout de 24 heures, la poudre n'a pas aspiré toute l'huile, on recommence le traitement jusqu'à la suppression des taches.

Si, en dépit des applications répétées, les taches subsistent — et c'est ce qui se produit fréquemment lorsqu'on tarde à apporter rapidement les soins requis — il y a divers autres moyens susceptibles de donner de bons résultats.

Il y a tout d'abord le brossage avec un savon fort, de la poudre à récurage, du phosphate trisodique ou des détergents commerciaux. À ce propos, bien suivre les recommandations des manufacturiers.

Il y a également diverses pâtes que l'on peut expérimenter. Ainsi, une solution constituée d'une partie de phosphate trisodique dans six parties d'eau est appliquée sur les taches d'où elle n'est enlevée, par brossage et rinçage avec eau propre, qu'après séchage, soit environ une journée.

On peut essayer aussi une pâte contenant cinq pour cent d'hydroxide de soude (soude caustique). On laisse sécher environ 24 heures puis on brosse et rince.

De plus, il y a le pansement au benzène. La pâte n'est laissée en contact avec les taches que durant une heure, soit le temps que prend le benzène à s'évaporer. Brosser et rincer comme décrit précédemment.

Enfin, on peut recouvrir les taches d'une couche de $1/4$ de pouce de fibres d'amiante imbibées d'acétate d'amyle. On applique sur la couche un petit bloc de béton ou une pierre que l'on aura préalablement fait chauffer. L'huile sera ainsi extirpée de la maçonnerie pour être absorbée par l'amiante.

Les taches d'huile s'enlèvent également au jet de sable sous pression, mais la maçonnerie restera marquée si l'huile a pu pénétrer profondément.

Les premiers traitements pour supprimer les taches causées par les **autres sortes d'huile,** qui ne sont pas à base de pétrole, consistent à éponger puis à recouvrir les taches d'une poudre sèche de matériau inerte. Répéter les applications tant que la poudre absorbera de l'huile.

Si les taches sont opiniâtres, on se sert d'une pâte épaisse formée d'une partie de phosphate trisodique, d'une partie de perborate de sodium, de trois parties de poudre de talc et d'une petite quantité d'une solution de savon et d'eau chaude. La solution doit contenir beaucoup de savon.

La pâte est déposée en une couche d'environ $1/8$ de pouce sur les taches. On laisse sécher et, au besoin, on mouille de nouveau la pâte en la mélangeant à la solution eau-savon. Brosser et rincer à l'eau à la fin du traitement.

Une deuxième méthode consiste à appliquer un pansement imbibé de peroxyde d'hydrogène dilué à 6 ou 8 pour cent, par-dessus lequel on met un deuxième pansement trempé dans de l'hydroxide d'ammonium, également dilué. Brosser et rincer.

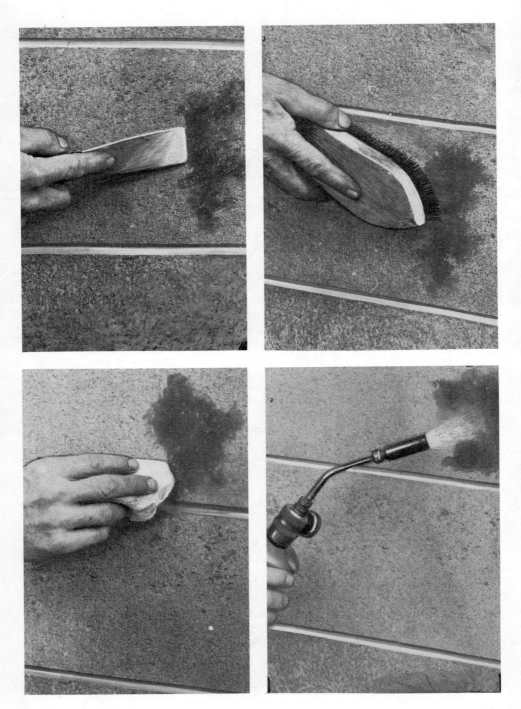

Tabac et gomme à mâcher

Les taches provoquées par le **tabac** mouillé en contact avec le béton sont traitées avec une pâte ferme, composée de poudre à polissage (pour marbre et terrazo) et d'eau chaude. La pâte est déposée en couche d'un demi-pouce d'épaisseur. On laisse sécher à fond avant de gratter et de rincer. On répète l'opération, si nécessaire.

Pour enlever les taches bien ancrées, on utilise le même genre de cataplasmes ou de pâtes que pour la suppression de la fumée.

La **gomme à mâcher** ne lâche pas facilement sur le béton. Le nettoyage est d'autant plus difficile que la composition des gommes varie d'un manufacturier à l'autre et que les colorants sont tout aussi tenaces que la gomme elle-même. On peut tenter de faire partir la gomme avec une pâte mouillée d'alcool et si ça ne fonctionne pas, on enlève le plus gros avec un grattoir et on traite avec chloroforme, sulfure de carbone ou tétrachlorure de carbone.

Mastics, encres et mousse

Comme la gomme, les **mastics à calfeutrage** sont grattés et enduits d'une pâte imprégnée d'alcool. La pâte une fois séchée, les mastics deviennent pour la plupart assez cassants pour être délogés au moyen d'une brosse à poils raides. Laver ensuite avec savon fort, phosphate trisodique ou pâte à récurage et de l'eau chaude.

Les taches d'**encre** ne sont pas faciles à nettoyer, et comme on ignore souvent de quel genre d'encre il s'agit, il faut jouer un peu à la devinette. On peut faire des essais successifs de pâtes contenant soit une solution de perborate de sodium, soit d'eau de Javel, soit d'hydroxyde d'ammonium. Toutefois, un brossage vigoureux avec du savon ou de la poudre de récurage ou un pansement imbibé d'une forte solution de savon sont parfois suffisants.

La **mousse** sur le béton non exposé au soleil cède habituellement après application de sulfamate d'ammonium utilisé selon les directives du manufacturier. On empêche la repousse en recourant à des produits qui scellent la surface du béton.

Enfin, il y a tout un assortiment d'autres taches, aux origines plus ou moins définies, dont certaines n'exigent rien de plus compliqué qu'un nettoyage à sec avec une brosse ou un petit morceau de béton. D'autres, par contre, risquent de soumettre à dure épreuve l'arsenal habituel des méthodes de nettoyage. Et lorsqu'on a épuisé toutes ses recettes et sa patience, il n'y a plus que quatre choix; se résigner à la présence des taches, reconstituer la surface souillée, faire appel à des spécialistes ou, enfin, si l'on est excentrique, camoufler les taches informes sous des dessins qui, pour être insolites, ne seront peut-être pas nécessairement disgracieux. C'est une affaire d'imagination, quoi!

5

RÉPARATIONS ET TRAVAUX DIVERS

Pour bien réparer, bien comprendre

Le soleil, l'eau et le froid agissent profondément sur votre terrain et votre maison. Comme il n'y a pas de matériaux qui soient éternels, à peu près tous ceux qui sont soumis à l'action des intempéries nécessitent, un jour ou l'autre, un entretien quelconque quand il ne faut pas tout simplement les remplacer.

Il y a l'usure normale qui fait qu'au bout de trois ou quatre ans, selon l'exposition, il faille renouveler la carapace de peinture des divers éléments de la maison. C'est là une servitude qui ne sort pas de l'ordinaire. Mais lorsque, en certains endroits de la maison ou du terrain, un matériau (bois, béton, asphalte, maçonnerie, peinture, etc.,) se désagrège rapidement ou demande un entretien plus fréquent que la normale, il y a lieu de se poser des questions avant d'entreprendre la réfection.

Si l'on arrive à découvrir la ou les véritables causes de ce vieillissement prématuré et qu'on puisse y remédier, l'entretien sera moins onéreux à l'avenir.

Ainsi, si la peinture s'écaille d'année en année sur une certaine partie de la maison, on peut s'entêter à peindre quand même, sans apporter plus d'attention que les fois précédentes, en pensant que la peinture, tant qu'elle restera en place, apportera tout de même une certaine protection. Mais il serait beaucoup mieux de chercher à savoir pourquoi la peinture ne tient pas. Si l'on trouve la réponse et que l'on apporte la correction nécessaire, on fera alors une économie de matériaux, de temps et d'argent.

Le soleil, l'eau et le froid soumettent maisons et terrains à tout un assortiment de tiraillements qui influent sur l'usure des matériaux et où entrent en cause: dilatation, contraction, drainage, infiltrations, fissuration par soulèvement et par la transformation d'eau en glace, affaissements, fendillement par assèchement ou par le froid, arrachement par le gel (poteaux de clôture et murs de fondation), condensation, conditions de ventilation, et j'en passe.

Tâche parfois difficile
Ce n'est pas toujours facile de découvrir les causes des déficiences. Il arrive même que les experts consultés ne soient pas toujours du même avis. L'interaction des phénomènes complique la tâche des diagnostiqueurs qui, selon l'étendue de leurs connaissances et aussi selon l'apparence des matériaux détériorés, peuvent tenir compte d'un nombre plus ou moins grand de facteurs susceptibles d'être à l'origine des avaries.

257

Les vices de construction d'éléments importants comme le toit et les fondations sont parfois à peu près impossibles à corriger de façon entièrement satisfaisante. En certains cas, il faudrait démolir les éléments défectueux pour recommencer à neuf... mais de la bonne façon. Ce n'est pas toujours une solution possible, soit physiquement, soit financièrement, et alors on n'a pas d'autre choix, sachant quels sont les défauts, que de tenter de limiter les dégâts.

Dans la plupart des autres cas, toutefois, si l'on connaît les limitations des matériaux les plus fréquemment utilisés pour la maison et le terrain et si l'on a un aperçu des problèmes qui peuvent réduire la vie de ces matériaux, on pourra rétablir l'équilibre des travaux d'entretien et on évitera, tout au moins lors de la réalisation de nouveaux projets, de commettre les mêmes erreurs.

Le toit

Un toit, de quelque matériau qu'il ait été construit, doit même dans des conditions adverses durer un minimum de 15 ans (c'est vraiment un minimum!) si une inspection régulière en est faite et si les imperfections sont réparées au fur et à mesure.

Bien souvent, les difficultés que l'on éprouve avec les toits ne proviennent pas de la composition des matériaux eux-mêmes mais de leur installation et de la conception générale du toit par rapport à la condensation, à la ventilation et à l'isolation. Le toit, qui prend pour ainsi dire tout sur son dos (soleil, pluie, neige, glace), peut présenter des problèmes tels que la condensation dont il faut parfois chercher la solution à l'intérieur même de la maison.

En règle générale, c'est du côté sud que les toits en arrachent le plus. C'est en effet de ce côté-là qu'en été le soleil fait le plus sentir son action et qu'en hiver se produisent les fontes indésirables qui provoquent la formation de digues de glace.

La protection du bois

Les défaillances du bois se manifestent surtout aux joints, aux ouvertures (portes et fenêtres), aux corniches et à la base des parements qui ne sont pas suffisamment éloignés de la terre. Le bas des parements doit être à au moins huit pouces du sol.

Pour durer, le bois est généralement revêtu de peinture ou de teinture. À certains endroits, une bonne ventilation est loin d'être nuisible. C'est le cas des bordures et des sous-faces de corniches.

Là où il est soumis à l'humidité de la terre (poteaux, bas des parements), le bois doit être enduit d'un agent de prévention de la pourriture. Certains bois, tels que le séquoia et le cèdre, sont résistants à l'humidité et aux mouillages successifs mais il est toujours préférable de les aider à se protéger eux-mêmes.

Le pin, et surtout l'épinette, s'ils sont le moindrement exposés, ne peuvent absolument pas se passer d'une telle protection.

La peinture « frise » sur cette traverse de fenêtre de sous-sol. Plusieurs facteurs peuvent avoir contribué à ce refus d'adhérence. La peinture a pu être appliquée en couche trop épaisse et la surface était peut-être mal apprêtée: bois humide, couche de fond insuffisamment séchée ou trop lisse. De plus, les fissures dans le mastic ont probablement permis à l'eau de pénétrer dans le bois et d'aider à la destruction du revêtement de peinture. Pourvu que le bois là-dessous n'ait pas commencé à pourrir!

Ce seuil de porte a vraiment piteuse mine. Il est pourri à un tel point que s'il n'est pas absolument nécessaire de le remplacer, il devra au moins subir une intervention qui risque d'être longue. Le perron, non protégé par un agent antipourriture et dépourvu également de peinture, est situé dangereusement près d'une lisière de terre qui soumet le bois à une humidité constante. Le coin du seuil, qui a absorbé l'eau de pluie coulant dans l'encoignure du cadre, a été incapable de tenir le coup.

À ce propos, le bricoleur qui entreprendrait de fabriquer lui-même ses portes et fenêtres, de même que leurs cadres, ferait bien, s'il veut assurer longue vie à son œuvre, de ne pas oublier d'imprégner ou du moins de badigeonner le bois d'une substance antipourriture.

Sur les fenêtres et portes de bois, la peinture et le mastic empêcheront l'eau d'immigrer dans le bois. Mais si le mastic devient le moindrement fendillé, c'est alors une invitation à l'eau qui se glissera dans le bois, soit derrière les moulures, soit à l'avant du verre. Il faut réparer au fur et à mesure pour éviter que les dégâts ne s'aggravent.

En ce qui concerne le bois, de même que la peinture et la teinture, il n'y a rien d'anormal à ce que l'usure soit généralement plus forte du côté sud de l'habitation. La faute en est au soleil.

La peinture

Toutefois, si la peinture cloque, se fendille ou écaille sur le bois (ou même sur le métal) quelques mois seulement après la pose, il y a alors lieu de se demancer ce qui peut bien provoquer cette anomalie.

Les causes peuvent être multiples. Ainsi, il se peut que la peinture ait été déposée alors que la surface était mouillée ou insuffisamment préparée, c'est-à-dire insuffisamment poncée ou non « dégraissée ». Il est possible également que de l'eau s'infiltre dans le bois par un joint mal obstrué et fasse lever la peinture. Le phénomène de condensation de la vapeur d'eau émigrant de l'intérieur de la maison vers l'extérieur peut avoir le même effet. Le mélange de peintures incompatibles se traduit lui aussi tôt ou tard par des embêtements. Il en est de même des applications trop épaisses de peinture. Et ce ne sont là que quelques-unes des causes possibles d'ennui.

Sur certains éléments de bois très exposés, les bordures de corniche par exemple, il ne faut pas compter uniquement sur la peinture pour opposer un barrage efficace à la pénétration de l'eau dans le bois. Lorsqu'on sait que ça ne prend qu'un trou d'épingle pour permettre à l'eau de s'immiscer derrière la peinture, alors on essaie dans la mesure du possible de soustraire les bordures aux eaux de ruissellement. Un larmier métallique bien conçu empêchera l'eau glissant du toit de couler en grandes quantités sur la bordure, plus exposée que les parements qui, lorsque la corniche est large, ne sont touchés que par l'eau poussée par le vent.

Pourquoi les fondations causent-elles tant de soucis?

Le béton et l'asphalte sont des matériaux qui devraient normalement résister bien longtemps avant de nécessiter des réparations. Et pourtant!

Les murs de fondation sont pour certains propriétaires une source constante de soucis. Les problèmes viennent pour la plupart de la nature du sol lui-même, du drainage, d'un défaut d'imperméabilisation et aussi de la qualité du béton qui a servi à la fabrication des murs.

Quelle que soit la qualité du béton des fondations, un bon égouttement à la surface du sol et un bon drainage à la base des murs sont d'importance capitale.

Il faut éloigner des fondations l'eau de pluie provenant du toit afin d'éviter l'érosion du terrain et l'accumulation d'eau près des fondations, ce qui peut susciter des difficultés si l'eau y séjourne et y gèle.

À la base des fondations, un bon drainage permet à l'eau qui a imprégné le sol d'aboutir dans un collecteur. Mais il arrive que le drainage soit insuffisant ou qu'il devienne défectueux par suite de la pénétration dans les drains de racines d'arbres particulièrement assoiffés. Il se peut aussi que le libre écoulement de l'eau soit enrayé par un mauvais raccordement ou par l'écrasement d'un ou de plusieurs drains.

L'eau peut s'infiltrer par des fractures plus ou moins larges qui traversent les murs de part en part. Ces fractures, causées en règle générale par le gel et les tassements de terrain (fréquents dans les sols argileux mal égouttés qui sont en proie à un quasi-mouvement perpétuel), doivent être réparées non seulement du côté intérieur des murs mais aussi du côté extérieur.

Si l'on est chanceux, il est possible parfois de se tirer de ce mauvais pas en enduisant la partie du mur défectueux, côté intérieur, d'une couple de couches minces de mortier. Il y aura cependant toujours le risque que la réparation ne soit pas durable.

L'eau qui semble surgir de partout à travers le béton non fissuré peut indiquer à la fois un drainage défectueux et l'absence ou la faillite d'une couche de revêtement imperméable à l'extérieur.

Par ailleurs, les coulisses d'eau qui se forment par temps pluvieux au sommet des murs intérieurs peuvent être provoquées par l'absence ou la défectuosité d'un solin qui, au bas du parement de la maison, doit rejeter l'eau vers l'extérieur. Ces coulisses peuvent aussi être occasionnées par l'absence ou l'obstruction de trous de saignée qui sont pratiqués de place en place dans le mortier, au bas des murs de maçonnerie.

L'eau peut sourdre également entre la base des murs intérieurs et la dalle de béton constituant le plancher du sous-sol. Divers produits servent à boucher ces joints. Toutefois, lorsque la pression d'eau soulève et rompt une partie de la dalle de béton, il faudra alors améliorer le drainage autour des murs extérieurs, afin d'alléger la pression de l'eau dans le sol.

La fissuration des fondations, à l'extérieur, n'est parfois que superficielle et ne touche que le crépi. Il est relativement facile alors d'effectuer la réparation requise.

Les surfaces de béton

Les longues surfaces de béton telles que les entrées de garage, trottoirs, etc., doivent comporter de place en place des joints de contrôle pour permettre aux crevasses, s'il doit s'en produire, de se faire à des endroits prédéterminés.

De plus, aux points de rencontre d'une surface avec une autre ou encore avec un obstacle, tel qu'un poteau ou un mur, il faut des joints d'isolation qui permettent aux matériaux de « travailler » sans se détruire les uns les autres. Ces joints doivent empêcher l'eau de s'infiltrer entre les matériaux et d'agir à la façon d'un coin lorsqu'elle se transformera en glace.

Gels et dégels ont laissé de profondes cicatrices sur cette surface de béton qui n'était probablement pas de résistance suffisante pour demeurer insensible aux intempéries.

262

Il arrive que les surfaces extérieures de béton s'effondrent ou se soulèvent et cassent. Cela provient d'un mauvais drainage qui permet à l'eau soit de miner la terre sous le béton, soit de la faire gonfler sous l'effet du gel.

L'effondrement peut être aussi occasionné par la mise en place de béton sur de la terre qui n'aura pas eu le temps de retrouver son « assiette » après avoir été remuée. En reprenant sa place, la terre laisse des vides sous le béton qui est à ce moment-là plus sensible aux chocs ou au poids des véhicules qui peuvent y circuler.

Le béton est normalement coulé sur une nappe de gravier qui assure le drainage. Mais le gravier doit être bien compacté, sinon il vaut mieux couler le béton directement sur de la terre qui n'aura pas été dérangée.

Quant au béton dont la surface s'écaille ou se désagrège sous forme de poudre, il peut y avoir plusieurs causes. Le béton est probablement de piètre qualité et ne contient aucun air entraîné qui l'aide à mieux résister à l'action du gel et des sels.

Il est possible que le béton, s'il a été coulé par temps froid, ait gelé avant d'avoir fait prise.

Ce joint de mastic à la base de ce poteau devra bientôt être reconstitué, sinon il ne faudra pas trop s'étonner des infiltrations d'eau qui pourraient survenir de ce côté.

Si la surface est poudreuse, il se peut fort bien que, lors de la finition, le béton ait été « flatté » trop tôt, ce qui a eu pour résultat de faire remonter le sable contenu dans le mélange de béton.

Les joints

Les points de rencontre de surfaces ou de matériaux différents d'une maison doivent être protégés par des mastics à calfeutrage. Il en existe un grand nombre dont l'élasticité et la durée sont fort variables. Afin de

Le mortier a « lâché » autour de ces briques, au coin supérieur d'une fenêtre. Mortier trop friable ou cassure provoquée par un tassement de terrain, il faudra rejointoyer.

réduire au minimum l'entretien de la maison, les joints doivent être protégés avec les meilleurs mastics que l'on puisse, à la mesure de ses moyens, se procurer. Ce qui peut sembler une forte dépense inutile constituera en réalité un très bon placement parce que les mastics de qualité fourniront une protection efficace de longue durée et ne seront pas des trompe-l'œil.

Les joints de mortier des murs de maçonnerie doivent être reconstitués au besoin lorsqu'ils se vident, lorsqu'ils s'ouvrent ou lorsqu'ils deviennent trop friables. Que ces défectuosités proviennent d'un mauvais mélange initial ou d'un tassement quelconque, il faut éviter de laisser des ouvertures par où l'eau pourra pénétrer derrière la maçonnerie, ce qui pourrait, dans le cas des briques, provoquer de l'efflorescence.

Les surfaces asphaltées
Il en est des surfaces d'asphalte comme des surfaces de béton. L'asphalte est peut-être plus élastique, mais pas au point de subir toutes les contraintes sans jamais se fissurer. Les lézardes dans les surfaces asphaltées sont attribuables au gel, au drainage défectueux, au travail de sape effectué par l'eau ou aux tassements de terrain occasionnés par la circulation ou l'immobilisation de véhicules lourds.

Très fréquemment, l'asphalte ne tient pas le coup parce qu'il a été posé trop tôt, sans donner le temps à l'épaisse couche de cailloux et de gravier qui doit normalement être disposée au-dessous de se compacter de façon à ne plus bouger.

Les fissures dans les revêtements d'asphalte peuvent être réparées avec des produits que l'on trouve chez les marchands de matériaux de construction.

Par contre, si les fentes sont nombreuses et profondes ou si la surface de l'asphalte se désagrège, le meilleur remède sera peut-être de faire étendre une nouvelle couche.

Planifiez vos travaux printaniers

Tout en vous prélassant sous les premiers rayons du soleil printanier, vous pouvez joindre l'utile à l'agréable en profitant de vos premières sorties « à pied sec » pour scruter attentivement votre habitation et votre terrain et dresser un inventaire aussi complet que possible des réparations à apporter et aussi des améliorations que vous désirez effectuer.

Ce travail préliminaire ne vous enlèvera pas le goût du printemps. Il vous replacera tout simplement dans une atmosphère plus réaliste que le regain d'ardeur, naturellement associé au retour du beau temps, vous aidera à affronter.

Il n'est pas nécessaire de vous démener comme un diable afin d'établir la liste le jour même où vous l'entreprenez. En flânant et en rêvassant un peu, vous risquerez moins d'oublier des choses qui pourraient être importantes.

Les points qu'il convient d'examiner avec le plus d'attention sont les fondations et le toit, pourvu que ce dernier soit d'accès facile. Les craquelures et les fissures dans les fondations, de même que les défectuosités notées sur le toit (revêtement endommagé, solins dépourvus de calfeutrage, etc.) devront être réparées. Si les gouttières sont défectueuses, il faudra également apporter une correction de ce côté-là.

On passe ensuite à l'examen des portes et fenêtres et aussi des divers joints extérieurs où une pâte de calfeutrage est requise. Enfin, après inspection des parements de bois et de maçonnerie ainsi que des diverses surfaces enduites de peinture ou de teinture, on vérifie les autres éléments de la maison ou du terrain qui pourraient nécessiter des réparations: entrée de garage, clôtures, trottoirs, etc.

Après cela, on peut penser aux additions que l'on veut faire à sa propriété, qu'il s'agisse d'un abri d'auto, d'un garage, de trottoirs, etc.

Établir les priorités

Une fois la liste terminée, on détermine les priorités de façon à tracer un programme cohérent des travaux à effectuer pendant les trois étapes (printemps, été et automne) au cours desquelles le travail à l'extérieur peut s'exécuter sans trop de difficultés, pourvu que la météo y mette du sien.

En établissant les priorités, on peut subdiviser la liste selon les travaux mineurs et majeurs que l'on entreprendra soi-même (et alors seuls les matériaux et les outils nécessaires entrent en ligne de compte), et les travaux dont on confiera l'exécution à des spécialistes.

Du même coup, on fait une évaluation des déboursés qu'entraîneront les travaux de réparation ou d'amélioration. Il faut bien jauger ses

La réparation des crevasses dans les fondations est un travail essentiel.

Cette fissure devra être obstruée pour empêcher les dégâts de s'aggraver.

capacités financières et également ses capacités physiques (si l'on fait le boulot soi-même) afin de ne pas s'en mettre sur le dos plus qu'on ne pourra en supporter. Pour certains travaux importants ou particulièrement difficiles, dont on n'est pas sûr de pouvoir se tirer d'affaire seul, il y a lieu de prendre une bonne décision dès le début afin de ne pas commencer quelque chose qu'on ne pourra terminer sans faire finalement appel à un entrepreneur qui sera peut-être obligé de démolir ce que l'on aura fait, si c'est défectueux, pour repartir à zéro. Il faut ajuster la prudence aux limitations de son budget. Avec le coût actuel de la vie, un « écart » non prévu de quelques centaines de dollars peut avoir, pour certains, des conséquences fort sérieuses.

Dans la marche des travaux, il faut tenir compte de la température de l'air et du sol. On ne va pas « planter » des pieux de clôture avant que la terre ne soit dégelée. Par ailleurs, le béton se travaille mieux entre 10 et 20 degrés C, cependant que la peinture pourra survivre plus longtemps si elle est étendue alors que le thermomètre atteint au moins 10 degrés et qu'elle puisse sécher entièrement avant d'être soumise à un gel nocturne.

Le printemps est favorable

Au début de la liste des priorités, on indique ce qui presse le plus, c'est-à-dire la réparation des dégâts qui risquent de s'aggraver rapidement et d'entraîner des dépenses majeures. Ici, il ne faut pas lésiner.

Dans la mesure du possible, il est bon de prévoir effectuer le gros des travaux alors que la température fraîche du printemps n'est pas trop épuisante pour les muscles et la bonne volonté. Le chaud soleil d'été a tôt fait parfois de faire fondre les meilleures résolutions. Vous regretterez moins votre « paresse » estivale si vous avez eu la précaution de vous mettre tôt à l'œuvre, le printemps. Si l'automne est beau et si vous êtes bien disposé, vous pourrez peut-être terminer la liste de vos réparations.

En règle générale, il vaut mieux, sur le plan pratique, faire passer les réparations avant les améliorations ou nouveaux aménagements tels que patio, trottoir, clôture, etc. On commence par protéger ce que l'on a déjà avant de se lancer dans des projets qui, tôt ou tard, exigeront peut-être de votre part des travaux d'entretien supplémentaires.

Il peut y avoir cependant des additions que vous jugez essentielles à votre mode de vie. Ainsi, si vous aimez la quiétude, si vous avez de belles plates-bandes que vous ne voulez pas faire piétiner, et que le voisinage regorge d'enfants turbulents (ceux des autres, bien sûr!) qui ont tendance à se trouver chez eux partout, alors il faudra peut-être des clôtures pour endiguer les ébats de ces jeunes, ce qui ne vous mettra pas forcément à l'abri de l'atterrissage forcé, de temps à autre, d'un ballon ou d'une balle dans votre potage, sur votre table de jardin. Et si vous avez des enfants en bas âge ou (et) un chien, des clôtures permettront à ce petit monde de bien s'amuser sans que vous ayez à vous inquiéter de son sort à toutes les deux minutes.

Cette corniche a un besoin urgent de peinture. À moins de remplacer le bois par un autre matériau, il faudra sortir échelle et pinceaux pour lui refaire une peau neuve, dès que la température se sera suffisamment réchauffée.

Au chapitre des grands travaux, il faut, avant d'entreprendre quoi que ce soit, s'informer des règlements municipaux, obtenir une autorisation s'il y a lieu et se conformer aux exigences afin de ne pas se trouver un jour ou l'autre dans l'obligation de défaire ce qui pourrait avoir coûté une petite fortune.

Les grands rêves

Si vous avez plusieurs projets en vue, il faut essayer de les coordonner le mieux possible et de ne pas changer trop souvent d'idée. Mais si vous êtes de la race des « créateurs », et comme c'est le propre des créateurs de vouloir toujours tout chambarder, alors résignez-vous à vous supporter vous-même et préparez-vous à payer le tribut qu'exigera de votre portefeuille votre imagination fertile.

Le danger des extravagances guette surtout les nouveaux propriétaires remplis d'un enthousiasme qu'ils n'avaient jamais ressenti au temps où ils étaient locataires. Si c'est votre cas, il faudra peut-être en premier lieu vous méfier de vous-même afin de ne pas prendre les bouchées doubles, surtout si vous n'avez aucune expérience dans l'entretien d'une maison et d'un terrain.

Il y a danger que vous ne puissiez pas terminer ce que vous entreprendrez, faute de connaissances ou de temps, et que vous deviez alors faire appel à une main-d'œuvre dont vous n'aurez pas prévu la rémunération. Si vous avez vu trop grand, vous vous « embarquerez » dans des dépenses tellement considérables que vous ne pourrez pas tenir le coup et que vous serez obligé, devant la faillite du budget familial, à défrayer les dépenses normales et celles occasionnées par la réalisation de vos rêves, soit à abandonner en chemin, soit à réduire votre train de vie, soit à emprunter à la limite ou au-delà de vos moyens, frôlant ainsi à chaque jour le danger qu'une dépense inopinée ne vous contraigne à « remettre » ou à vendre la maison pour laquelle vous vous serez donné tellement de peine.

Et il n'y a pas que la maison et le terrain auxquels il faut penser: il y a aussi les aliments dont les prix n'en finissent plus de grimper, il y a les vacances qui risquent de coûter cher, il y a l'auto qui est à la veille de rendre le dernier soupir, il y a les vêtements, les assurances et puis il y a aussi cette coûteuse machine-outil, cette piscine, cette embarcation ou cette tente-roulotte dont vous rêviez déjà, l'an dernier, et que vous avez temporairement oubliées pendant l'hiver, parce que vous étiez trop absorbé à faire l'essai de votre nouvelle motoneige ou de votre nouvel attirail de ski. Et puis, au cas où vous seriez tenté de ne pas y penser, il y a aussi la ou les compagnies de finance, qui vous ont procuré l'argent pour la motoneige et les skis, et qui, elles, ne sont pas réputées pour leurs blancs de mémoire!

Avec le beau temps, la piscine, l'embarcation ou la tente-roulotte vont revenir vous hanter. Comment concilier tout cela? C'est bien simple, gagnez le gros lot! Ou faites-vous une raison... et essayez de vous bricoler un bon budget!

270

Cadres de bois pour moustiquaires

La fabrication de grillages-moustiquaires à cadre de bois n'est pas nécessairement compliquée. Les photos qui illustrent ce chapitre montrent une méthode relativement simple qui n'exige que peu de temps, peu d'outillage et très peu d'adresse.

Les contre-fenêtres d'hiver que vous voulez remplacer par des grillages durant la belle saison vous servent de modèles. Tant mieux si elles ont toutes les mêmes dimensions: le travail se fera plus rapidement.

La contre-fenêtre (photo 1) est déposée, côté intérieur face à vous, sur un panneau. Tout autour de la contre-fenêtre, on cloue, ou mieux, on visse des pièces étroites de bois en dégageant toutefois les coins où l'on enfoncera plus tard clous ou vis.

Après avoir mesuré et coupé à bouts carrés les montants (pièces verticales) et les traverses (pièces horizontales) du cadre du grillage dans du pin d'au moins $3/4$ de pouce d'épaisseur sur $1^1/_2$ à $1^3/_4$ de largeur, intercalez-les (photo 2) à la place de la contre-fenêtre. Ici, les tra-

verses sont taillées pleine longueur et chevauchent les montants, mais on peut faire l'inverse.

Au moyen de presses (serres), on maintient montants et traverses aux pièces étroites fixées sur le panneau. Les presses ne marqueront pas le côté intérieur du cadre si l'on prend soin d'insérer un petit morceau de bois.

On perce, de part en part, deux trous dans l'extrémité de la traverse qui sera réunie au montant ou vice versa. Les trous ne sont pas forés l'un vis-à-vis de l'autre, afin de prévenir les risques de fendillement (photo 3). Faire les trous suffisamment gros pour que la tige des clous de finition (galvanisés, de 3 pouces) puisse s'engager facilement, mais suffisamment petits pour retenir la tête qui sera enfoncée légèrement sous la surface et recouverte d'un mastic.

Si vous utilisez des vis, faites dans la traverse des trous de diamètre aussi grand que celui de la tige de la vis. Fraisez le bois pour caler la tête au-dessous de la surface.

Avant de poser clous ou vis, ou une combinaison des deux, enduisez les points d'assemblage de colle imperméable. Les joints tiendront solidement avec les colles resorcinol ou epoxy.

Tension du grillage

Laissez sécher le cadre puis essayez-le dans le châssis où il doit être installé. Il faudra probablement donner un coup de rabot à l'arrière de la traverse du bas pour qu'elle épouse l'angle de la tablette de la fenêtre.

Après avoir poncé le cadre, on peut, au choix, passer immédiatement à la pose du grillage métallique ou autre, ou au découpage de la moulure en demi-rond (ou toute autre à profil bas) de $3/4$ de pouce afin de peinturer cadre et moulure avant l'installation du treillis. Si vous n'avez pas la main très sûre lorsque vous peinturez, vous éviterez ainsi de souiller le grillage. Pour fixer le grillage, on retient le cadre au panneau au moyen de deux presses (photo 4). Le grillage est taillé, au besoin, pour qu'il appuie sur une largeur d'environ $1/2$ pouce sur les traverses.

À l'aide d'une brocheuse ou de broquettes, on assujettit une extrémité du grillage à l'un des montants ou des traverses si les traverses sont plus courtes, comme dans le cas des fenêtres plus hautes que larges.

Au lieu de tendre la moustiquaire à la main, ce qui est parfois assez difficile, on insère le bout libre entre des pièces de bois retenues par des presses ou des clous, qui s'appuient sur l'autre extrémité du cadre.

Des petits coins de bois ou des bardeaux donneront la tension requise. Mais ne demandez pas au grillage plus qu'il ne peut donner.

Broches ou broquettes
Brochez à environ tous les trois pouces ou posez des broquettes aux deux pouces. Pour que la rouille ne s'installe pas trop facilement, utilisez des broquettes de cuivre, si vous en trouvez, pour retenir les grillages

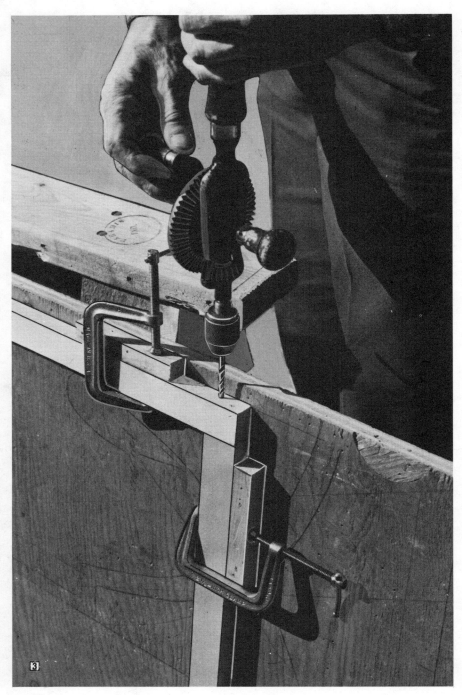

de plastique, de bronze et de cuivre. L'aluminium requiert des attaches galvanisées.

La moulure, qui cache les rebords du grillage, est coupée à 45 degrés. Ce n'est pas compliqué si l'on recourt à une boîte à onglets. Retenez la moulure avec de petits clous, calés sous la surface. N'en mettez pas trop. Peut-être qu'un de ces jours, vous devrez remplacer le grillage. Alors...

Si ce n'est déjà fait, il reste maintenant à boucher les trous laissés par les clous ou les vis, à brosser du shellac sur les nœuds, à mettre une peinture émail et à poser des crochets ou autres dispositifs de fixation.

Pour identifier vos grillages et ne pas être obligés à tous les printemps de voltiger comme un papillon d'une fenêtre à l'autre pour savoir où ils vont, marquez-les soit au couteau, soit au crayon indélébile ou encore achetez chez le quincaillier des « punaises » de cuivre numérotées. Les « punaises » sont vendues par séries de 30.

En dehors de la méthode de la coupe à bouts carrés utilisée pour la fabrication du petit grillage-moustiquaire photographié ici, il y a, c'est sûr, bien d'autres modes de fabrication. Les pièces peuvent être taillées, entre autres, à 45 degrés, à mi-bois, à mortaise et tenon, comme on peut les assembler au moyen d'une presse spéciale (il y en a de peu coûteuses) servant à l'encadrement. On peut aussi remplacer clous et vis par des chevilles ou diverses attaches: angles de fer plats ou repliés à 90 degrés, goussets de contre-plaqué, etc.

Le nettoyage des pinceaux

Pourvu que leurs soies soient encore suffisamment longues, les pinceaux qu'on a abandonnés à leur sort, encroûtés de peinture ou de teinture, peuvent, la plupart du temps, être reconditionnés et servir de nouveau.

La récupération vaut la peine d'être tentée notamment s'il s'agit de pinceaux d'assez bonne qualité et si l'on a sous la main les nettoyeurs appropriés.

Les résultats de la récupération dépendent d'une foule de facteurs: la qualité des pinceaux, la sorte de peinture qui a durci les soies, l'état des pinceaux qui ont figé en position normale, les poils allongés, ou en position recroquevillée, les poils écrasés au fond d'une boîte. Le facteur temps a peu d'importance. Il peut tout au plus, dans certains cas, rendre un peu plus longue la tâche du nettoyage. Qu'un pinceau ait durci depuis deux mois ou deux ans ne change pas grand-chose.

À supposer qu'ils ne puissent plus être utilisés pour des besognes délicates, les pinceaux récupérés peuvent être recyclés et affectés à des travaux où il importe peu qu'il y ait quelques poils de travers ici et là. Ainsi, les vieux pinceaux défraîchis peuvent très bien s'acquitter de travaux durs tels que peinture et teinture sur béton, sur stuc, sur clôtures et objets de bois non blanchi. Ils peuvent aussi servir de brosse sèche en plus de pouvoir être utilisés pour la pose de goudron, de préservatifs pour le bois, pour le décapage, etc.

Le nettoyage des pinceaux durcis nécessite un ou plusieurs bains et rinçages avec un ou plusieurs des solvants suivants: décapant, térébenthine et essence minérale pour les peintures à base d'huile (alkyd); trisodium de phosphate (TSP) pour les peintures latex et pour les cas pas trop graves de durcissement des peintures à l'huile; solvant-laque pour les laques (lacquer) et alcool pour la gomme-laque (shellac).

Dans tous les cas, le nettoyage se termine par un lavage des soies avec eau et savon doux.

Pour illustrer diverses phases de nettoyage, on a utilisé ici deux pinceaux (photo A) complètement durcis par une peinture à l'huile et qui avaient été « oubliés » depuis respectivement huit et dix ans! Ils étaient assez rigides pour enfoncer des clous!

Pour leur redonner souplesse et vie, il a fallu leur donner plusieurs bains et rinçages dans divers solvants. Les résultats (photo L) ont été passablement bons. Le pinceau plus étroit, qui avait figé en position normale, est maintenant aussi bon qu'un neuf et peut s'acquitter de n'importe quelle tâche. Par contre, les soies du pinceau plus large ont gardé l'empreinte d'une permanente indéfrisable, provenant de leur séchage au fond d'une boîte. Ce pinceau sera forcément rétrogradé aux « travaux forcés » où il sera cependant encore utile.

A

B

C

D

E

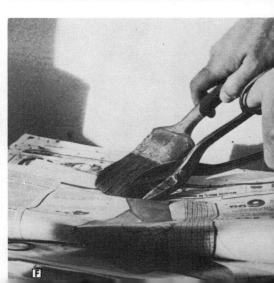

F

Les pinceaux ont subi un premier bain dans des boîtes contenant du décapant. Des broches (photo B) empêchent les soies de toucher le fond. Après plusieurs heures, les pinceaux ont été « dégraissés » au moyen d'un grattoir (photo C) de bois.

Les soies ont ensuite été démêlées (photo D) avec un peigne (ou une brosse) de métal puis on a enlevé le surplus de peinture diluée (photo E) en pressant les soies depuis le fourreau de métal jusqu'à leur extrémité. On répète cette procédure après tous les bains. Ici, des gants de caoutchouc s'imposent avec le décapant.

Les soies qui s'écartaient trop du droit chemin ont été taillées (photo F) et les gaines de métal (photo G) nettoyées avec du décapant. Tant qu'à y être!

Un deuxième bain, qui peut consister de solvant-laque (photo H) pour les cas très difficiles ou de térébenthine et d'essence minérale (photo I), a été nécessaire pour venir à bout des granules qui se cachaient dans les soies.

Les pinceaux ont, par après, trempé dans une solution de trisodium de phosphate (photo J) avant de passer à la dernière étape (photo K): un lavage à fond avec un savon doux.

Les pinceaux ont ensuite été peignés puis complètement asséchés avant d'être remisés à plat, enveloppés dans un sac étanche de polyéthylène.

Bien sûr, il n'est pas nécessaire de faire passer tous les pinceaux durcis par toutes ces tribulations. Il s'agit ici de cas extrêmes. On choisit les étapes et les diluants selon les nécessités (latex, laque, etc.) pour ne pas se donner plus de travail qu'il ne le faut.

Quel préservatif utiliser pour protéger le bois?

La pourriture, causée par des champignons minuscules qui désagrègent le bois et autres matériaux « comestibles » où ils se sont formés par suite de conditions favorables d'humidité, d'air et de température, entraîne chaque année des pertes incalculables.

Grâce à divers préservatifs hydrofuges qu'on peut appliquer soi-même, il est possible de mener une lutte préventive passablement fructueuse et même parfois d'enrayer la contamination.

Les méthodes de protection utilisées le plus couramment par les bricoleurs, soit le badigeonnage et l'immersion, ne sont pas aussi efficaces que les procédés sous pression effectués en usine mais, néanmoins, elles prolongent de façon appréciable la vie d'une foule d'objets exposés à l'humidité et aux intempéries: clôture, meubles de jardin, jouets, toiles, cordages, portes, fenêtres, etc.

Les principaux préservatifs auxquels on recourt, notamment pour le bois, sont la créosote, le pentachlorophénol et le naphténate de cuivre. On les trouve sous ces appellations ou des noms de commerce. Les préservatifs, parfois mélangés entre eux, se présentent sous forme de liquides colorés ou incolores ou de pâtes (bitume).

Le choix du préservatif est dicté par la finition que l'on prévoit donner à l'objet que l'on veut protéger et par l'usage auquel cet objet est destiné. Ainsi, la créosote et le pentachlorophénol sont contre-indiqués pour la végétation. Par ailleurs, le bois enduit de naphténate de cuivre ne fera aucun tort aux plantes si on prend la précaution de laisser sécher complètement le préservatif.

La créosote n'accepte pas tellement bien la peinture (il faut attendre plusieurs mois et encore faut-il une couche d'apprêt de peinture d'aluminium) tandis que le naphténate de cuivre laisse une coloration verte à la surface des objets qui peuvent toutefois recevoir une peinture foncée après une attente d'au moins trois jours, et une peinture pâle après six semaines ou davantage. Le pentachlorophénol est plus tolérant: après un séchage de trois jours dans de bonnes conditions, on peut procéder à la peinture, foncée ou pâle. On peut aussi laisser le bois tel quel, s'il est bien imbibé de pentachlorophénol ou de naphténate.

À partir de ces caractéristiques, celui qui veut fabriquer une boîte à fleurs dont l'intérieur sera peinturé, utilisera, pour l'intérieur de la boîte, du naphténate de cuivre et, pour l'extérieur, du pentachlorophénol.

On adapte selon les besoins. Ainsi, le bas des pieux de clôture, caché dans la terre, peut être gorgé de créosote, et le haut, de naphténate ou de pentachlorophénol. Une bonne méthode pour protéger les pieux consiste à leur faire un cataplasme de bitume créosoté s'étendant de 3 à 6 pouces au-dessus du sol jusqu'à une dizaine de pouces au-dessous. Utiliser un autre préservatif pour les autres parties.

Plus le bois est sensible, mieux il doit être protégé. Les meubles de jardin et les planches de clôture en cèdre ou en pin peuvent, à part un traitement au pentachlorophénol à leur base, se contenter d'un revête-ment de teinture ou de peinture. L'épinette nécessite une protection plus poussée.

À moins d'indications contraires (il est important de lire les directives du manufacturier) on ne doit appliquer les préservatifs que sur du bois sec. Un simple badigeonnage ne suffit pas sur le bois soumis constam-ment à l'humidité du sol. Le meilleur procédé: une immersion de 24 heures ou jusqu'à ce que le bois refuse de boire davantage. Mais ce

Il faut plus qu'une mince couche de créosote pour protéger le bas d'un pieu. L'immerger ou l'imbiber.

Enduit d'un collet de bitume créosoté, le pieu pourra résister longtemps à la pourriture.

n'est pas toujours possible. On doit alors, avec pinceau ou brosse, imbiber généreusement le bois.

Que ce soit par immersion ou badigeonnage, l'application des préservatifs exige certaines précautions: mettre des lunettes de sécurité, porter gants et vêtements pour protéger la peau, éviter de respirer les vapeurs toxiques et... tenir les enfants à distance.

Le naphténate de cuivre, appliqué ici à l'intérieur d'une section de serre froide démontable, ne nuira pas aux plantes pourvu qu'on le laisse bien sécher.

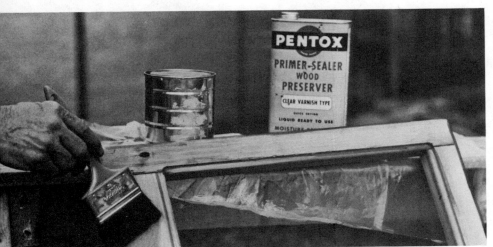

Pour préserver le bois que l'on veut peinturer sans trop attendre, les produits incolores contenant du pentachlorophénol sont tout indiqués.

Pour garder le plus longtemps possible le squelette magnifique d'un
arbre auquel il a fallu donner le coup de grâce, couper les branches
au-dessous des parties infectées, dévêtir l'arbre de son écorce et laisser
sécher le bois pendant tout un été avant de faire plusieurs applications
de pentachlorophénol ou, mieux encore, de naphténate de cuivre.
Bien imbiber où même goudronner le bout des branches coupées pour
empêcher l'eau d'y pénétrer. Protégé de la sorte, l'arbre mort, pourvu
qu'il n'ait pas trop de « lésions internes », pourra demeurer debout
durant des années et des années.

Pour assurer longue vie aux clôtures de bois

La moindre clôture de bois est suffisamment coûteuse de nos jours pour qu'il vaille la peine de prendre un certain nombre de précautions qui lui assureront une longue vie.

Dès l'assemblage et l'installation de la clôture, il importe d'accorder au moins une protection minimum à certains points qui sont ultrasensibles à la pourriture. Les omissions par négligence ou par manque de connaissances se paient parfois rapidement et il faut alors remplacer en partie sinon en totalité les pièces avariées.

Il ne faut pas craindre de faire un usage généreux des préservatifs. Qu'il s'agisse d'une clôture que l'on construit soi-même ou d'une clôture préfabriquée (à moins qu'elle n'ait subi un traitement de protection à l'usine), il vaut mieux ne pas compter uniquement sur le revêtement final de teinture ou de peinture pour prévenir la pourriture.

On choisit le ou les préservatifs selon la finition projetée et on enduit ou imbibe au moins les parties les plus exposées. Celui qui ne veut courir aucun risque donne un bon traitement à tous les éléments de la clôture. Ainsi, il est certain de passer plusieurs années à l'abri de tout souci.

Les clous servant à l'assemblage doivent être galvanisés. Leur tête peut demeurer apparente mais il faut prendre garde, en les enfonçant, de ne pas détacher la pellicule protectrice de zinc. Si les têtes sont dénudées ou s'il s'agit de clous non galvanisés, les têtes sont chassées sous la surface du bois et on bouche les trous avec un mastic pour empêcher l'eau de ruissellement de laisser de vilaines traces d'oxydation à la surface du bois.

Les points sensibles

Dans le dessin montrant une section de clôture à « piquets », les lettres indiquent les endroits les plus exposés à la pourriture ou autres détériorations du bois.

Le dessus du poteau **(A)** coupé à l'horizontale est susceptible, surtout s'il n'est pas protégé par un produit hydrofuge profondément imprégné, d'absorber de fortes quantités d'eau de pluie. En hiver, une pluie suivie d'un gel peut provoquer des fissures qui s'aggraveront avec le temps.

Les points de jonction des traverses et des poteaux sont aussi très vulnérables. La pourriture peut se manifester rapidement sur le côté des poteaux et les extrémités·des traverses **(B)** qui y sont retenues par des clous ou introduites dans des mortaises ouvertes ou fermées. L'eau qui pénètre dans ces joints n'arrive pas à s'évaporer facilement. De

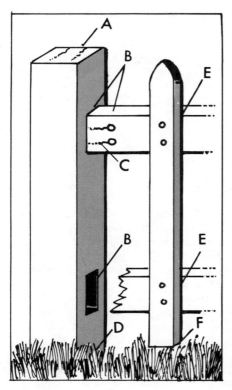

Les points vulnérables d'une clôture.

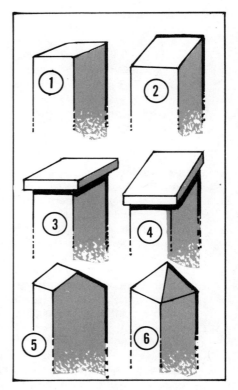

Coupe du sommet des poteaux.

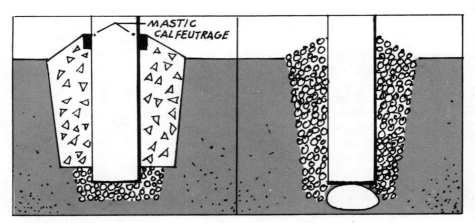

Bas de poteaux: corset de béton en sol léger et puits de drainage en sol lourd.

plus, les fissures **(C)** provoquées par l'enfoncement des clous constituent autant d'invitations à la pourriture.

Il y a moyen de parer à ces inconvénients en déposant un cordon de mastic à calfeutrage à la jonction des extrémités des traverses avec les poteaux. Enfin, les clous auront moins tendance à fendiller le bois si l'on prend soin de percer dans les extrémités des traverses des trous· au diamètre légèrement inférieur à celui des tiges de clous. De plus, le bois risquera moins de fendre si on le laisse sécher pendant au moins quelques jours.

À surveiller
La partie des poteaux au ras du sol **(D)** est naturellement la victime de prédilection de la pourriture. C'est à cet endroit que les préservatifs sont particulièrement précieux. L'absence ou l'insuffisance d'agents protecteurs aura tôt fait de permettre à la pourriture de dévorer littéralement cette section du poteau, comme en fait foi la photo ci-contre.

Les points de contact de piquets ou planches avec les traverses **(E)** peuvent aussi donner lieu à des embêtements mais il n'y aura pas grand-chose à redouter de ce côté-là si les pièces ont reçu au moins une bonne couche d'un préservatif quelconque.

Enfin, la base des piquets ou des planches **(F)** est susceptible de se détériorer dans peu de temps si elle touche le sol ou en est trop rapprochée. Il en est de même des traverses inférieures.

Même si la base des piquets a été imprégnée d'un préservatif, il faut laisser un espace d'au moins quatre à six pouces avec le sol. De plus, la végétation sous la clôture doit être, soit annihilée au moyen d'herbicides, soit taillée régulièrement afin que la base des piquets ou planches puisse sécher rapidement après une pluie ou un arrosage.

La présence d'une haie près d'une clôture peut compliquer singulièrement la tâche de la conservation du bois. Il faut redoubler de précautions lors de la fabrication de la clôture parce que le bois, derrière la haie, privé d'aération suffisante, courra des risques d'autant plus graves que l'on sera peut-être incapable d'en assurer l'entretien régulier.

Taille des poteaux
Le dessus des poteaux de clôture peut être taillé de bien des façons. Un des dessins en montre quelques exemplaires. La coupe à l'horizontale **(1)** est la plus fréquente. Elle a le désavantage d'offrir trop de prise à l'eau qui peut s'y infiltrer en quantité massive, surtout si la coupe présente des dépressions. Les poteaux taillés en un ou plusieurs pans inclinés **(2, 5, 6)** sont beaucoup moins susceptibles d'absorber de l'eau.

Compte tenu du style de la clôture, la méthode la plus efficace de protéger le sommet des poteaux consiste encore à les coiffer d'une planchette **(3, 4)** qui excède légèrement sur les côtés. Il est moins coûteux de remplacer une planchette qu'une section de poteau.

En ce qui concerne la base des poteaux, la façon dont ils sont retenus dans le sol peut contribuer pour beaucoup à leur longévité et à leur solidité.

Bien que cela ne soit pas toujours nécessaire, il est cependant toujours préférable que les poteaux descendent sous la ligne de gel, c'est-à-dire à environ $3^{1}/_{2}$ à 4 pieds, notamment s'il s'agit d'un sol lourd.

Au fond du trou pratiqué au moyen d'une tarière ou d'une pelle, on jette une pierre moyenne ou du gravier sur lequel reposera la base du poteau. Dans les sols argileux, on obtient un bon drainage en compactant du gravier autour de la base jusqu'à la surface du sol. Dans les terres sablonneuses où le poteau risquerait de vaciller, on coule du béton en prenant garde toutefois de ne pas enrober la partie inférieure du poteau (voir dessin) afin de ne pas constituer de piège à pourriture. À la surface, le collet de béton est disposé en pente douce pour faciliter l'écoulement de l'eau. Lors de la mise en place du béton, on met des tasseaux de bois autour du poteau, au sommet du collet. On enlève ensuite les tasseaux et on remplit les cavités avec un mastic à calfeutrage qui assure ainsi une étanchéité parfaite entre le bois et le béton.

Mal protégé, ce poteau a été littéralement coupé au ras du sol par la pourriture.

Peintures pour l'extérieur

Pour protéger et embellir le bois des garnitures et revêtements extérieurs des habitations, dépendances et chalets, les peintures à base d'huile alkyd ou à base de latex acrylique sont encore celles qui sont le plus fréquemment utilisées.

Avant d'arrêter votre choix sur une sorte ou l'autre, vous aurez probablement examiné au préalable tout un éventail de possibilités. Ainsi, vous aurez scruté et sondé les surfaces des parements et autres éléments importants tels que les fenêtres et la bordure du toit afin de déterminer, en premier lieu, le coût éventuel des réparations que le bois pourrait nécessiter; en deuxième lieu, si vous aurez le temps d'effectuer vous-même les réfections (compte tenu de la période de l'année, de vos loisirs, etc.); en troisième lieu, s'il est plus économique et plus pratique de recourir à un autre matériau que le bois, si les réparations sont d'ordre majeur.

Et si vous décidez de vous en tenir au bois et aux peintures qui servent le plus souvent à le recouvrir, vous aurez alors à opter soit pour l'huile alkyd, soit pour le latex acrylique.

Diverses considérations peuvent vous amener à choisir l'une plutôt que l'autre. Le latex est de pose facile et de séchage rapide. Assez fréquemment, une seule couche suffit. Sa résistance est aussi grande sinon supérieure en certains cas à celle de l'huile alkyd mais son adhérence à des couches antérieures de peinture de formule différente peut être compromise par des préparatifs insuffisants.

Par ailleurs, les peintures à base d'huile alkyd (il s'agit de résines synthétiques qui, tout en rendant la peinture moins lourde, assurent un séchage plus rapide qu'avec l'huile de lin utilisée auparavant) ont en général une très bonne adhérence. Cependant, par temps humide, leur pose risque de ne pas donner satisfaction alors que le latex acrylique, par contre, ne redoute pas trop l'humidité. Toutefois, latex comme alkyd ne s'accommodent pas de températures inférieures à 10 degrés C.

On dit que le latex permet aux surfaces de bois de « respirer ». Il laisse passer les vapeurs d'eau mais non l'eau liquide. Mais le latex acrylique, disponible généralement en fini mat, peut se souiller plus facilement que les peintures alkyd, notamment celles à la surface hautement lustrée, qui forment une carapace imperméable, dure et résistante et qui sont réservées aux éléments tels que fenêtres, portes et leurs cadres, rampes d'escalier et bordures de toit. La carapace « émaillée » ne doit présenter aucune fissure par où l'eau pourrait s'infiltrer et créer un climat d'humidité propice au décollement de la peinture et à la pourriture du bois.

Pour les porches et planchers, on recourt à des peintures lustrées, de type alkyd, conçues spécialement pour résister à l'abrasion.

À part ces exceptions, on doit se servir de peintures alkyd ordinaires pour les grandes surfaces.

Une fois le choix fait entre le latex acrylique et l'alkyd pour masquer ces grandes surfaces, on doit préparer soigneusement ces dernières, suivre à la lettre les indications fournies par le manufacturier sur les contenants de peinture et, au besoin, consulter le marchand qui, grâce aux fiches techniques en sa possession, peut donner de plus amples renseignements. Même en écrivant très petit sur les étiquettes, les manufacturiers n'arrivent pas parfois à tout dire. Il s'agit souvent de détails secondaires dont il vaut mieux cependant être informé.

Vous ne courrez pas grand risque à vous approvisionner chez les distributeurs de produits des grands noms de la peinture au Québec. Rien ne vous empêche également de regarder du côté de marques moins connues et parfois moins coûteuses mais, en autant que possible, il faut alors référer à des gens qui ont pu éprouver ces peintures durant un temps raisonnable.

La majeure partie des accessoires et matériaux requis pour la peinture est ici réunie. Aux articles d'évidente nécessité tels que pinceaux, peintures, blocs à sabler, grattoir, brosse, maillet de caoutchouc pour refermer les contenants, couteau à mastic, etc., on peut ajouter des gants de caoutchouc, nécessaires avec le sodium trisodique, ainsi que des lunettes, précieuses au cours du ponçage. Appuyées sur le gros contenant, à l'arrière, deux palettes de plastique trouées, fort pratiques pour mélanger la peinture. Récupérables, elles ne coûtent que quelques cents.

Bien préparer la surface

La préparation de la surface pour accueillir la peinture est une étape très importante. Même si ce n'est pas d'un intérêt palpitant, il faut s'en acquitter avec le plus de précautions possible, sinon la peinture risquera, à brève échéance, de former des cloques, de se lézarder, de rider et même de lever par « galettes ».

Généralement, on ne s'attaque qu'à un côté de maison à la fois. Avant de se tremper dans le boulot, il n'est pas mauvais de réunir tous les accessoires et matériaux dont on aura besoin. En plus de ceux que l'on voit en page précédente, il faudra également au moins un escabeau, une échelle et, lorsqu'on peut se le permettre, des échafaudages métalliques, démontables ou fabriqués de madriers.

La première opération consiste à remplacer par du bois sain les pièces ou parties de pièces trop avariées par la pourriture. Inutile de tenter de reconstituer une surface le moindrement grande avec du mastic ou autre pâte du genre. Ça ne pourra pas tenir longtemps. Si l'on prend soin d'enduire les pièces neuves d'un produit préservatif, elles pourront résister à la pourriture. Il faut s'assurer cependant que le préservatif tolérera la peinture.

Les nœuds et parties gommées du bois neuf sont isolés au moyen de laque (shellac).

On passe ensuite au nettoyage et au dépolissage qui, lorsque la vieille couche de peinture adhère bien au bois, peuvent être accomplis d'un seul coup au moyen de trisodium de phosphate ou de produits analogues vendus par les marchands de peinture. Au moins dans le cas du phosphate, la surface doit être rincée à l'eau et asséchée avant l'application d'une nouvelle couche de peinture.

Si la vieille couche de peinture forme des cloques ou se détache par endroits, on prépare la surface en la ponçant au papier sablé et en recourant, au besoin, à un grattoir et à une brosse métallique pour supprimer toutes les imperfections et rejoindre le bois. Lorsqu'il y a plusieurs couches superposées et que le ponçage manuel devient une tâche

---

Si ça presse, du latex!

Comme le soleil écourte de plus en plus ses heures de travail et que les belles journées risquent d'être de plus en plus rares, il serait peut-être présomptueux, à la fin de l'automne, d'entreprendre la finition de grandes surfaces à la peinture à l'huile. Cette peinture étant plus lente à sécher et plus sensible à l'humidité, il vaudrait alors mieux recourir aux peintures à base de latex acrylique qui craignent moins l'eau et sèchent très rapidement.

---

désespérante, on peut, avec toutes les précautions qui s'imposent, utiliser un chalumeau muni d'un bec élargi donnant une flamme douce. La peinture, amollie par la flamme, est enlevée au grattoir.

On peut aussi recourir à une sableuse électrique. Le ponçage manuel, comme le ponçage à l'aide d'outils électriques, doit toujours être effectué dans le sens du grain du bois. À moins d'être vraiment habitué, il vaut mieux ne pas se servir des disques à sabler: très gourmands, ils ont tendance à laisser dans le bois des morsures trop visibles.

Masticage et apprêt

Le ponçage terminé, et si le bois est bien sec, on bouche les fentes et les trous, quand on est pressé, à l'aide d'un obturateur à séchage rapide tel que le bois plastique. Procéder par couches minces, sinon il y aura retrait. Si l'on n'est pas pressé, on applique une première couche de peinture ou d'apprêt avant de déposer du mastic ordinaire dans les craquelures et les trous laissés par les clous enfoncés sous la surface. Le mastic devra sécher durant plusieurs heures, peut-être même quelques jours, avant de former une « peau » suffisamment épaisse pour recevoir la peinture.

Si le rapiéçage a été fait avec un obturateur à séchage rapide, il faut poncer les parties rugueuses pour égaliser la surface qui doit être ensuite débarrassée de toute poussière. Un linge humecté d'eau fera l'affaire dans le cas des peintures au latex acrylique. Pour les peintures de type alkyd, on se sert d'un linge imbibé de térébenthine.

L'application de la peinture se fait, en règle générale, à partir des éléments les plus élevés. Un solide échafaudage ou, à défaut, une bonne échelle vous permettront de vous concentrer sur votre travail. Dans les échelles, il faut être prudent et ne pas chercher à embrasser trop grand.

Toutes les parties de bois neuf ou dénudé doivent recevoir une couche de fond appropriée. Certains fabricants prévoient la même couche d'apprêt pour les peintures alkyd et acrylique. C'est ici qu'il est important de lire attentivement les recommandations du manufacturier et de les suivre.

Lorsque la couche d'apprêt aura séché, on passe alors à la finition qui comportera une ou deux couches selon la couleur, l'état de la surface et la composition de la peinture. Avant d'appliquer une deuxième couche d'alkyd lustré sur une première couche qui aura séché pendant plusieurs jours, on assurera une meilleure adhérence en ponçant très légèrement.

En règle générale, on se sert de pinceaux de 3 à 4 pouces (soies naturelles pour l'alkyd et soies synthétiques pour l'acrylique) pour les grandes surfaces et de pinceaux de 2 pouces pour le découpage. Les rouleaux de mohair et de dynel font un travail très rapide. Il faut s'assurer, toutefois, d'obtenir un rouleau d'une qualité compatible avec le genre de peinture utilisée.

Après usage, si l'on a encore un peu de courage, il faut nettoyer pinceaux et rouleaux avec de l'eau et du savon, si l'on s'est servi de latex acrylique, ou avec un diluant tel que la térébenthine s'il s'agit de peinture à l'huile alkyd.

La protection des meubles de jardin

Les meubles, jouets et autres objets de bois qui demeurent en permanence dans votre jardin ou sur votre terrasse sont en danger de mort constant. Le soleil, la pluie, l'humidité de l'air et du sol, la neige et le verglas sont autant d'ennemis qui travaillent constamment à la perte de votre mobilier extérieur.

Le bois atteint aujourd'hui des prix tellement élevés qu'il vaut vraiment la peine de consacrer un peu de son temps et de faire parfois quelques dépenses supplémentaires pour donner toute la protection nécessaire à ce mobilier exposé à l'année longue aux intempéries.

On peut prendre facilement diverses dispositions, certaines dès la construction du mobilier, pour empêcher le virus de la pourriture de s'y installer ou du moins pour retarder le plus possible l'échéance fatale.

Si le bois est de bonne qualité, on peut mener une lutte efficace en recourant aux produits conçus spécialement pour prévenir la moisissure, en construisant de façon à empêcher l'eau de s'infiltrer dans le bois et d'y faire de longs séjours désastreux, enfin en prévoyant une forme d'abri quelconque durant la saison froide.

Les meubles, tels que les tables, chaises et bancs dont les pattes sont toujours en contact avec la terre ou le gazon, sont évidemment plus enclins à être victimes de la pourriture que ceux qui sont installés sur des surfaces (bois ajouré, ciment, asphalte) bien drainées et susceptibles de sécher plus rapidement.

L'humidité chaude est la source de la pourriture. Ainsi, les poteaux de clôture, s'ils ne sont pas convenablement protégés, commencent toujours par pourrir au ras du sol où se trouvent réunis les facteurs les plus propices à la décomposition.

Les pattes des meubles sont particulièrement fragiles. On doit leur faire absorber une dose généreuse de produits antipourriture ou encore de teinture contenant des agents protecteurs.

Dans le cas des meubles appelés à faire des séjours prolongés sur des surfaces constamment humides, on les isole, lorsque c'est possible, avec de minces planchettes de bois plein, de contre-plaqué, etc. À l'arrivée de la mauvaise saison, tous les meubles peuvent être juchés sur de petits blocs afin de permettre aux pattes de mieux s'égoutter et de ne pas séjourner dans l'eau.

Meubles et jouets de bois demeurant à l'extérieur durant l'hiver peuvent être mis à l'abri de la neige et du verglas, sous des bâches ou des housses où l'on prendra cependant la précaution de permettre à l'air d'y circuler librement (au moyen de planches et de blocs), précisément pour éviter de créer des conditions désastreuses d'humidité.

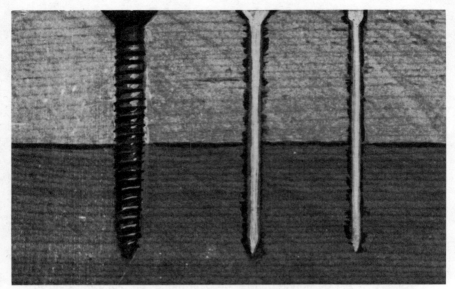

1 — *Vis et clous sont à affleurement de la surface horizontale du bois. C'est une invitation aux infiltrations d'eau et aux risques qu'elles comportent.*

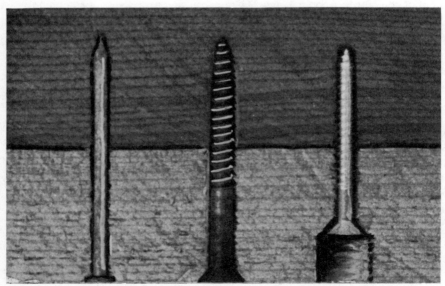

2 — *La meilleure méthode, lorsque c'est possible, c'est de fixer les attaches par-dessous, hors de la portée de l'eau et de la glace.*

294

Durant les saisons plus chaudes, il faut éviter autant que possible de laisser à la surface des meubles des objets qui les empêcheront de sécher rapidement.

Votre mobilier durera plus longtemps si, en plus des précautions déjà mentionnées, vous prenez le temps, au stade de la fabrication, d'observer certaines règles de prudence.

Ainsi, les attaches de cuivre (clous, vis, boulons, etc.) sont celles qui résisteront le plus longtemps à l'extérieur. Mais elles coûtent fort cher et leur popularité s'en ressent probablement. À défaut de cuivre, il faut se rabattre sur les attaches galvanisées. Le zinc déposé sur ces attaches risque de disparaître à la longue si elles demeurent exposées aux intempéries. Les clous et vis galvanisés doivent être enfoncés sous la surface du bois et recouverts d'un mastic, sinon la rouille se mettra de la partie. Elle décomposera les attaches et souillera les parements de bois et fera finalement pourrir ces derniers en permettant à l'eau d'entrer dans les trous laissés par les attaches volatilisées.

Si, pour une raison ou une autre, les extrémités des attaches doivent demeurer en surface, il faut alors les protéger en les enduisant de peinture.

Les attaches, quelles qu'elles soient, rempliront mieux leur tâche et dureront plus longtemps, si, chaque fois qu'il est possible, elles sont fixées à un endroit que l'eau ne pourra atteindre. Ainsi, le plateau d'une

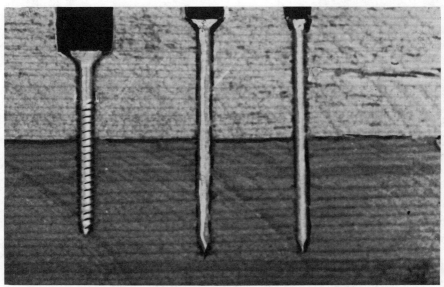

3 — Ici, les attaches, enfoncées depuis la surface, sont protégées par un mastic. C'est mieux que la méthode à affleurement, mais il y a toujours danger.

table risquera de pourrir moins vite et sera tout aussi bien retenu aux autres éléments de ce meuble si les attaches, au lieu d'être enfoncées depuis la surface, comme la chose se fait très couramment, sont fixées par-dessous (voir dessin).

Toujours au stade de la fabrication, tous les joints devraient être enduits de colle à l'épreuve de l'eau (resorcinol ou epoxy) ou du moins d'un mastic à calfeutrage de bonne qualité. Si, pour une raison ou une autre, les meubles devaient subir les pluies et les gels successifs de l'hiver, l'eau se transformant en glace ne pourra pas pénétrer dans les joints pour les disloquer.

Les meubles seront également moins sujets aux infiltrations d'eau si les bords des planches et des panneaux qui les composent sont chanfreinés légèrement. La peinture et la teinture ne tiennent pas bien sur les arêtes vives. Un léger choc peut briser une arête, supprimant du même coup la protection fournie par la peinture ou la teinture. Pour être efficaces, peinture et teinture ne doivent présenter aucune ouverture à l'eau.

De petits blocs disposés sous les pattes des tables et chaises permettront un égouttement efficace durant la mauvaise saison.

Pour éviter le « pleurage » de la rouille sur le bois, il aurait fallu enduire de peinture ces boulons et rondelles de fer.

Pour retenir cadres et tablettes

Les murs creux, vêtus de plâtre, de placoplâtre (panneaux de gypse), de contre-plaqué ou de carton-fibre admettent bien les clous et les vis, mais ne les retiennent pas.

Lorsqu'on veut fixer ou suspendre un objet à ces murs et que, pour une raison ou une autre, il est impossible d'enfoncer vis et clous dans les colombages de 2 × 3 ou de 2 × 4, on doit recourir à des chevilles de plastique ou à des pitons métalliques à expansion ou à bascule. Toutefois, dans le cas des petits cadres et autres décorations très légères, on peut utiliser des crochets spéciaux, à clous ou à ruban gommé.

Les attaches de plastique et de métal peuvent servir, dans toutes les pièces de la maison, aux travaux normalement effectués avec des clous et des vis sur des surfaces solides: supports de tablettes, crochets, tringles de rideau, meubles suspendus, etc.

Les chevilles de plastique sont disponibles en plusieurs couleurs et, comme les attaches métalliques, sont vendues en diverses longueurs, pour s'adapter aux parois, et en diverses grosseurs, pour retenir des poids légers ou lourds.

Le poids n'est pas cependant le seul facteur à considérer. Ainsi, un porte-serviettes, qui est tout de même un objet léger, peut nécessiter des attaches aussi fortes que celles d'un gros cadre qui n'est soumis à aucun ébranlement. Si vous avez à la maison des jeunes, et aussi des moins jeunes, qui ne sont pas particulièrement soigneux et qui ont la main plutôt dure, les petites attaches de votre porte-serviettes ne résisteront pas longtemps et vous devrez recommencer le travail.

Pour la plupart des chevilles et des pitons métalliques, il faut au préalable percer dans le mur un trou dont le diamètre est généralement indiqué sur les appareils mêmes de fixation ou sur les petits emballages dans lesquels ils sont vendus. Certaines attaches métalliques, dont la vis se termine par une pointe effilée, peuvent être enfoncées au marteau sans qu'il soit nécessaire de forer.

Emballages et attaches mentionnent la grosseur des vis ou des boulons à utiliser. On perce des trous de même diamètre que ces vis et boulons dans les objets qui seront retenus aux attaches.

La longueur des attaches est déterminée par l'épaisseur de la paroi. En sondant avec une broche au bout recourbé ou avec un clou à grosse tête, vous saurez à quoi vous en tenir. Pour diverses raisons, il peut arriver qu'un mur ne soit pas d'épaisseur uniforme. Ainsi, si vous voulez, par exemple, fixer une longue planche, vous vous éviterez des surprises en procédant au sondage de chaque trou.

À quelle distance mettre les attaches les unes des autres? Il faut procéder un peu comme s'il s'agissait de clous et de vis. Plus la paroi est mince et plus l'objet suspendu est lourd ou encore susceptible d'être ébranlé, plus il faudra rapprocher les chevilles et les pitons de fixation. Votre quincaillier ou votre marchand de matériaux de construction pourra vous conseiller si vous êtes indécis.

Les chevilles de plastique sont glissées jusqu'au collet dans le mur où elles s'agrippent en se gonflant sous l'action d'une vis à bois. Certaines attaches métalliques, notamment celles à épaules déployées, doivent tout d'abord être ancrées à la paroi au moyen d'un boulon qui est ensuite retiré, passé dans le trou percé dans l'objet à retenir et réintroduit dans les attaches. Les pitons de types papillon et à bascule ne requièrent pas de fixation préalable. Ils sont assemblés sur la pièce à fixer et enfoncés dans l'orifice pratiqué dans le mur. Le « papillon » déploiera ses ailes tandis que l'autre piton, à pivot décentré, basculera pour aller s'appuyer derrière la paroi.

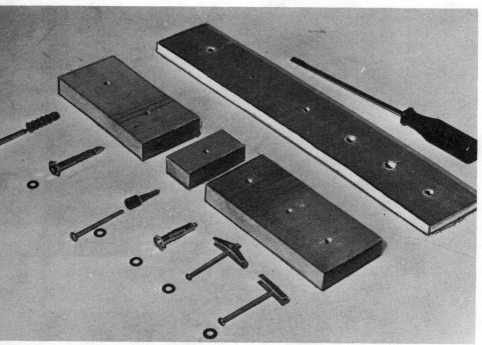

1 — Un bataillon de fixations pour murs creux attend de subir son test. De haut en bas, une cheville de plastique; un piton métallique qui peut percer son propre trou dans le mur; une cheville de plastique « à collet monté » qui obligera la pièce (un tableau, par exemple) à garder ses distances avec le mur; un piton à déploiement; un « papillon » et une « bascule ». Les pièces de bois et le morceau de placoplâtre représentant le mur ont été préalablement percés de trous aux diamètres requis.

2 — Cette coupe montre de quelle façon les attaches se comportent de l'autre côté du « mur ». Les chevilles se sont dilatées sous la pression des vis à bois tandis que les pitons métalliques ont fait le gros dos, ont basculé ou ont déployé leurs ailes pour fournir une ferme résistance.

De haut en bas: a) un foret a percé le trou de la vis ou du boulon dans la pièce à fixer et marque légèrement le mur, au niveau choisi; b) un plus gros foret taille le trou d'admission de l'attache; c) ici, un piton à bascule est introduit, la plus longue partie à l'avant et son dos arrondi tourné vers le haut, dans l'ouverture; d) l'attache a basculé sur son pivot décentré et, une fois boulonnée, retient fermement la pièce.

On peut utiliser les chevilles de plastique dans des parois relativement épaisses mais jamais dans des parois minces comme le contreplaqué des murs ou des portes.

La pièce qui sera retenue par l'attache doit tout d'abord être percée pour recevoir la vis ou le boulon de l'ancrage. On marque du même coup avec le foret (ou par la suite avec la pointe d'un clou) l'endroit où la paroi sera trouée pour accueillir la fixation. Il faut éviter autant que possible de transpercer les murs à proximité des commutateurs et des prises pour ne pas courir le risque d'attaquer les fils électriques et de provoquer des courts-circuits.

Enfin, pour ne pas souiller le plancher avec les déchets de plâtre ou de bois lors du forage des murs, on colle provisoirement avec du ruban gommé un sac de papier ou une petite boîte de carton juste au-dessous du trou que l'on perce.

Pour ceux qui tiendraient mordicus à retracer les 2 × 3 et les 2 × 4 dans leurs murs, qu'ils cherchent à tous les 16 ou 24 pouces à partir des coins. Et si ça va mal, ils auraient peut-être intérêt à s'acheter un petit appareil à aiguille aimantée qui repère les clous sur les colombages. Ça coûtera probablement moins cher que de réparer des murs transformés en passoires par des sondages infructueux.

Étagères et tablettes pratiques

À moins d'être d'une discipline et d'un esprit ordonné comme on n'en voit plus beaucoup de nos jours, vous devez, comme à peu près tout le monde, avoir un peu le complexe de l'écureuil et vous entassez... vous entassez des tas de choses inutiles, mais dont vous pensez avoir besoin un jour.

En ce qui concerne la collection de babioles, les bricoleurs n'ont en général de leçons à recevoir de personne! Comptez sur eux pour vous emplir une maison, de la cave au grenier, d'un paquet de trucs qu'ils ne retrouveront, pour la plupart du temps, jamais lorsqu'ils voudront s'en servir. C'est toujours comme ça. Mais laissez-les faire. Ça les occupe. Tant qu'ils cherchent, ils ne font pas grand mal, à part de « virer » la maison à l'envers!

De toute façon, que ce soit pour remiser ou ranger choses utiles ou superflues, il semble que l'on n'ait jamais suffisamment d'étagères et de tablettes à sa disposition. Il est plutôt rare d'entendre quelqu'un, propriétaire ou locataire, se plaindre d'en avoir trop.

Que vous habitiez une maison toute neuve ou un logement décrépi, il y a fort à parier qu'un de ces jours vous décidiez d'ajouter des étagères. Vous aurez alors trois choix: les acheter, les faire construire ou les fabriquer vous-même.

Les photos ci-après montrent quelques profils d'étagères à tablettes fixes que vous pourrez facilement ériger en les retenant soit aux murs, soit à l'intérieur d'un bâti comme une bibliothèque ou une armoire, ou encore que vous pourrez utiliser comme îlots d'entreposage, par exemple dans une chambre du sous-sol.

Les modèles qui vous sont suggérés peuvent être considérés comme des modèles élémentaires et ne constituent qu'une parcelle des possibilités dans ce domaine.

Si vous n'avez jamais construit une étagère, prenez le temps de regarder les photos ci-contre pour vous convaincre qu'il n'y a rien de bien compliqué dans tout cela.

Après avoir choisi le modèle qui vous convient et sied à la disposition de votre logement, déterminez les dimensions qu'aura votre étagère et choisissez en conséquence les matériaux qui se prêteront le mieux à l'usage que vous en ferez. Pour le rangement au sous-sol ou au grenier, des planches ou des madriers de bois d'épinette, ou encore du bois usagé mais propre, feront parfaitement l'affaire. Par contre, si l'étagère doit s'élever au rang de bibliothèque pour le salon, la chambre à coucher, etc., il faudra choisir du bois moins commun, du pin et du contre-plaqué et peut-être même des bois nobles comme le noyer, l'acajou et le chêne, si vous en avez les moyens.

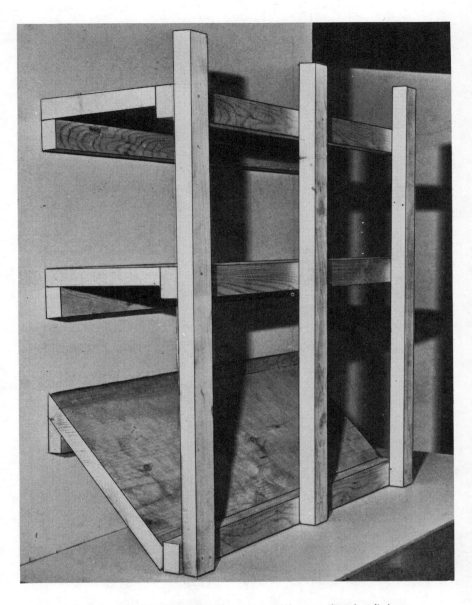

On peut s'inspirer de cette maquette pour construire une étagère fixée
à un mur. L'arrière des tablettes est retenu à des lattes horizontales.
À l'avant, d'autres lattes servent de finition à la tablette et assurent un
bon ancrage aux montants. La tablette du bas a été disposée à 45
degrés. C'est très pratique pour ranger journaux et revues. Cette
tablette, surtout si les côtés de l'étagère sont fermés, peut être faite de
contre-plaqué assez mince.

Prenez soin de bien calculer au départ l'espace entre les tablettes ainsi que leur profondeur, selon les objets qui y seront disposés. Ainsi, les rayons d'une bibliothèque sont habituellement profonds de huit à 12 pouces et il faut laisser un espace d'un à deux pouces entre le haut des volumes et le dessous de la tablette supérieure. Si vous êtes collectionneurs d'albums, de grands disques, etc., il y a risque que des tablettes de 12 pouces ne suffiront pas. Il vous faudra nécessairement construire plus large.

Trois moyens classiques pour fixer des tablettes à l'intérieur d'un bâti tel que celui d'une bibliothèque (les deux tablettes du haut) ou sur un mur (tablette du bas).

Une latte clouée horizontalement au mur soutient l'arrière de cette tablette dont l'avant est maintenu par des vis ou des clous fichés à travers le montant.

Dans n'importe quelle étagère, au sous-sol comme au salon, il faut toujours mettre les tablettes les plus espacées au bas. C'est plus stable et ça donne un meilleur coup d'œil.

La grosseur du bois à utiliser? Tout dépend de votre « bagage ». Une bibliothèque peut s'accommoder de bois de $3/4$ de pouce d'épaisseur pourvu que les tablettes soient supportées à tous les 24 ou 30 pouces. Question de goût et de style, on peut aussi bien recourir à des madriers de deux pouces d'épaisseur. On peut également combiner bois épais pour les montants et bois plus mince pour les tablettes.

Si l'étagère est destinée à recevoir des objets lourds et si l'extrémité des tablettes n'est pas retenue à un bâti, il faudra que la partie arrière soit fixée d'une façon ou d'une autre à un mur ou encore qu'elle soit renforcée par un panneau ou des planches en diagonale (ça, c'est tout juste bon pour le sous-sol ou le grenier) pour empêcher votre étagère de se prendre pour la tour de Pise.

La construction d'une étagère prévoit un recours fréquent et précis au niveau et à l'équerre. Marteau, tournevis, scie, chignole ou perceuse ainsi que des presses (serres) sont les seuls autres outils vraiment nécessaires pour mener votre tâche à bien.

Vous aurez à faire le choix des attaches: clous, vis ou autres moyens

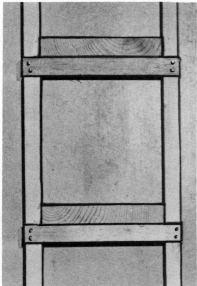 

Des montants et des traverses formant échelle donnent un appui solide aux tablettes. Cette méthode peut servir à fabriquer des îlots d'entreposage au sous-sol, pour dégager les murs.

Profil de tablette retenue par des vis ou des clous entre deux montants dont l'un peut être assujetti à un mur pour donner plus de solidité.

de fixation. À vous de décider, selon la solidité et l'apparence que vous voudrez donner.

La finition et les garnitures, si ces dernières sont nécessaires, seront dictées par votre goût, par le style de la pièce où vous logerez l'étagère et également par le bois que vous utiliserez.

L'épinette, le pin, le contre-plaqué et autres matériaux en panneau peuvent se peinturer ou se teindre, mais il faut soigner particulièrement le « vêtement » des bois précieux. Il faut tout au plus uniformiser leur coloration au moyen d'un tout petit voile de teinture, puis les enduire d'une couche vernissée transparente, satinée ou brillante. Certaines teintures contiennent également de la cire. Ça accélère le travail.

Ces bois, à la fois si beaux et si coûteux, méritent qu'on les traite avec respect et qu'on fasse le nécessaire pour préserver et mettre en relief leur chaleur et leur charme naturels.

Derniers travaux avant l'hiver

Avant de se claquemurer pour l'hiver, il est essentiel de procéder à une série de vérifications et d'entreprendre aussi parfois un certain nombre de travaux à l'intérieur comme à l'extérieur de la maison afin de rendre l'habitation le plus agréable possible pendant la saison froide, de réduire au minimum les frais de chauffage et d'éviter les embêtements plus ou moins graves qui pourraient se produire par suite d'un entretien inadéquat, de négligences ou d'oublis.

Après s'être assuré que fournaises et foyers sont en état de fonctionner convenablement et sans danger pour les occupants de la maison, on s'occupe tout d'abord de l'extérieur. Plus la saison est avancée, plus il faudra faire vite afin de ne pas être surpris par la neige.

La première précaution, dès que la température fléchit régulièrement au-dessous du point de congélation, consiste à purger de leur eau les tuyaux et robinets situés à l'extérieur et à protéger, au moyen d'isolant ou de câbles chauffants, munis de thermostats, les tuyaux dont l'eau risquerait de geler parce qu'ils traversent des locaux au chauffage insuffisant ou inexistant.

Le toit et les murs de fondation doivent être scrutés minutieusement. Les fissures dans les fondations sont obstruées au moyen de mastics à calfeutrage ou de ciments à prise rapide (latex ou vinyle). Si, à certains endroits, l'eau a tendance à s'accumuler près des fondations, il faut alors remblayer et donner au terrain une pente suffisante pour écarter le plus possible l'eau des murs.

On remplace ou répare les éléments avariés de la toiture en apportant une attention particulière au calfeutrage des solins de cheminées, des bouches d'aération ou de tout autre objet faisant projection au-dessus du toit. Tant qu'à y être, pourquoi ne pas vérifier si les antennes de TV et de radio sont solidement assujetties et pourront supporter les tempêtes de l'hiver sans vous laisser tomber au beau milieu d'une captivante joute de hockey ou de la transcription d'une recette de cuisine.

Les gouttières doivent être débarrassées de tout ce qui pourrait faire obstacle à l'écoulement normal de l'eau. À proximité des grands arbres, il est parfois nécessaire de protéger les gouttières avec des grillages de métal ou de plastique afin d'empêcher les feuilles de s'y accumuler, ce qui pourrait éventuellement les obstruer et être à l'origine, au cours de l'hiver, de la formation de digues de glace et d'infiltration d'eau à travers le toit. À propos des arbres, il faut veiller à les tailler de telle sorte que les branches agitées par les vents ne risqueront pas d'endommager une partie quelconque de la maison.

On passe ensuite à l'examen du parement des murs de la maison, des points de jonction des divers matériaux de revêtement et enfin, des très importants joints autour des cadres de portes et fenêtres.

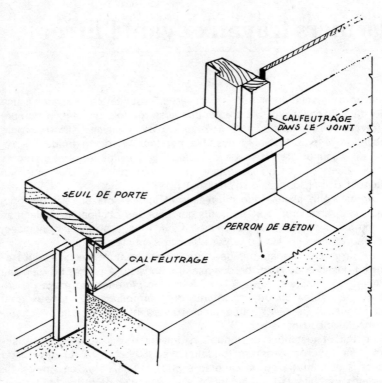

Le calfeutrage des joints du perron et du seuil ne doit pas être négligé.

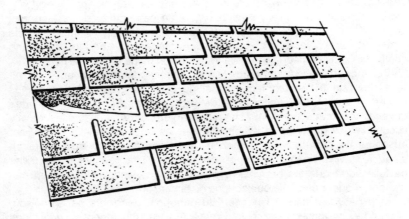

Les bardeaux retroussés risquent de partir au vent. Il faut les recoller.

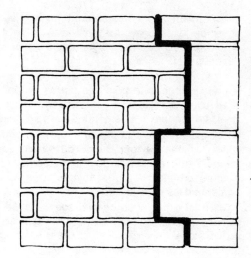

Le mastic assure un joint étanche entre matériaux différents.

Ce dessin indique où on doit calfeutrer autour d'une fenêtre.

On corrige toute défectuosité qui pourrait entraîner des infiltrations d'eau dans le parement des murs: joints ouverts entre les briques ou les blocs de béton, planches disjointes, etc.

Si la température est trop froide pour utiliser du mortier là où il devrait normalement y en avoir, on peut recourir aux mastics à calfeutrage de bonne qualité, quitte à les remplacer par du mortier lorsque le beau temps sera revenu.

Toujours au moyen de mastics à calfeutrage (ce sont des matériaux

indispensables pour l'entretien) on scelle de façon absolument hermé-
tique les joints entre les matériaux de revêtement et le tour des cadres
de portes et fenêtres. Il faut enlever auparavant les joints de mastic
devenus inefficaces.

On regarnit le mastic fendillé autour des vitres et on obstrue toutes
les fissures dans le bois des portes et fenêtres. Les carreaux cassés ou
fêlés sont remplacés. Si la température le permet, un coup de pinceau
ici et là protégera le bois dénudé au moins jusqu'au printemps.

L'extérieur de la maison étant maintenant en état de supporter
l'hiver, on fait un tour rapide du terrain pour mettre à l'abri tout ce qui
pourrait être endommagé par la neige, le froid et la pluie. Quelques
gouttes d'huile protégeront machines et outils de la rouille. Lubrifier
également les serrures.

En faisant un peu de ménage dans les remises et hangars, on prend
soin de mettre à portée de la main tout ce qu'il faudra pour se dépêtrer
au cours de l'hiver: pelles, grattes, souffleuse, etc. Il faut s'assurer que
tout fonctionnera convenablement.

Et si on a du temps devant soi, avant que la terre ne gèle, pourquoi
ne pas consolider les poteaux et planches de clôture qui risquent d'être
détériorés davantage au cours de l'hiver.

Les poteaux et planches qu'il faut renouveler et qui n'ont plus
aucune utilité pour construire quoi que ce soit peuvent toujours fournir
du « petit bois » pour un foyer, le vôtre ou celui des voisins... s'ils ne
sont pas trop collet monté pour accepter pareil cadeau!

À l'intérieur de la maison, où la fournaise et autres appareils de
chauffage ont subi, avant l'arrivée de l'automne, les vérifications d'usage
par des spécialistes, les travaux préparatoires à l'hiver ne devraient pas
être trop ardus. On est au moins à la chaleur!

Là où c'est possible, notamment dans les maisons à toit en pente,
on vérifie si l'isolant, sur le plafond immédiatement au-dessous du toit,
forme une couche suffisamment épaisse et uniforme. L'isolant ne doit
pas bloquer les bouches de ventilation.

Au sous-sol, les fissures et lézardes dans les murs de fondation sont
comblées avec des mastics à calfeutrage ou des ciments à prise rapide
en attendant d'effectuer, si nécessaire, au printemps, des réparations
de caractère permanent, du côté extérieur.

L'installation de « coupe-froid » ou bandes de calfeutrage autour
des portes et fenêtres rendra la maison plus confortable et permettra
d'économiser le chauffage.

Pour se reposer (!) entre tous ces travaux, on peut prendre quelques
instants de réflexion pour dresser une liste, par priorités, des projets
plus ou moins élaborés que l'on veut exécuter au cours de l'hiver, ré-
aménagement d'un local, finition du sous-sol, construction d'un foyer,
etc.

Si l'on a l'espace et surtout l'argent nécessaires, il serait peut-être
bon d'acheter immédiatement, au moins en partie, les matériaux requis

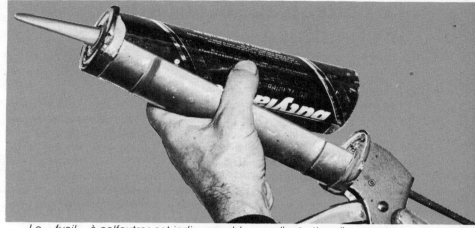

Le « fusil » à calfeutrer est indispensable pour l'entretien d'une maison.

pour la réalisation de ces projets. Au train où les choses vont, les prix ne risquent pas de baisser.

Enfin, comme ultime précaution, on rassemble dans un local facilement accessible tout ce qu'il faut pour procéder en vitesse à des réparations pressantes. Une telle trousse pourrait inclure marteau, tournevis, couteau à mastic, clous et vis de diverses longueurs, des pâtes à calfeutrage et le « fusil » d'accompagnement, des ciments qui collent aux surfaces humides, une lampe de poche, quelques pièces de tôle et des bardeaux, une chaudière, des torchons, des pièces de polyéthylène ou de vinyle pour remplacer les carreaux cassés, etc. À chacun de déterminer ce dont il peut avoir besoin.

Le calfeutrage économise
le chauffage

Même au cours des pires tempêtes de l'hiver, la maison, pourvu qu'elle soit bien protégée déjà du côté extérieur, sera très confortable si, du côté intérieur, on installe avec soin des bandes et des cordons de calfeutrage autour des portes et fenêtres et que l'on bouche tous les interstices par où le froid pourrait pénétrer.

Le marché offre tout un assortiment de bandes et cordons, de bourrelets, de joints et de rubans gommés qui permettent d'assurer une très grande étanchéité à la maison. Les dessins ci-contre montrent quelques-uns des éléments de calfeutrage les plus fréquemment utilisés. On les trouve chez les marchands de matériaux de construction.

Ces éléments, composés de matériaux tels que bois, aluminium, caoutchouc, vinyle, mousse de polyuréthane, feutre, bronze, toile et rubans gommés, sont très efficaces si on sait bien les utiliser et si leur pose est faite avec minutie. S'il y a des problèmes majeurs (par exemple, une porte qui refuse de demeurer fermée) il faudra les résoudre au préalable.

Aluminium ou bois

Les bricoleurs achètent, en règle générale, des emballages qui contiennent tout ce qu'il faut (avec clous et vis) pour les seuils de porte, les bas de porte, ainsi que le haut et les côtés des encadrements de portes et fenêtres. Il s'agit de bandes de bois ou d'aluminium garnies de mousse, de lisières de caoutchouc ou de vinyle ou de bourrelets de vinyle. Les bandes d'aluminium coûtent plus cher que les bandes de bois, mais elles sont susceptibles de durer plus longtemps. Elles ne pourrissent évidemment pas et, de plus, leurs lisières d'étanchéité sont souvent remplaçables. Ces lisières coûtent environ la moitié du prix de la bande originale.

Les bandes d'aluminium n'ont pas besoin d'être peintes tandis qu'il est préférable de le faire dans le cas des bandes de bois (à moins de les acheter prépeintes en blanc) si l'on veut que les encadrements aient l'air propre.

De plus, certaines moulures d'aluminium sont ajustables. Ce qui est fort pratique pour assurer la plus grande étanchéité possible. Les vis qui retiennent ces moulures peuvent être relâchées afin de procéder à tout nouvel ajustement qui pourrait être nécessité par tout mouvement assez important (tel que le voilement) des cadres, des portes et des fenêtres.

Pour effectuer ultérieurement, sans difficulté, les ajustements re-

312

quis, il faut prendre soin, lors de l'installation initiale, d'enfoncer les vis au centre des trous allongés pratiqués dans les moulures.

Les bandes de bois, étant la plupart du temps retenues par des clous aux encadrements, ne permettent pas, sans risque de bris, d'apporter aussi facilement des modifications.

Un choix à faire

Faut-il recourir absolument aux bandes de calfeutrage les plus coûteuses ou utiliser celles dont le prix est plus modique? Tout le monde ne partage pas la même opinion là-dessus. Certains bricoleurs ne veulent se servir que de bandes de meilleure qualité avec lisières ou bourrelets remplaçables, tandis que d'autres se contentent des bandes les plus communes. Quelques-uns agissent de la sorte parce que les bandes plus communes grèvent moins leur budget, à court terme. D'autres sou-

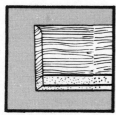  

Bandes de bois et d'aluminium pour encadrement de portes et fenêtres.

Bandes pour seuils de porte.

Bas de porte.

lignent que pour installer de nouveaux bourrelets ou lisières, il faut enlever les moulures pour les y insérer. Comme il y a toujours risque que les moulures soient endommagées en cours de travail, ils auraient alors payé le fort prix pour n'en retirer rien de plus.

Toutefois, avant d'acheter quoi que ce soit, il convient de s'informer de la solidité et de la durabilité des lisières et bourrelets. Certains se déchirent très facilement et ne résisteront pas longtemps aux coups. Les lisières fabriquées de caoutchouc renforcé de nylon comptent parmi les meilleures.

Où calfeutrer?

Les bandes de calfeutrage vissées ou clouées à l'encadrement doivent-elles être pressées sur les portes extérieures et les contre-fenêtres ou est-il préférable de les mettre plutôt en contact avec les portes et fenêtres donnant sur l'intérieur de la maison?

La société RCR, une des entreprises de la région de Montréal qui se spécialisent dans la fabrication d'éléments de calfeutrage, suggère de poser les bandes, lorsqu'il est possible de le faire, du côté intérieur, notamment dans le cas des fenêtres.

Il y a à cela au moins deux raisons. En premier lieu, les bandes posées près des fenêtres intérieures seront moins visibles... de l'intérieur. En deuxième lieu, les bandes seront hors d'atteinte de l'eau qui pourrait être refoulée par le vent. Toutefois, moyennant certaines précautions contre la rétention de l'humidité, on peut, si on le préfère, installer les bandes aux portes extérieures et aux contre-fenêtres.

En ce qui concerne les portes, on conseille d'installer en premier les bandes latérales, à pleine hauteur de l'encadrement. La bande du haut et la bande de seuil sont intercalées par la suite. En procédant de cette façon, on pourra remplacer plus facilement les bandes de seuil (ou leurs lisières), qui sont plus exposées à subir des dommages. On n'aura pas à toucher aux bandes sur les côtés.

Travail minutieux

Dans tous les cas, l'installation doit être faite avec minutie. Les bandes feront partie de la finition des encadrements. De plus, si les bandes sont taillées trop court, on ne pourra obtenir l'étanchéité souhaitable.

Parfois, les vieux encadrements de portes et fenêtres présentent des difficultés. Les rebords sont « mangés », il y a des trous et des éclats de bois se sont envolés. De sorte que les bandes de calfeutrage, peu importe leur qualité, ne pourront donner satisfaction parce que l'air arrivera à s'infiltrer entre les bandes et l'encadrement. Dans pareils cas, il faut commencer par uniformiser la surface de l'encadrement ou, encore, il faut asseoir les bandes sur un cordon de mastic de calfeutrage qui, en s'écrasant, bouchera tous les interstices.

Lors de la coupe des bandes, ce ne serait peut-être pas une mauvaise idée que de conserver les bouts de surplus, s'ils mesurent au moins quelques pouces de longueur. On ne sait jamais. Ils peuvent toujours servir à effectuer une réparation (sans avoir à remplacer une bande au complet) ou encore à compléter le calfeutrage d'une fenêtre.

En dehors des bandes réservées à des usages déterminés (encadrement, seuils et bas de portes), on peut recourir, selon les besoins, à divers autres éléments de calfeutrage: bourrelets de mousse, joints de vinyle avec ou sans cordon de coton, bourrelet de feutre, rubans encollés, cordon de mastic à calfeutrer, bourrelets de laine minérale et joint ou mince lisière de bronze.

Mousse efficace

Les bourrelets de mousse de polyuréthane et de caoutchouc, pourvus d'adhésif au dos, forment un joint très étanche. Si la mousse doit être exposée à l'eau et au gel, on fera bien de s'assurer qu'elle est à l'épreuve de l'eau et qu'elle n'est pas de la catégorie des mousses dites « open cell », c'est-à-dire qui peuvent s'imbiber d'eau et retenir l'humidité.

La partie mince des joints de vinyle, remplis ou non de coton, est clouée aux 2 pouces sur le pourtour des portes intérieures de façon à faire obstacle au passage de l'air entre la porte et son encadrement. Ces joints, version moderne des joints de corde et de toile, sont voués à la disparition. Ils ne sont pas très esthétiques et leur efficacité laisse à désirer, notamment lorsque l'encadrement est décalé par rapport à la porte.

Les bourrelets de feutre, qui retiennent l'eau, disparaîtront vraisemblablement du marché dans un avenir pas très éloigné. Un autre vestige

Bourrelets de mousse.   Joints de vinyle, avec et sans coton.

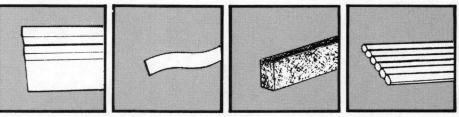

Joint de bronze et ruban encollé.   Feutre et cordons de mastic.

315

du passé, le joint ou « feuillard » de bronze, qui agit à la façon d'un ressort entre l'encadrement et la fenêtre et la porte, subira peut-être le même sort.

Rubans adhésifs

Les rubans encollés, toile ou papier, sont fort utiles pour empêcher l'air de pénétrer par le rebord des fenêtres que l'on garde fermées durant l'hiver.

Toutefois, ces rubans, surtout s'ils ont été chauffés par le soleil, peuvent être de vrais « poisons » pour la peinture lorsqu'on veut les enlever. La peinture à faible adhérence partira en même temps que les rubans.

C'est ce qui se produit également avec les cordons de mastic à calfeutrage. Ils bouchent la moindre fissure mais, parfois, ils adhèrent tellement bien que la peinture lève en même temps ou encore il faut gratter le mastic.

En raison des services qu'ils peuvent rendre, rubans et mastics méritent d'être utilisés, mais on ferait bien de ne les installer que là où personne ne les remarquera.

Il en est de même des bourrelets de laine minérale, façonnés à la main, que l'on peut utiliser pour couper le froid autour des fenêtres que l'on ne prévoit pas ouvrir avant le printemps.

Quels que soient les éléments de calfeutrage que l'on choisisse, il est toujours bon, du moins lorsqu'on en fait l'installation pour la première fois, de jeter un coup d'œil sur les directives... lorsqu'il y en a! Et lorsqu'il y en a, il arrive parfois qu'elles soient cachées au dos d'un emballage qui semble, à prime abord, n'avoir pour seule mission que de renseigner sur le nom du manufacturier. Avant de mettre l'emballage à la poubelle, mieux vaut l'examiner soigneusement. On peut y trouver de précieux renseignements.

Les mastics à calfeutrage

Si les points vulnérables de l'extérieur de votre maison sont protégés par des mastics à calfeutrage de bonne qualité, l'hiver vous semblera moins froid et le printemps vous sera plus agréable parce que les gels et dégels de la mauvaise saison n'auront pu exercer de ravages nécessitant de coûteux travaux d'entretien.

La technique moderne a mis au point des mastics à calfeutrage qui s'opposeront durant des années et des années à l'infiltration du froid ainsi que de l'eau, et partant, de la glace, dans les interstices, angles et joints des matériaux constituant les murs et le toit de votre habitation.

L'air froid, poussé par le vent, qui pénètre dans un joint dénudé, est facilement perceptible à l'intérieur d'une maison. Mais l'eau et la glace font un travail plus sournois. Les joints de bois qui font constamment « trempette » pourriront rapidement. Par ailleurs, la glace, en se dilatant dans les joints et fissures, cherchera à les agrandir davantage, aggravant ainsi les problèmes causés par l'infiltration.

Cet assortiment de cartouches, produites par diverses sociétés, représente les sept grandes catégories de mastic pouvant servir au calfeutrage à l'extérieur. Le premier tube à gauche est un mastic au bitume; le deuxième, une pâte à base d'huile; les trois suivants, des latex acryliques; le solitaire, au centre, un acrylique à base de solvants. Les deux jumeaux, à droite, contiennent du butyle; l'avant-dernière cartouche, du silicone, et la dernière, du caoutchouc synthétique.

Pour éviter les embêtements, il est bon de se livrer au moins une fois par année à une inspection détaillée de l'extérieur de la maison afin de déceler tous les endroits par où le froid, l'eau et la glace pourraient s'introduire. On doit apporter une attention particulière aux joints autour des fenêtres et portes, aux joints de jonction des surfaces et matériaux différents, aux solins des cheminées et ventilateurs du toit, enfin, aux fissures dans les murs de maçonnerie ou de béton.

Un bon masticage s'impose autour des portes, fenêtres, cheminées et bouches d'aération.

Ces dessins, tirés d'un dépliant de la Tremco, montrent en 1) la bonne inclinaison du tube pour obtenir un joint convexe parfait; en 2) et 3), ce qui se produit si le bec est trop relevé ou couché.

Le colmatage des joints et fissures se fait plus facilement par temps doux, au printemps ou à l'automne, mais il est possible d'effectuer le travail même par température très basse. On n'a alors qu'à utiliser une « boîte de chauffe », comme le suggère l'une des photos ci-contre.

Certains mastics à calfeutrage sont disponibles en contenants d'un ou plusieurs gallons. On se sert alors d'un « fusil » à cylindre fermé qu'il faut nettoyer après chaque utilisation. La plupart des bricoleurs préfèrent une solution moins salissante: les cartouches de carton munies d'un bec de plastique.

Les cartouches sont insérées dans un « fusil » à cylindre ouvert. Une tige à crémaillère (dentelée), actionnée par une gâchette, fait pression sur le fond mobile de la cartouche et fait sortir la pâte par le bec que l'on taille en biseau, plus ou moins près de la pointe, selon la largeur du cordon de mastic que l'on veut déposer. Avant utilisation, on introduit dans le bec un long clou ou broche pour perforer la membrane qui retient la pâte dans le tube.

Une cartouche peut couvrir en moyenne un joint d'une longueur de 20 à 30 pieds. Pour faire un beau joint, on tient le fusil à un angle d'environ 45 degrés et on le déplace lentement, sans à-coup, en pressant de façon continue sur la gâchette. On relâche la pression en désengageant la tige à crémaillère et en la tirant un peu à l'arrière.

Le mastic doit être suffisamment souple pour pénétrer dans l'in-

On prolonge la vie du mastic dans une cartouche débouchée en enfonçant un clou ou une vis dans le bec. On entoure ensuite de polyéthylène les deux extrémités du tube pour empêcher l'air de rejoindre le mastic et le faire durcir. On entoure de même les tubes non utilisés, dont la survie n'est généralement pas garantie au-delà d'un an.

terstice que l'on veut combler, et déborder de chaque côté. Les fissures profondes sont remplies jusqu'à un demi-pouce du bord avec de la laine minérale, des cordons préformés de mousse polystyrène ou même avec de la corde, mais jamais avec de l'étoupe contenant de l'huile.

Quel que soit le mastic que l'on utilise, on n'obtiendra de bons résultats que si l'on suit fidèlement les préparatifs recommandés par les manufacturiers. La plupart des mastics exigent une surface sèche. Certains tolèrent la peinture; d'autres, non. Mais cela ne constitue

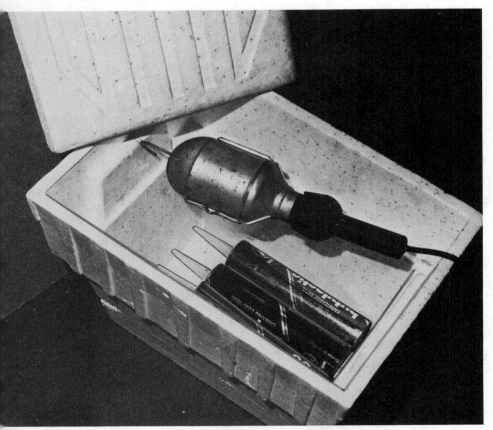

Une glacière peu coûteuse en mousse de polystyrène sert ici de « chambre de chauffe » aux cartouches de mastic à calfeutrage. La chaleur est fournie par une ampoule de 100 watts que l'on suspend de façon qu'elle ne touche ni aux cartouches ni aux parois ou au couvercle de ce réchaud improvisé. On peut aussi recourir à une chaudière, à une boîte de bois, etc.

généralement pas un problème, la majorité des mastics étant disponibles en plusieurs couleurs.

Quel mastic choisir? On a le choix entre au moins sept catégories, aux qualités aussi diverses que les prix: bitume, huile, latex acrylique, acrylique à base de solvants, butyle, silicone et polysulfure (caoutchouc synthétique). Ce dernier scellant, très efficace mais très coûteux, n'est pas encore d'un usage très répandu chez les bricoleurs.

Le mastic à base de bitume, par contre, est fort connu. Il faut cependant éviter les qualités trop communes. La concurrence féroce entre les manufacturiers force ces derniers, de leur propre aveu, à mettre sur le marché un produit qui vaut parfois dix fois moins que le tube qui lui sert de contenant. Le bitume commun a la déplorable habitude de se fendiller rapidement.

Le mastic à base d'huile, lui aussi dans la catégorie des « prix légers », est en train, selon certains techniciens, d'être supplanté par les mastics de caoutchouc butyle et d'acrylique à base de solvants. Par température froide, ces deux composés feront une tâche impeccable à l'extérieur, pourvu que l'on ait soin de les chauffer au préalable. Le butyle a une vie garantie de cinq à huit ans; l'acrylique avec solvants, jusqu'à 20 ans!

Les scellants à base de latex acrylique, également très durables, sont d'ordinaire réservés aux travaux d'intérieur, mais on peut les utiliser à l'extérieur pourvu qu'ils puissent sécher en paix pendant au moins quelques heures. Une fois séchés, ils ne se dissoudront pas.

Enfin, il y a le mastic à base de silicone. On peut l'appliquer, sans le chauffer, à presque toutes les températures, même à 30 degrés C au-dessous de zéro. Il adhère très bien au verre, au métal et au bois dénudé, mais serait moins efficace sur le béton et la maçonnerie. Son prix élevé — à peu près dix fois plus que le bitume — fait naturellement réserver son utilisation aux joints appelés à subir des expansions et contractions très prononcées.

Selon un fabricant, la société Mulco, le silicone peut, sans danger, « prendre un jeu » d'environ 25 pour cent, au regard de 5 pour cent pour le butyle, de 7 pour cent pour l'acrylique à base de solvants et de 10 pour cent pour le latex acrylique.

Des chevilles pour réparer les meubles

Les chevilles de bois sont fort utiles pour réparer les meubles fracturés (voir dessins), notamment les tables et les chaises qui sont le plus exposées aux accidents de toutes sortes.

Toutefois, il arrive que les chevilles, qu'elles aient été installées en cours de réparation ou d'assemblage, aient elles-mêmes des faiblesses. Il faut alors les remplacer. Le travail de remplacement ou d'utilisation de chevilles pour raccommoder pieds, traverses et montants cassés, peut être réalisé par tout bricoleur disposé à y mettre le temps et les précautions nécessaires. Évidemment, il y a toujours des cas où il vaut mieux confier la tâche à des spécialistes.

On se procure les chevilles rondes de bois dur, en divers diamètres, chez les marchands de matériaux de construction. Elles se vendent en tiges que l'on débite à la longueur requise.

Le diamètre de la cheville ne doit pas excéder la moitié de l'épaisseur du bois dans lequel elle est logée. Pour éviter les fêlures, ne pas mettre de cheville à moins de $1/2$ pouce (environ 1.25 centimètre) du bord étroit d'une planche. Toujours, si c'est possible, la longueur de la cheville dans chaque pièce doit équivaloir à au moins $1^1/_4$ fois l'épaisseur de la pièce. Mieux que la « colle blanche », une colle à base de

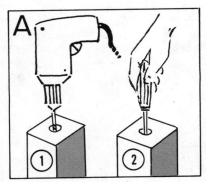

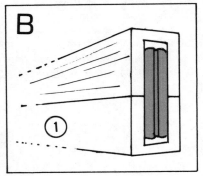

A — On débusque une cheville cassée en la perçant (1) avec des forets dont on augmente graduellement la grosseur. Nettoyer la mortaise (2) avec poinçon et petit tournevis.

B — Pas de problème: la cheville, plus courte que la mortaise, a les bouts arrondis pour faciliter la pénétration et est rainurée pour permettre à la colle de « voyager ».

résine ou d'epoxy établira un lien ferme entre la cheville, la mortaise et les pièces à assembler.

Le diamètre des mortaises doit être suffisant pour admettre les chevilles sans que le bois risque d'être écartelé.

Les photos montrent la réparation (pas trop difficile) effectuée sur une chaise dont la partie gauche du dossier (photo 1) a été brisée par un choc, qui a rompu non seulement un joint de colle mais aussi la cheville reliant le dossier au montant, fissurant du même coup la partie

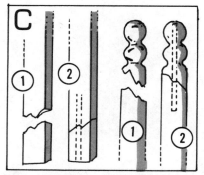

C — Les « belles » cassures près de la base ou du sommet des pièces (1) se réparent facilement. Coller les pièces avant de les percer et de les cheviller (2).

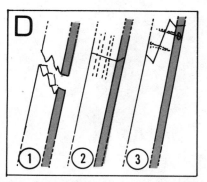

D — Lorsqu'il est impossible de réduire une vilaine fracture (1), scier la pièce avariée et poser une nouvelle section avec des chevilles (2) ou un joint (3) avec des vis.

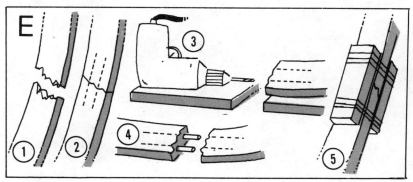

E — Réparer un pied ou un montant courbe n'est pas toujours facile même si la cassure est propre (1). Réunir à sec les éléments brisés sur lesquels on indique (2) l'emplacement futur des chevilles. À l'aide d'une perceuse montée parfaitement à l'horizontale (3) forer des mortaises, à mi-épaisseur des pièces, dans l'axe des lignes. Si le travail est bien fait, les pièces (4) s'ajustent correctement et on n'a plus qu'à faire sécher (5) entre des éclisses.

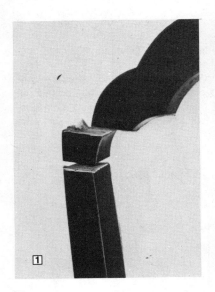

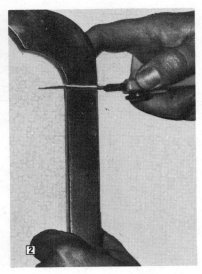

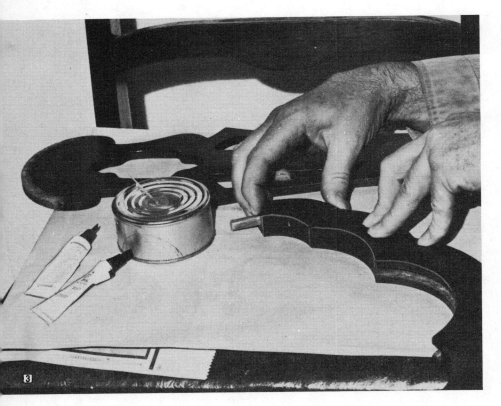

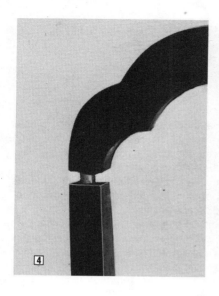
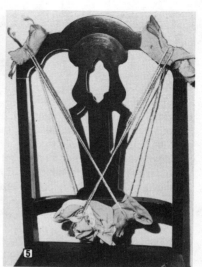

centrale du dossier que quelqu'un a pansée au moyen de ruban gommé sans se douter qu'en enlevant le papier, une partie du vernis y laisserait sa peau. Plus tard, en recollant les pièces, la fêlure est devenue invisible mais le vernis est demeuré éclopé.

Pour réparer le dossier, il aurait fallu normalement le percer pardessus pour relier au moyen d'une cheville le dossier, la petite pièce « orpheline » et le haut du montant. Cela aurait exigé un certain travail de finition au sommet exposé de la cheville. Heureusement (une fois n'est pas coutume!), le joint de colle du côté droit étant légèrement ébranlé, il a été possible de glisser une lame fine (photo 2) entre le dossier et le montant et de « scier » la cheville.

Une fois la traverse supérieure du dossier complètement dégagée, il ne restait plus qu'à vider les mortaises de leurs moignons de cheville, à gratter la vieille colle et à tailler deux nouvelles chevilles. La partie centrale du dossier, fissurée à sa partie supérieure, a été dégagée de la traverse du bas en vue de la recoller plus solidement.

Une nouvelle cheville a été introduite dans la pièce fracturée qui a été réunie au dossier (photo 3) au moyen d'une colle ultra-rapide (de l'epoxy 5-minutes).

Ensuite, les divers éléments du dossier ont été assemblés à sec (on voit le côté gauche sur la photo 4) pour y apporter les corrections nécessaires, puis ils ont été enduits de colle à séchage pas trop rapide et enserrés par des cordes jusqu'à ce que la colle ait fait prise. Des linges ont été glissés sous les cordes pour éviter de « brûler » la finition (photo 5). On prend des précautions semblables lorsqu'on utilise des serre-joints afin qu'ils ne laissent pas de trace de morsure.

Comment réparer les barreaux et sièges

Consolider et remettre sur pied une vieille chaise à barreaux que les années ont rendue invalide n'est pas une tâche impossible à la condition que le bois de la majorité des éléments soit encore sain et que l'on puisse remplacer les éléments disparus ou devenus inutilisables.

Lorsqu'il est impossible de remplacer ces éléments par des pièces identiques datant de la même époque, il faut se résigner à fabriquer ou à faire fabriquer une copie aussi fidèle que possible.

Les dessins et photos de ce chapitre font état des maux les plus fréquents et de quelques moyens d'y remédier. Les méthodes suggérées peuvent s'appliquer, bien sûr, à la réparation des chaises à barreaux de fabrication plus récente.

La vieille chaise (photo 1) qui sert ici à la démonstration était en piteux état: siège fracturé, « épaule » de dossier disloquée et barreau manquant. De plus, du côté droit, sous le siège, un des deux barreaux

1

2

affichait une longue fracture tandis que l'autre, intact, jouait dans ses mortaises.

Le dossier et le siège ont été recollés en même temps au moyen d'une bonne colle à prise suffisamment lente. Auparavant, le barreau manquant à l'appel a été remplacé par un nouveau qui a été tourné puis vieilli artificiellement par ponçage.

Après les précautions habituelles (grattage de la vieille colle) et dépôt d'une couche généreuse de colle sur les surfaces à réunir (un pinceau fin a servi entre les parties disjointes mais rapprochées du siège), le haut du dossier a été enserré entre des cordes (photo 2) et le siège, entre des serre-joints. Pour empêcher les pièces de se déplacer sous la pression des serre-joints, le siège a été maintenu de

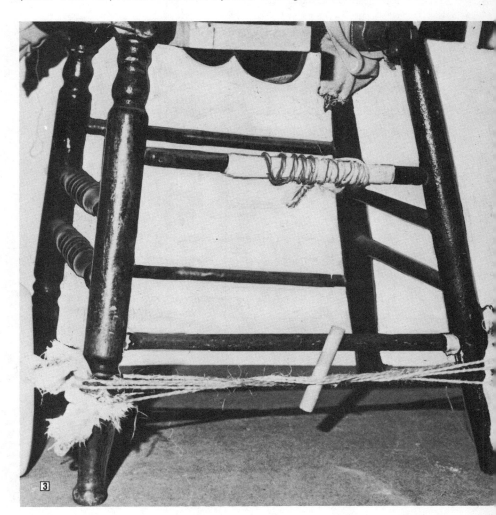

327

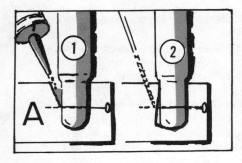

A — Pour immobiliser un barreau qu'on ne peut enlever (ici, un clou), injecter de la colle autour (1) ou par un petit trou (2). À (1), on se sert de cure-dents pour remplir les interstices.

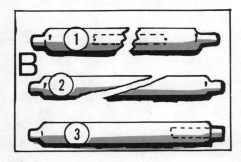

B — Un barreau rompu net est consolidé avant collage avec clou ou cheville (1). La colle suffit pour une longue fracture (2) si le barreau ne « force » pas. Une cheville (3) remplace un bout de barreau cassé.

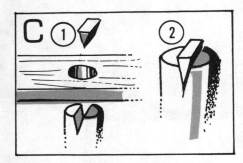

C — Un coin (1) enfoncé dans une entaille au bout d'un barreau élargit le tenon (2) et ancre le barreau dans sa mortaise. Mettre le coin en sens contraire du fil du bois où est creusée la mortaise.

D — Pour loger un nouveau barreau sans avoir à désarticuler les pièces voisines, couper le barreau en diagonale, introduire les extrémités dans les mortaises et coller les parties coupées.

niveau au moyen d'une planche glissée dessous et retenue par une presse (serre) de chaque côté du siège.

Le barreau fracturé (photo 3) a été collé, entouré d'un morceau de papier ciré et ficelé. Les extrémités du barreau du bas ont été entourées de fil imbibé de colle (pour reprendre le jeu dans les mortaises) puis, le barreau remis en place, on a fait un tourniquet pour resserrer les pieds pendant le séchage. Un tourniquet a également servi à resserrer le haut du dossier.

Pour toutes les réparations prévoyant le collage de plusieurs éléments interdépendants d'un meuble, il convient de bien planifier les étapes de collage afin de les effectuer successivement, sans que les premières entravent les dernières.

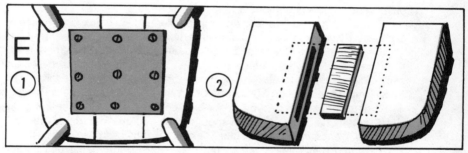

E — Un morceau de contre-plaqué (1), avec colle et vis, peut renforcer un siège fracturé. Si le siège est désassemblé, on peut pratiquer dans les parties séparées des rainures cachées (2) dans lesquelles on insère et colle une languette de contre-plaqué ou de bois dur au fil en sens opposé à celui du siège.

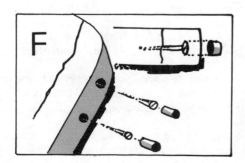

F — Une fissure dans un siège ne s'aggravera pas si on supprime tout mouvement au moyen de vis. Cacher les têtes sous des chevilles coupées à affleurement du bois.

Comment ajuster une porte dans son cadre

POUR QU'UNE PORTE FERME BIEN

C'est une sage précaution de s'assurer que les portes communiquant avec l'extérieur de la maison tombent bien dans leur encadrement, qu'elles ouvrent et ferment sans difficulté et qu'elles peuvent ainsi être calfeutrées convenablement.

Les portes qui restent « accrochées » en chemin et avec lesquelles il faut se battre pour n'arriver qu'à les refermer à moitié parce qu'elles butent ou coincent à une partie ou l'autre de l'encadrement, sont non seulement une épreuve pour la patience, mais risquent de provoquer rhumes et grippes, sans compter qu'elles sont susceptibles d'accroître de façon tout à fait inconfortable la note de chauffage.

Parfois, il ne suffit que d'un petit ajustement ou deux pour corriger la situation. Et parfois, ce n'est même pas nécessaire.

On commence par procéder à quelques vérifications élémentaires. Il se peut que la porte refuse de fermer, tout simplement parce qu'un caillou, un éclat de métal ou de bois, dissimulé, restreint son action. Aussi simple que l'œuf de Christophe Colomb!

Il peut arriver aussi que ce soit plus compliqué. L'encadrement peut s'être déhanché par suite d'un mouvement imprimé par un tassement de terrain. L'encadrement se vérifie à l'aide du niveau et de l'équerre.

En règle générale, on ne touche pas aux encadrements des portes de bois. Lorsque c'est possible, on fait les corrections sur les portes elles-mêmes. Dans le cas des ensembles d'encadrement et de portes métalliques, le travail doit porter sur l'encadrement qui doit être relogé en partie ou en entier, ce qui peut être assez long, surtout si l'on doit modifier les dimensions des pièces de bois qui servent d'appui. Mieux vaut ne pas toucher aux portes de métal. Mais, pourvu qu'elles ne soient pas peintes, elles peuvent toutefois se prêter à un léger limage, si ça ne prend que cela pour les remettre à leur place.

Le déséquilibre de l'encadrement n'est pas un accident très fréquent. Ce qui se produit le plus souvent, ce sont plutôt des « petites misères » comme celles dont font état les photos ci-après, et que l'on éprouve surtout avec des portes de métal de faible épaisseur et de qualité commune.

Ici (photo 1), le bas de la porte refuse de s'engager à fond et se traîne sur le seuil. Un simple coup d'œil permet de constater que l'action de la porte est gênée par la bande mobile de calfeutrage qui, pour une raison ou une autre, est trop basse.

On relâche (photo 2) les vis qui retiennent la bande et on la relève tout juste ce qu'il faut pour que le ou les rubans ou bourrelets de calfeutrage dont elle est pourvue à sa partie inférieure permettent à la porte de se refermer tout en lui assurant la plus grande étanchéité possible. Au besoin, renouveler les éléments de calfeutrage non seulement sur la bande mais aussi tout autour de l'encadrement, sur la partie qui forme la feuillure ou l'arrêt.

Ici, la bande de calfeutrage est maintenue par trois vis: une de chaque côté de la porte, et une derrière. Dans certains modèles, la bande consiste tout simplement en une pièce de métal, avec ruban de vinyle, vissée à l'avant de la porte, c'est-à-dire du côté extérieur.

Après avoir relevé la bande, il se peut, comme cela s'est produit dans le cas ci-dessous, que ce ne soit pas suffisant pour que la porte retrouve sa position normale. À force de tirer sur la poignée pour refermer la porte, on n'a réussi tout au plus qu'à faire gauchir le bas. Ce qui ne serait probablement pas arrivé dans le cas d'une porte épaisse.

On peut facilement se rendre compte de l'importance de la déformation en tendant une corde de haut en bas de la porte, près de la poignée, du côté extérieur. Si la corde n'appuie pas de partout et « laisse un jour », c'est que la porte a travaillé.

1

2

Il est parfois possible de redresser le bord de la porte à l'aide de presses (serres) et de morceaux de bois (photo 3) qui vont peut-être tordre sous la contrainte, mais qui réussiront peut-être à remettre la porte droite. Avant de faire pareille tentative, il vaut mieux enlever les vitres de la porte pour qu'elles ne soient pas fracturées par le mouvement de torsion. De plus, il faut y aller délicatement afin de ne pas déboîter les coins ou avarier la porte de quelque façon que ce soit. Ça peut fonctionner si on laisse les presses en place durant quelque temps, mais il faut faire attention de ne pas trop recourber le bord de la porte en sens contraire.

Si l'on hésite devant pareil traitement ou que le traitement demeure sans résultat appréciable, alors on ne se préoccupe plus que de l'étanchéité de la porte, que l'on obtient en déplaçant (photo 4) la moulure de bois qui sert habituellement d'appui à l'épaule de l'encadrement métallique. La moulure remet en contact le calfeutrage de l'encadrement avec la porte.

À propos de calfeutrage, si la porte de métal a tendance à admettre de l'eau à la jonction des panneaux et du bâti, un peu de mastic dans les joints mettra fin à cet ennui.

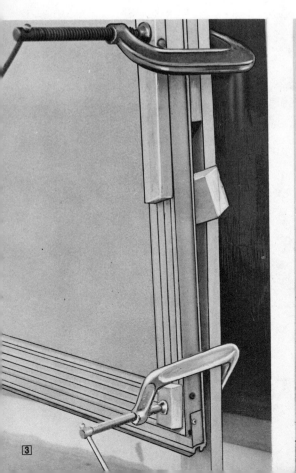

3   4

UN BOUT DE CARTON SUFFIT PARFOIS...

Est-il rien de plus exaspérant qu'une porte de bois qui « colle » à son encadrement, qui résiste à toutes les poussées qu'on lui donne pour bien la refermer et qui, lorsqu'on veut l'ouvrir, risque, en lâchant prise subitement, d'assommer celui qui tire sur la poignée.

C'est ennuyeux, mais sans trop de conséquences, lorsqu'il s'agit de portes assurant la communication entre les pièces intérieures de la maison; c'est plus grave dans le cas des portes situées aux sorties extérieures puisque leur étanchéité est susceptible de s'en ressentir.

Il peut y avoir de multiples causes au coincement intempestif. Certaines peuvent exiger des réparations passablement longues, mais dans la plupart des cas, cependant, un peu de temps et un peu de patience suffiront pour apporter les corrections nécessaires.

Pour les portes de bois comme pour les portes de métal, on commence par un examen attentif: on vérifie si un corps étranger quelconque ne nuit pas au bon fonctionnement.

En examinant de l'œil et du doigt le tour de la porte et de l'encadrement (seuil, montants latéraux et linteau), on découvre parfois des clous et des vis, arrivés là on ne sait comment, qui empêchent la porte d'ouvrir et de fermer normalement. L'enlèvement de ces clous et vis, de même que des autres objets qui pourraient s'être à demi incrustés dans le bois, met bien des fois fin aux embêtements.

Il arrive aussi que les portes, à force de tirer sur leurs charnières, en fassent relâcher les vis, soit du côté de l'encadrement, soit du côté de la porte. Il se peut également que l'installation des vis ait été mal faite, de sorte qu'une ou deux têtes de vis, trop grosses ou entrées de travers, au lieu d'affleurer la surface des charnières, fassent légèrement saillie. Ça ne prend pas plus d'une ou deux « têtes croches » pour que la porte ne puisse s'engager à fond. Les vis qui font simplement relâche sont resserrées fermement. Pour être certain qu'elles ne recommenceront pas le même jeu, il est préférable cependant de les remplacer par des vis plus longues mais de même grosseur.

Les vis mal fichées, de même que celles qui ne tiennent plus parce que leur fil a brisé la fibre du bois, doivent être enlevées. On remplit les trous avec des chevilles de bois encollées ou même avec des curedents ou des allumettes de bois. Évidemment, ces matériaux de remplissage ne doivent pas dépasser le niveau du bois sous les lames des charnières, sinon les vis ne pourront descendre suffisamment et il faudra recommencer.

Les trous une fois comblés, on préperce les nouveaux trous où les vis sont enfoncées.

Si les vis ne tiennent plus parce que le bois est fendu ou même pourri, alors il n'y a pas d'autre choix que de remplacer la section défaillante ou de changer la charnière de place afin de se retrouver dans du solide.

S'il n'y a pas d'obstacles entre la porte et l'encadrement et que les

charnières sont bien assujetties, mais que la porte refuse toujours de se rendre à destination, il faut poursuivre l'examen plus loin.

Sur le côté ouvrant de la porte, il est souvent facile de déceler à quel endroit se produit le frottement. Les contacts répétés ont laissé des indices: la peinture de la porte et de l'encadrement affiche des signes d'usure quand elle n'est pas tout bonnement disparue.

À la base de la porte, c'est parfois plus difficile. On peut se servir d'un miroir pour se rendre compte de l'état de la peinture, mais le plus simple est d'utiliser une feuille de papier ou un carton mince qui, glissé au-dessous de la porte, indique où survient le contact. Le recours au papier et au carton peut aussi être utile sur le côté et au sommet de la porte.

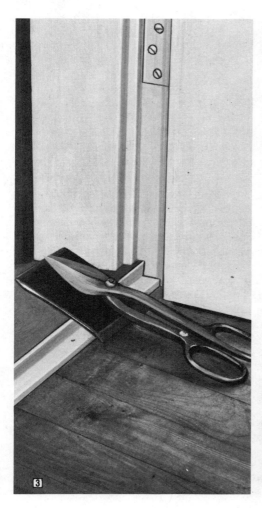

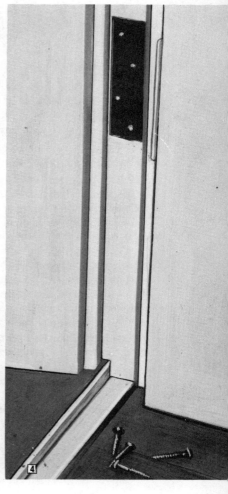

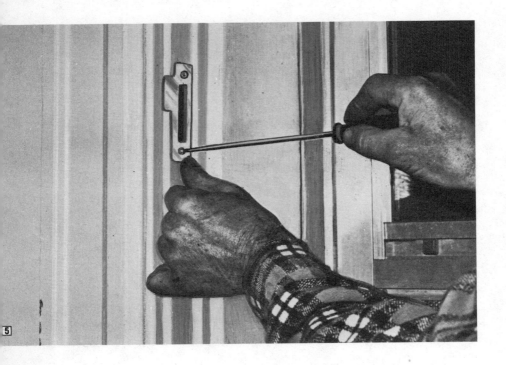

Si la porte est affaissée du côté ouvrant et colle au seuil ou si elle « retrousse » et frotte sur le linteau, il est souvent possible de corriger en intercalant un ou quelques bouts de carton derrière une lame de charnières, en bas lorsque la porte frotte du bas, et en haut, lorsqu'elle frotte du haut. Le carton inséré a pour effet de repousser la porte et il faut, avant de recourir à ce moyen, s'assurer qu'il y a suffisamment de jeu pour que la porte qui, par exemple, doit être relevée puisse l'être sans risquer d'aller buter sur le montant opposé ou sur le linteau.

Sur les photos ci-dessous, on voit une porte, située côté intérieur du seuil, qu'il était impossible de fermer. Elle butait du bas. L'examen avec une feuille de papier (photo 1) ne révélait rien à l'avant. C'est à l'arrière que ça n'allait pas. L'arrière entaillé de la porte ne pouvait passer (photo 2) au-dessus de la barre de métal, incrustée dans le seuil.

La porte a été immobilisée en position ouverte en utilisant des cales de bois (retailles de bardeaux). La lame du bas du montant (photo 3) a été enlevée et un carton, coupé de même grandeur que la lame et perforé vis-à-vis des vis, a été inséré dans la mortaise (photo 4). La lame a été remise en place mais la porte accrochait encore légèrement. Il a finalement fallu ajouter deux autres épaisseurs de carton afin de relever suffisamment la porte pour que sa partie arrière passe au-dessus de la barre et permette à sa partie avant, plus basse, de bien s'appuyer sur la barre pour faire un joint étanche.

Mais la porte refusait de demeurer fermée. Le pêne biseauté, ou le verrou si l'on préfère, n'arrivait pas à être repoussé assez loin pour se bloquer dans la gâche (photo 5) qui consiste ici en une simple plaque de métal, à affleurement du montant, et dont le centre est découpé pour admettre le pêne.

La gâche a été déplacée vers l'avant, en agrandissant légèrement sa mortaise et en relogeant les vis. Comme le pêne ne semblait pas s'engager très loin, deux morceaux de carton logés sous la gâche ont réglé le problème.

Les bouts de carton sont également utiles pour résoudre d'autres difficultés suscitées par les charnières, notamment celles dont les mortaises ont été creusées de façon inégale. Ainsi, s'il y a un trop grand écart entre le côté de la porte et le montant où elle se referme, on dépose un bout de carton en avant des vis des lames (de charnières) retenues au cadre. Par contre, on met du carton en arrière des vis pour empêcher le côté de la porte de frotter au montant.

Mais les cartons ne sont pas nécessairement la réponse définitive à tous les problèmes que posent les portes grincheuses et il faut se résigner parfois à les faire sortir de leurs gonds pour tailler le bois. Mais on ne doit le faire qu'en dernier ressort.

UN BON EXAMEN AVANT DE COUPER

Après avoir éprouvé la solidité des charnières et apporté toutes les corrections nécessaires de ce côté-là, il convient, si la porte persiste à coincer ou à refuser de demeurer fermée, de déterminer si d'autres ajustements ne sont pas possibles avant de passer à la « solution finale »: la taille de la porte au moyen de la scie, du rabot, de la râpe, etc. Il est toujours temps de couper.

Il faut s'assurer que la plaque de métal, le rebord, d'où émerge le pêne, est bien assujettie et n'est pas ressortie comme ici (photo 1) par suite du descellement des vis. Resserrer les vis ou en mettre de plus longues.

Si la porte ne demeure pas fermée ou vibre, il se peut que l'arrêt (photos 4 et 5) se soit déplacé sous des chocs répétés. Reclouer l'arrêt à sa place originale. Ces arrêts (moulures) ne sont utilisés généralement que sur les encadrements des portes intérieures tandis que pour les portes extérieures, les arrêts ou feuillures sont entaillés à même le bois de l'encadrement. Et là, ça ne bouge pas!

Certaines portes de bois souffrent d'adhérences saisonnières causées par l'humidité. C'est notamment le cas des contre-portes qui peuvent fonctionner à merveille par temps sec, mais qui se mettent à frotter en période humide parce que la vapeur d'eau et même l'eau arrivent à s'y infiltrer à la faveur de fendillements dans le bois ou d'un manque de peinture.

Ainsi, il peut arriver qu'une contre-porte coince sur le seuil au cours d'un verglas ou d'une fonte de neige suivie d'un gel. Le remède ne consiste pas à couper la porte mais à en assurer l'entretien et à protéger le dessous de la porte (de même que le haut) par une bonne couche de peinture. Comme c'est peu praticable en hiver, on se tire d'affaire en frottant un bloc de paraffine ou un bout de chandelle sous la porte, mais seulement lorsque le bois aura eu le temps de sécher. Au retour de la belle saison, on enlèvera complètement la paraffine, on poncera et on appliquera un produit antipourriture et enfin de la peinture. Ça ira mieux, l'hiver prochain.

Les portes à l'intérieur même de la maison doivent également être recouvertes, sur les deux faces et tout le tour, de peinture ou de vernis afin de résister aux effets de l'humidité. Les portes de contre-plaqué ont tendance à voiler lorsqu'elles ne sont enduites que d'un seul côté.

Les portes tordues ne sont pas généralement faciles à redresser. La méthode la plus usuelle consiste à déposer les portes sur des chevalets. Le côté bombé est tourné vers le haut et est chargé d'objets suffisamment lourds pour persuader le bois de reprendre le droit chemin.

Une porte qui regimbe peut être parfois l'indice de faiblesses de construction susceptibles d'entraîner des réparations plus ou moins coûteuses.

Ainsi, une porte donnant sur l'extérieur peut frotter à son encadre-

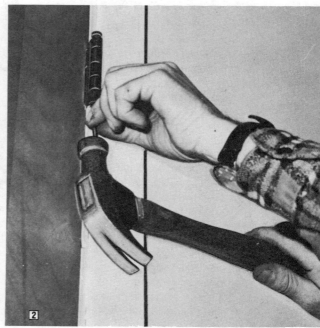

ment parce que ce dernier s'est déséquilibré par suite d'un mouvement du mur de fondation au-dessous. Si le déséquilibre est très léger et ne s'accentue pas, il est moins compliqué de tailler la porte que de toucher à l'encadrement.

Mais si le déplacement de l'encadrement s'aggrave constamment ou si l'encadrement est devenu tout de travers au point de déparer la maison, on a alors un problème plus grave sur les bras. L'affaissement du mur de fondation sous l'encadrement doit certainement laisser des traces sur les revêtements intérieur et extérieur de la maison. On peut tailler la porte de tous bords et tous côtés pour qu'elle fonctionne à peu près convenablement pendant la mauvaise saison, mais ça n'arrangera rien d'autre. Lorsque le beau temps sera revenu, il faudra aller à la racine du mal.

Dans le cas des portes entre les pièces intérieures de la maison, les encadrements qui se mettent plus ou moins soudainement à boiter indiquent bien souvent une dénivellation du plancher provenant d'un fléchissement de la poutre principale au sous-sol ou de solives qui plient l'échine sous le poids de meubles massifs.

Au moyen d'un long niveau, on peut se rendre compte de l'importance du « creux » dans le plancher.

Dans les habitations ne comportant qu'un étage ou deux, le plancher (et par voie de conséquence les encadrements) peut être remis

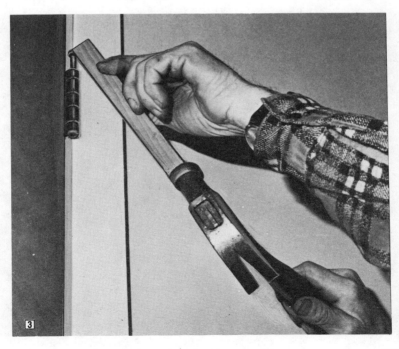

de niveau en utilisant un ou des vérins pour soulever le plancher depuis le sous-sol et glisser des cales au-dessus des colonnes de soutien de la poutre principale ou pour mettre des colonnes supplémentaires là où se manifestent les affaissements. L'exécution de ce travail ne présente pas de difficultés particulières lorsque le sous-sol n'est pas fini.

Parfois, il n'y a pas moyen de faire autrement que d'apporter des corrections à la porte elle-même. Quand il s'agit d'un frottement plutôt léger, causé par exemple par l'insuffisance de l'angle du biseau du côté fermant (voir dessin), un ponçage ou un coup de rabot peuvent suffire, sans avoir à enlever la porte.

Toutefois, lorsque les circonstances exigent une véritable « épluchette » de bois, on fera un meilleur travail en extrayant la porte de son encadrement.

Les charnières des portes intérieures peuvent bien souvent être désassemblées en introduisant un clou (photo 2) dans un orifice sous les charnons et en tapant légèrement avec un marteau pour faire sortir la tige.

4 5

Lorsque les charnières sont rouillées ou lorsqu'il s'agit des lourdes charnières (elles n'ont pas d'orifice où glisser un clou) des portes extérieures, on recourt à un morceau de bois (photo 3) pour pousser la tête de la tige. Si le bois glisse, il fera moins de dommages que le tournevis dont on se sert habituellement pour cette besogne.

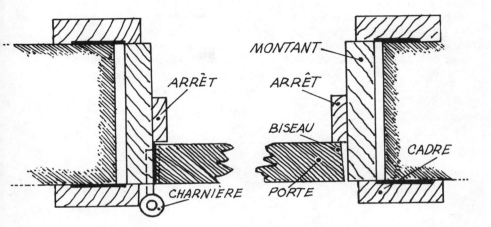

COMMENT TAILLER UNE PORTE

La porte de bois qui doit être retirée de son embrasure pour subir des ajustements est, selon la nature des travaux à effectuer, soit couchée sur des chevalets ou autres appuis, soit maintenue sur l'un de ses côtés.

Avant d'enlever la porte, il faut la marquer soigneusement aux points de friction afin de ne pas supprimer plus de bois qu'il n'est nécessaire.

On recourt aux chevalets lorsqu'il s'agit de coupes qui seraient trop longues à pratiquer avec de petits outils et pour lesquelles il vaut mieux se servir, du moins pour le dégrossissage, de l'égoïne ou d'outils électriques tels que la scie portative et la scie sauteuse.

Par contre, si l'on ne doit enlever qu'une couche plutôt mince de bois — ici, on utilise rabot manuel ou électrique, râpe, bloc à poncer — la porte peut être retenue en position debout, sur l'un de ses côtés.

Cela peut présenter des difficultés si l'on n'a pas d'étau ou autre dispositif pour empêcher la porte de bouger ou même de basculer.

Un étau improvisé, comme celui des photos 3, 4 et 5, rendra la tâche plus aisée et aussi moins périlleuse, et pour la porte et pour le bricoleur. L'étau est utile pour tailler les côtés de la porte mais peut aussi être adapté (photo 4), avec planche stabilisatrice, pour travailler le bas et le haut.

L'étau consiste tout simplement en quatre bouts de planche (deux semelles et deux mâchoires) assemblés deux à deux en forme de coin ou de « L ». Les semelles, plus longues que les mâchoires, sont retenues à un chevalet (photos 3 et 5) ou à un rebord de table, de tablette, etc. Les mâchoires, garnies ou non de caoutchouc, sont enserrées sur la porte au moyen d'une presse. Si l'on n'a pas de presse assez grande, on s'en fabrique une à l'aide de trois bouts de bois et des cales ou coins.

1

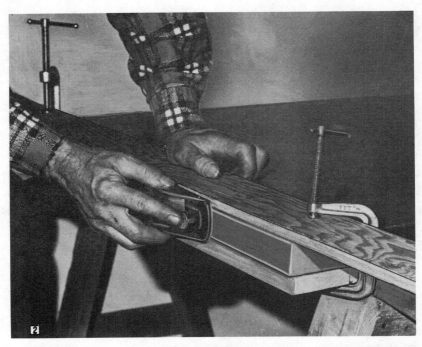

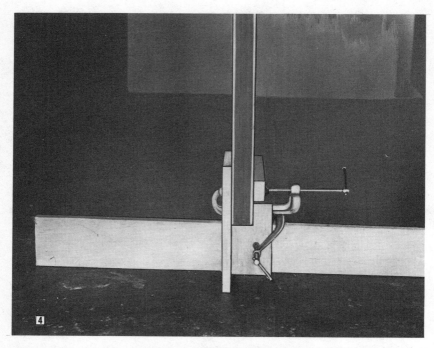

344

Si la porte est maintenue à angle droit, son poids contribuera à stabiliser l'installation. La porte ne glissera pas si l'on dispose au-dessous un morceau de matériau antidérapant.

Lorsqu'on utilise rabot, varlope, vastringue ou râpe (que la porte soit en position couchée ou debout), on évite d'effriter les coins en travaillant depuis les coins (photo 3) en direction du centre.

Pour faire un travail précis, des guides sont fort précieux, que ce soit pour délimiter (photo 2) la profondeur de coupe et ne pas arrondir le bord de la porte ou que ce soit pour permettre à l'égoïne (photo 1) d'enlever une mince tranche de bois. Dans ce cas, le trait marqué sur le guide doit correspondre au trait indiquant sur la porte la partie à supprimer. Le guide empêche la scie de déraper. Pour scier à angle le bas des contre-portes, on se sentira peut-être plus sûr en recourant à deux guides, légèrement prétaillés, installés l'un au-dessus et l'autre, au-dessous.

Après les opérations de tailles pratiquées au moyen de divers outils, on utilise un bloc muni de papier abrasif pour adoucir les surfaces rugueuses et arrondir légèrement l'arête des bords.

Porte taillée sur mesure

Il n'est pas besoin d'être un expert pour fabriquer soi-même la porte d'un abri, d'une remise. Il n'y aura rien de compliqué si vous suivez une méthode que j'ai imaginée pour mon propre compte et qui a parfaitement réussi.

Non seulement la porte ne coûtera à peu près rien, mais elle pourra être assemblée très rapidement, sans exiger l'emploi d'un cadre comme on en utilise généralement. La porte s'adaptera très bien à l'embrasure, même si les pièces de 2 × 3 ou de 2 × 4 qui la constituent ne sont pas d'équerre ou de niveau. Et même si les coins de l'ouverture sont déhanchés, la porte s'ouvrira et se fermera avec une grande facilité, sans se coincer.

Selon le bâtiment auquel elle est destinée, la porte, ou plus exactement l'ossature de la porte, peut être recouverte de polyéthylène, de bois contre-plaqué ou de planches.

L'ossature de la porte, dont les photos montrent les diverses étapes de fabrication, consiste en planches de 1 × 3 d'épinette de $3/4$ de pouce d'épaisseur, renforcées par des goussets de contre-plaqué, de qualité « extérieur », d'une épaisseur de $1/2$ pouce.

Avant d'entreprendre la confection de la porte, on doit d'abord déterminer de quel côté elle ouvrira, à gauche ou à droite, vers l'intérieur ou vers l'extérieur. C'est important parce que si l'on veut que la porte puisse décrire un demi-cercle complet de 180 degrés, les goussets doivent être installés du côté opposé à celui où la porte ouvre.

L'installation décrite ici prévoit une porte à affleurement, c'est-à-dire que sa surface, une fois recouverte de son matériau de parement, sera à l'égalité, du côté où elle ouvre, avec celle des montants de l'embrasure. Les charnières sont tout simplement vissées par-dessus. Le chapitre suivant décrira un moyen facile de les poser.

La marche à suivre pour l'assemblage de l'ossature est très simple. Des moulures d'environ $3/4$ de pouce sur un pouce, formant arrêt, sont clouées provisoirement dans les coins et le centre de l'embrasure (photo 1) de façon à laisser suffisamment d'espace pour que la porte une fois finie arrive à affleurement avec les montants et les traverses. Une planche de 1 × 3, appuyée au bas et au côté de l'embrasure, est marquée (photo 2) à pleine hauteur. Au moment de la coupe, on enlève $1/2$ pouce afin que la porte puisse avoir un jeu de $1/4$ de pouce au sommet comme à la base. Après avoir marqué et scié l'autre montant de la porte, on retient les deux montants en place (photo 3) avec de petits clous à finition enfoncés seulement aux trois quarts. À noter que trois planchettes de $1/4$ de pouce d'épaisseur ont été intercalées entre le montant et le côté de l'encadrement. On n'utilise ces « séparateurs » que sur un côté: ils donneront un jeu suffisant.

346

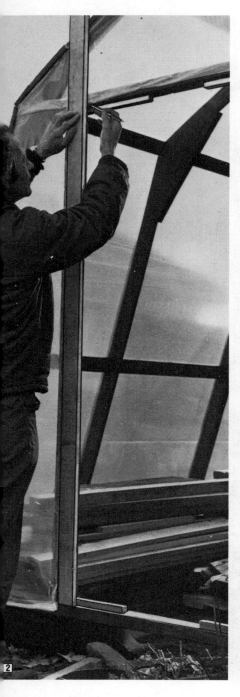

On marque et on coupe ensuite la traverse du haut (photo 4) et la traverse du bas (photo 5) en épousant le contour de l'embrasure, puis on passe à la traverse centrale (photo 6) qu'il est plus prudent de mettre de niveau.

Par après, on découpe des goussets en forme de triangles rectangles (un des côtés est à angle droit) pour réunir montants et traverses, au sommet et à la base. Les goussets du centre sont rectangulaires. Ici, pour une porte d'environ 30 pouces de largeur, les triangles mesurent 9 sur 13 pouces; les goussets du centre, 4 sur 10 pouces.

On retient les goussets au moyen de presses (photo 7) et on visse du côté des goussets, sans sortir la porte de l'embrasure qui lui a servi de gabarit. Si l'on n'a pas suffisamment de presses, on assemble les traverses l'une après l'autre. On peut aussi clouer, mais il faudra enlever la porte et prendre garde que rien ne glisse.

L'ossature, aussi solide que peu coûteuse, est terminée. On remplace les petites moulures de l'encadrement par de plus longues qui formeront arrêt tout autour de la porte qu'il ne reste plus qu'à recouvrir de son matériau de parement.

Comment poser une charnière

Les bricoleurs peu expérimentés éprouvent des difficultés à installer convenablement des charnières: les charnières « tombent » mal et grincent, et les portes se cabrent quand elles ne se coincent pas tout simplement.

En suivant une méthode que j'ai éprouvée, les novices dans l'art du bricolage constateront que les difficultés s'évanouiront comme par enchantement. C'est facile, rapide et les résultats sont satisfaisants. Les charnières sont posées, les deux lames déployées, à affleurement, du côté où la porte ouvre.

Je n'irai pas jusqu'à vous proposer une installation semblable pour les portes de la maison, tant intérieures qu'extérieures, mais le mode de pose convient fort bien aux portes légères des hangars et remises ainsi qu'aux portes d'armoires de rangement au sous-sol.

Les portes lourdes sont mieux soutenues lorsque les charnières sont insérées dans des engravures pratiquées et dans le cadre de la porte et dans le côté de la porte elle-même. Les engravures fournissent un bon appui aux charnières et empêchent le poids de la porte d'en ébranler les attaches.

Bien que cette méthode classique d'installation exige plus de précision, elle est loin de présenter les difficultés rebutantes qu'y voient parfois les débutants dans le travail du bois.

La méthode que je vous suggère ne demande qu'un minimum d'habileté. Il faudrait vraiment faire exprès pour manquer son coup. Il n'y a pas d'engravures compliquées à creuser, seulement des petites incisions qui peuvent s'accommoder d'une certaine imprécision.

La méthode, qui prévoit un ajustement préalable de la porte dans le cadre ou ce qui fait office de cadre, convient particulièrement bien aux portes poids léger. C'est d'ailleurs une porte semblable qui sert ici à illustrer la façon d'installer les charnières.

Lorsqu'on pose des charnières carrément sur la surface d'un cadre et d'une porte, les difficultés surviennent lorsque les charnières ne sont pas bien alignées. Ici, pour faciliter le travail, on recourt à un petit truc qui fonctionnera à moins que le cadre n'ait les jambes désespérément croches. Il faudra le redresser avant d'aller plus loin.

Après avoir indiqué d'un trait de crayon l'emplacement des charnières (deux sont généralement suffisantes, l'une à sept pouces du haut de la porte, l'autre à 10 pouces du bas), on dépose à l'envers sur la face du cadre une des lames de la charnière (dessin A), de sorte que la partie protubérante formée par les charnons soit bien appuyée sur le côté du cadre. Tout en tenant bien en place la charnière (c'est important, c'est l'opération critique), on marque les trous du haut et

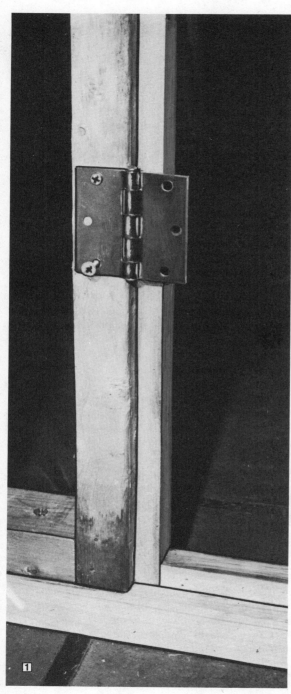
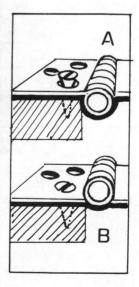

du bas de la lame, on perce des trous d'un diamètre inférieur à la tige des vis, puis on enfonce les deux vis (photo 1).

Il n'y aura aucun problème si l'on recourt à des charnières à trous symétriques comme celle que l'on voit sur les photos ci-dessous. Lorsque les charnières seront remises à l'endroit, les trous correspondront.

La deuxième opération consiste précisément à enlever les vis et à retourner les charnières à l'endroit (dessin B), les charnons se projetant à l'extérieur du cadre.

Comme les charnons et la tige qui les unit forment un léger renflement à l'arrière, on pratique une incision dans le coin du cadre comme on le fera plus tard pour la porte (photo 4) afin que la charnière se dépose bien à plat. La lame retournée est maintenant vissée de façon définitive.

À l'étape suivante, on place la porte (ici, une ossature qui sera re-

couverte de polyéthylène) dans l'embrasure (photo 2) et on insère de chaque côté et dessous des cales d'écartement.

Pour qu'elles ne bougent pas, les cales sont tenues par de petits clous. Pour une porte de remise ou d'abri, on peut laisser un espace d'un seizième de pouce à une ligne du côté des charnières et d'environ un quart de pouce dans le bas et autant dans le haut.

On rabat la lame encore libre sur la porte et on fait un trait au sommet et au bas de la charnière comme on peut voir à la photo 3 (la charnière n'a été enlevée ici que pour des fins d'illustration). La porte est ensuite retirée du cadre. On y fait des incisions (photo 4) pour admettre la bosse arrière des charnons puis on remet la porte dans son cadre où elle fera comme un gant, les cales, clouées, n'ayant pas bougé. Il ne reste qu'à percer des trous à travers les orifices des lames et à visser (photo 5). On enlève les cales et les petits clous. La porte (photo 6) ouvrira et refermera sans tiraillement.

354

Comment récupérer un bout de terrain en pente

Il est possible de récupérer la partie inutilisable d'un terrain, condamné à se terminer en pente parce que les lots voisins ne peuvent être rehaussés.

Ce n'est peut-être pas un phénomène fréquent dans les villes, mais c'est une situation qui se présente assez souvent dans les endroits de villégiature.

La récupération peut être totale ou partielle selon l'importance des travaux que l'on est disposé à entreprendre et, aussi, selon l'apparence finale que l'on veut donner au terrain. La nature du sol entre également en ligne de compte.

Les dessins qui suivent font part de quelques suggestions, les unes économiques, les autres coûteuses, qui peuvent constituer des éléments de solution. C'est là affaire de goût et de moyens financiers. Ces suggestions sont loin d'épuiser le sujet et il y en a certainement de plus ingénieuses. Faites travailler votre matière grise!

Pour combler en grande partie la pente malencontreuse d'un terrain dont la coupe ressemblerait à celle du premier dessin illustré ci-dessous, on peut aménager, par remplissage graduel, un talus incliné qui ne reprendra peut-être pas tout l'espace qui était perdu mais qui permettra tout de même de récupérer un bon bout de terrain.

Le talus est protégé de l'érosion soit par un tapis serré de plantes vivaces, soit par des pièces de bois traitées contre la pourriture, ou

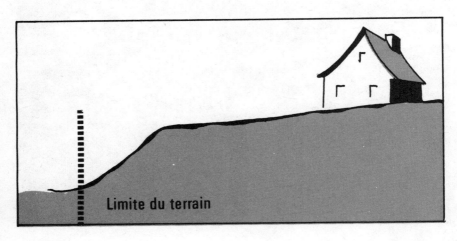

Limite du terrain

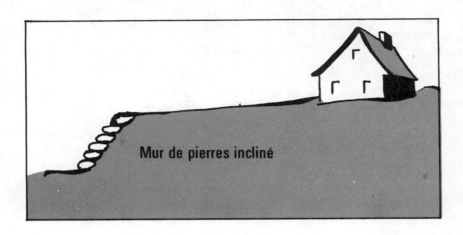

Mur de pierres incliné

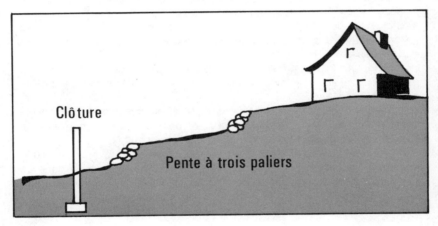

Clôture

Pente à trois paliers

Mur de soutènement ancré
sous la ligne de gel

encore par d'assez grosses pierres rondes ou plates, empilées solidement les unes sur les autres.

Un mur formé de larges pierres plates n'a besoin que d'une inclinaison d'environ deux pouces par pied de hauteur. Par contre, un mur de pierres rondes exigera une pente de quatre à cinq pouces au pied, c'est-à-dire presque à 45 degrés. Dans certaines régions, les pierres sont une solution peu coûteuse. C'est pas compliqué, il en pousse! On n'a qu'à se pencher pour les ramasser.

Le mur de pierres peut être monté à sec ou avec du mortier. Dans ce dernier cas, il faut laisser des trous d'égouttement de place en place.

Le mur et le talus ne s'effondreront pas au premier orage si l'on prend soin, lors du remplissage effectué au fur et à mesure de la pose des pierres, de mouiller la terre nouvelle et de la compacter fermement.

Au lieu de mettre le terrain sur un seul niveau, il est possible d'amortir la pente en décomposant le terrain en deux ou trois paliers. L'aménagement de paliers exige parfois passablement de travail ainsi que le déménagement de volumes considérables de terre, mais si l'on a le moindrement de goût, un terrain à paliers peut être de toute beauté. Les paliers sont bordés de murets de pierres ou de bois et sont reliés entre eux par des escaliers.

Si le terrain est aménagé à trois hauteurs différentes, le dernier palier peut rejoindre le niveau du terrain voisin. Au besoin, une clôture assurera l'intimité.

À ce propos, des clôtures ou un garde-fou quelconque s'imposent lorsqu'un terrain se termine brusquement dans le vide comme c'est le cas pour le mur de pierres et le mur de soutènement en béton.

Le propriétaire qui voudrait recourir à la solution du mur de soutènement en béton armé, ancré sur une rigole au-dessous de la ligne de gel, ferait sans doute mieux de confier ce travail à un entrepreneur

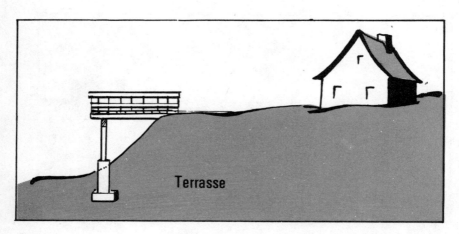

Terrasse

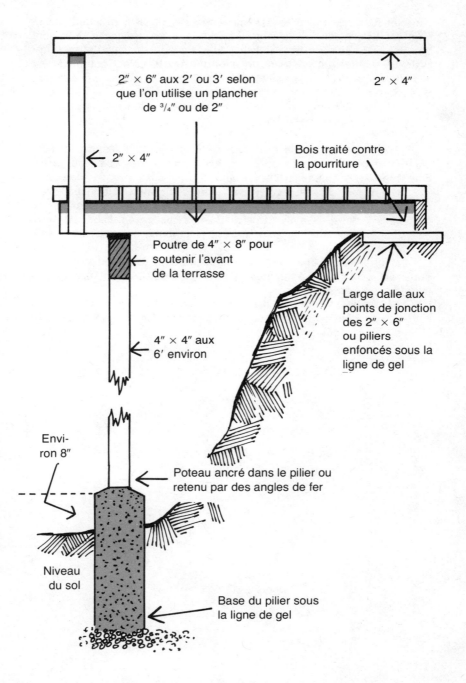

2″ × 6″ aux 2′ ou 3′ selon
que l'on utilise un plancher
de ³/₄″ ou de 2″

2″ × 4″

2″ × 4″

Bois traité contre
la pourriture

Poutre de 4″ × 8″ pour
soutenir l'avant
de la terrasse

Large dalle aux
points de jonction
des 2″ × 6″
ou piliers
enfoncés sous la
ligne de gel

4″ × 4″ aux
6′ environ

Envi-
ron 8″

Poteau ancré dans le pilier ou
retenu par des angles de fer

Niveau
du sol

Base du pilier sous
la ligne de gel

359

consciencieux. Si la tâche est mal effectuée et si le drainage de la terre est défectueux, il y a des risques que le mur se fasse drôlement bousculer sinon basculer par le gel. La solution du mur de soutènement, passablement coûteuse, que l'on fasse le travail soi-même ou non, présente toutefois l'avantage de récupérer le terrain presque jusqu'au dernier pouce.

Il en est de même de la terrasse de bois qui, elle aussi, peut coûter assez cher bien que cette solution n'exige aucun ou à peu près aucun travail de remplissage.

Il n'est pas nécessaire que la terrasse occupe tout l'espace à récupérer. Elle peut être logée au centre ou dans l'un des coins du terrain dont le reste sera aménagé différemment.

Le bord de la terrasse doit être ancré suffisamment loin sur le terrain pour qu'il n'y ait absolument aucun danger que le poids de ses occupants la fasse basculer. Des madriers disposés en diagonale entre les poteaux d'appui et les solives de la plate-forme ajouteront à la solidité de l'œuvre.

La terrasse est entourée sur trois côtés d'un garde-fou à sa partie supérieure. On peut également entourer la partie inférieure qui se transformera ainsi en remise.

Les dimensions mentionnées dans les dessins ne sont que des suggestions. Lors de la construction, les dimensions des pièces de bois devront être ajustées au besoin.

Pour déménager un petit hangar

Pour déménager sur de courtes distances un petit abri ou un hanger muni d'un plancher, il n'est pas nécessaire de compter sur une main-d'œuvre nombreuse non plus que sur un outillage spécialisé.

Pourvu que le terrain soit relativement plat, deux hommes peuvent assez facilement déplacer un hangar de huit pieds sur dix et même de dimensions plus considérables.

Le minimum d'accessoires nécessaires: deux longs madriers (des 16 pieds, si possible) sur lesquels le hangar voyagera; quelques 2×3 ou 2×4 de cinq à six pieds de longueur pour servir de leviers, un tuyau de métal ou un cylindre de bois d'un à deux pouces de diamètre, d'une longueur à peu près égale à la largeur du hangar; des blocs de bois et, enfin, une bûche pour servir d'appui aux leviers.

Tant mieux si l'on peut emprunter dans un garage un cric puissant et si l'on a à sa disposition plusieurs tuyaux ou cylindres. Ça ira alors comme sur des roulettes!

Avant d'entreprendre quoi que ce soit, il faut se rendre compte des choses évidentes. Par exemple, si le hangar est en état d'entreprendre le voyage et si l'on a vraiment tout ce qu'il faut à portée de la main pour mener la tâche à bien.

Ainsi, un hangar au plancher vermoulu risque d'expirer d'écartèlement général avant d'arriver à destination. Par ailleurs, s'il y a une pente de quelque importance sur le parcours, il vaudra mieux alors se procurer un lourd palan.

Et si le hangar est assez solide pour subir les tiraillements du déplacement, ce ne serait peut-être pas une mauvaise idée que de préparer le terrain où il doit être relogé. S'il doit être juché sur des piliers de béton enfoncés au-dessous de la ligne de gel (à environ quatre pieds), il faudra couler ces piliers quelques jours à l'avance afin qu'ils aient le temps de sécher et d'acquérir suffisamment de résistance.

S'il y a du gazon à l'endroit où le hangar doit être déménagé, il vaut mieux l'enlever. On comble la cavité à l'aide de gravier bien tassé. Pour faire obstacle à toute nouvelle pousse et empêcher en même temps l'humidité du sol de provoquer la pourriture du plancher, on dépose sur le gravier un épais polyéthylène noir, dont les rebords seront enfouis afin qu'ils n'offrent aucune prise au vent. Si l'on ne peut trouver de polyéthylène noir, on peut obtenir le même résultat en utilisant du papier asphalté assez épais que l'on enduit de goudron et sur lequel on colle du polyéthylène clair. Si l'on a pris la précaution de disposer le gravier de façon à ce que le centre soit plus élevé que les côtés, l'eau ne pourra alors jamais s'accumuler sous le hangar.

Avant de déloger le hangar de ses assises, on le vide de son contenu

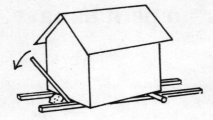

Le hangar se déplace sur un tuyau inséré entre son plancher et deux madriers. Un levier soulève l'arrière et imprime une poussée vers l'avant.

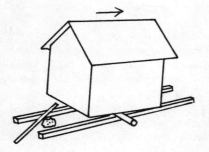

Le centre a dépassé le tuyau et le hangar pique du nez.

On redresse l'avant et on y dispose des blocs de même qu'à l'arrière. On tire les madriers vers l'avant et on replace le tuyau.

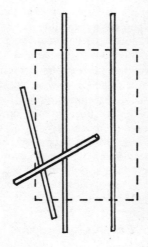

L'avant étant immobilisé, le hangar pivote facilement grâce à un troisième madrier et au tuyau mis en diagonale. On imprime la poussée sur le côté opposé au tuyau.

Un levier soulève le côté du hangar pour permettre d'insérer le tuyau entre les madriers et le plancher.

Avant d'être déboulonné de son mur natal, le hangar a été solidement étayé.

et on l'étaie généreusement afin qu'il ne soit pas désarticulé pendant le voyage.

La manœuvre de déplacement n'a rien de bien compliqué. On enlève les assises et on dépose le hangar, dans le sens de la longueur, sur les grands madriers. Un tuyau est glissé à l'avant (c'est-à-dire la partie qui est acheminée en premier) entre les madriers et le fond du hangar. On soulève l'arrière au moyen d'un ou plusieurs leviers en imprimant une poussée vers l'avant. Lorsque le centre du hangar a dépassé le tuyau, le hangar pique du nez. On le relève, on dispose des blocs à l'avant et à l'arrière, on replace les madriers et le tuyau et on recommence. Pour faire pivoter le hangar, on se sert d'un troisième madrier, on met le tuyau en diagonale et on pousse sur le côté.

S'il y a une pente assez accentuée à franchir, un fort palan retenu à la base d'un poteau ou d'un arbre solide permettra de haler le hangar ou de ralentir sa descente. Pour cette manœuvre, le hangar est ceinturé d'un cordage. On protège le parement du hangar (et l'écorce de l'arbre, si l'on se sert d'un tel point d'appui) à l'aide de linges ou de carton.

La route de 2 × 4 est ouverte. Le voyage peut maintenant commencer.

Votre piscine à la poubelle?

Avec les années, il peut arriver que la toile de vinyle de votre piscine foule et refuse de demeurer sur son câdre de tôle. C'est un accident qui se produit fréquemment pour les piscines de surface que l'on doit monter et démonter chaque année. La toile durcit, perd graduellement de son élasticité jusqu'au jour où, malgré votre patience ou votre impatience, elle lâchera tout! Mais n'allez pas pour autant mettre votre piscine aux vidanges, surtout si la toile n'est pas très avariée.

C'est sûr, le plus facile, c'est d'acheter une autre toile ou... une autre piscine. Mais pourquoi ne pas tenter un essai de récupération? C'est ce que j'ai fait. Et j'ai réussi. Pourquoi pas vous?

Ce qu'il faut faire pour sauver la piscine, c'est de couper la tôle de quelques pouces afin d'en réduire la circonférence et permettre ainsi

1 — La tôle est coupée à six pouces ou plus de l'agrafe du rebord.

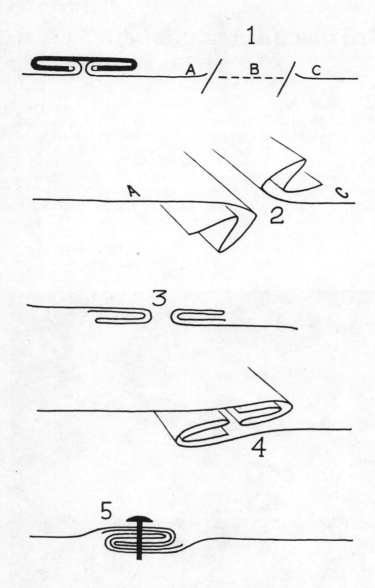

Quand les bords de la tôle de la piscine sont retenus par une glissière, il vaut mieux couper (1) quelques pouces plus loin et faire un pli simple ou double assez large. Les parties A et C seront pliées. La partie B représente la section à retrancher si l'on doit vraiment enlever encore quelque chose après avoir calculé la longueur des plis dont on voit l'agencement en 2, 3 et 4. Les plis une fois agrafés sont retenus (5) par des boulons ou des rivets, avec rondelles, fixés à tous les deux ou trois pouces.

à la toile rétrécie de tenir en place. Ma piscine une « 18 pieds », s'est accommodée d'une coupe de 9 pouces.

Je n'ai enlevé en réalité que quatre pouces; les cinq autres pouces ont servi à la confection des plis.

Il ne faut qu'un outillage sommaire pour réussir l'opération « sauvetage » : un ciseau à tôle, un marteau, deux morceaux de bois rigides et droits, un bout de fer plat, des petits boulons ou des rivets. Tant mieux si vous avez une « plieuse » à tôle, mais ce n'est pas essentiel.

Si les extrémités de la tôle de votre piscine sont déjà retenues par des boulons, la coupe sera une affaire de rien. Il ne s'agira que de tailler une des extrémités, de percer de nouveaux trous pour les boulons et d'assembler.

Par contre, le travail sera un peu plus long si les extrémités de la tôle se terminent par des plis formant agrafes, reliés par une glissière de métal. Comme ces plis sont très courts, il n'est pas possible de les

2 — *Retenue par des presses entre deux pièces de bois rigides, la tôle est d'abord retournée légèrement à la main.*

« copier » avec des outils rudimentaires. Il vaut mieux les conserver, couper la tôle un peu plus loin, et réunir les parties sectionnées au moyen d'autres plis, simples ou doubles (voir dessin).

La coupe d'une tôle de piscine est du travail à l'œil, mais il ne faut pas exagérer. Une taille de quelques pouces suffit généralement. Avant de couper, mesurez de façon précise quelle longueur les nouveaux plis retrancheront à la circonférence. Vous déterminerez ainsi la longueur de tôle qui devra être carrément enlevée.

Avant de faire quoi que ce soit, marquez de quel côté se trouve l'agrafe pour ne pas avoir une cruelle déception à l'assemblage. Il faut également que les plis soient bien droits, sinon la réunion des deux extrémités de la tôle deviendra particulièrement ardue, sinon impossible. Enfin, la tête des boulons et des rivets doit être installée côté intérieur de la tôle. Ça risquera moins d'endommager la toile.

3 — La tôle est rabattue au marteau. Ensuite, on la libère et on la rabat complètement si l'on procède à un double pliage.

4 — Un fer plat, maintenu par un bloc, empêche le 2e pli de se rabattre complètement.

5 — Les deux plis sont agrafés et martelés. Les presses empêchent tout glissement. Il reste à boulonner.

Trucs pour piscines « difficiles »

L'installation, la remise au niveau, la pose d'une toile qui a glissé et le nettoyage de l'assiette des piscines de surface représentent parfois un travail onéreux surtout quand on veut tout faire soi-même. Quelques trucs permettent de vaincre la plupart de ces difficultés.

Les piscines de surface se divisent en deux grandes catégories que, si j'étais agronome, je définirais comme suit: piscines vivaces et piscines annuelles. Ce sont généralement ces dernières qui donnent le plus de... toile à retordre.

Les piscines vivaces, à la toile et au bâti résistants, peuvent passer l'hiver sous la neige. Les piscines annuelles sont plus débiles et le seul

1 — À deux, il n'y a pas d'erreur possible. La piscine sera de niveau!

climat qui leur conviendrait l'hiver serait celui de la Floride. Il faut les empaqueter, la mauvaise saison venue, pour les ressortir avec les premiers soleils chauds. Montages et démontages successifs n'arrangent rien.

Après les coups de soleil de l'été et l'assèchement durant l'hiver dans le placard où elle est recroquevillée, la toile fait des rides, perd de la souplesse et ne guette que l'occasion de vous jouer un sale tour en se « décrochant » du cercle de tôle lors du remplissage. Et le printemps, alors qu'il fait encore trop froid pour installer votre piscine, les mauvaises herbes ont trouvé la terre promise dans le cratère pour le fond de la piscine. Il faut arracher tout ça avant la pose. De plus, les pluies diluviennes du printemps creusent des rigoles dans le cratère et l'érosion dénivelle le terrain.

Les problèmes de l'érosion et de la pousse indésirable d'herbe dans l'assiette de la piscine peuvent être facilement résolus en étendant sur

2 — De petits pieux sont plantés autour du cercle inférieur.

3 — Le papier asphalté fera foin des folles herbes.

4 — *Le polyéthylène protégera le fond de la toile.*

5 — *Au remplissage, des presses empêchent la toile de glisser.*

le sol, avant la pose de la toile, des laizes de polyéthylène noir que vous laisserez en place à l'automne en chargeant les laizes de pierres, de pièces de bois ou en y laissant reposer le cercle formé par les traverses inférieures de votre piscine.

Comme le polyéthylène noir semble assez difficile à se procurer en bandes larges, à moins d'en acheter de fortes quantités, on peut le remplacer par une couche de papier asphalté suivie d'une couche de polyéthylène clair, si possible d'une épaisseur de 4 mil. Les laizes de polyéthylène et de papier doivent se chevaucher de 4 à 6 pouces et être liées par du mastic à calfeutrage. Le mastic ne doit pas « baver » sur

6 — *Des planches fixées à des soutiens solides maintiennent la tôle en place.*

les rebords. Il ne faut pas non plus que le papier asphalté entre en contact avec le fond de la toile. Il la ferait sécher prématurément.

La toile finira bien d'ailleurs par sécher et rétrécir assez rapidement. Lorsque vous constatez qu'il faut vraiment lui tirer les oreilles pour la disposer sur le cercle de tôle, il est temps de penser à des solutions. Vous pouvez tout d'abord rehausser un peu le fond du cratère où votre piscine est ancrée. Il n'est pas nécessaire que ce cratère dépasse une profondeur de 6 pouces pour les piscines de 18 pieds; 8 pouces pour les 21 pieds et 10 pouces pour les 24 pieds.

En procédant ainsi, la toile aura plus de jeu.

De plus, vous préviendrez peut-être un décrochage si vous ne procédez au remplissage que lorsque le soleil plombe et réchauffe votre vieille toile. Elle est alors plus malléable. Fermez le robinet le soir venu alors que la toile est de nouveau tendue et ne reprenez le remplissage que par temps chaud. Des presses peuvent également aider la toile à se maintenir en place.

Et si la toile lâche malgré tous ces bons traitements, alors il ne vous reste plus qu'à la remplacer ou à réduire la circonférence de la tôle de votre piscine.

Au cours de l'assemblage, il arrive plus souvent qu'autrement que le vent s'élève (c'est toujours comme ça, dit la chanson) et que, pour comble de malchance, on ne puisse pas réunir toute la main-d'œuvre nécessaire pour retenir la tôle qui joue du tonnerre. On peut se sortir de cette impasse en profitant de tous les points d'appui tels que poteaux, arbres, etc., pour se fabriquer des aides-robots au moyen de planches, de clous et de presses.

Adresse utile:
Louis Thivierge
Projets de bricolage
Case postale 244
Beloeil, Québec

Distributeur exclusif pour le Canada.
LES MESSAGERIES INTERNATIONALES DU LIVRE INC.
4550, rue Hochelaga, Montréal H1V 1C6

IMPRIMÉ AU QUÉBEC